D0585813

Het rijk alleen

Siri Mitchell

Het rijk alleen

Roman

Vertaald door Marianne Grandia

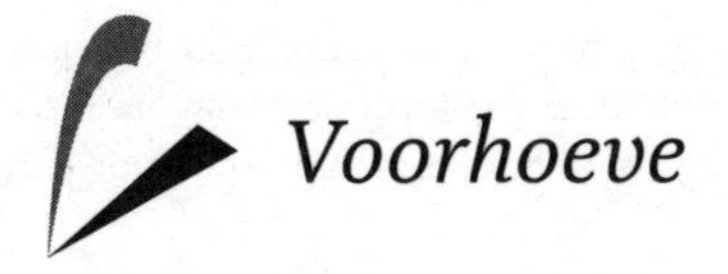

© Uitgeverij Voorhoeve – Kampen, 2010
Postbus 5018, 8260 GA Kampen
www.kok.nl

Oorspronkelijk verschenen onder de titel *Chateau of Echoes* bij NavPress, P.O. Box 35001, Colorado Springs, Colorado 80935, USA
© Siri L. Mitchell, 2005

Vertaling Marianne Grandia
Omslagillustratie David De Lossy/GettyImages
Omslagontwerp Garage BNO
ISBN 978 90 297 1965 0
NUR 302

Voor Tony

De dromen die ik met jou heb gedeeld, zijn me het dierbaarst.

Août

S'il pleut pour Sainte-Radegonde,
misère abonde sur le monde.

Augustus

Valt er op Saint-Radegonde regen,
dan zit het alle mensen tegen.

1

Op de derde dag van augustus ontving ik een brief uit Amerika. Er stond geen naam van de afzender op de envelop, alleen een adres in Californië.

Het was een heerlijke zomerdag in Bretagne. De temperatuur schommelde rond de vierentwintig graden en de bewolking was af en toe zo dun dat de zon er doorheen kon schijnen. Dat maakte het warm genoeg om alleen een korenbloemblauw topje op mijn zwarte korte broek te dragen. Het briesje dat door mijn haren speelde, blies mijn strooien hoed over mijn rechteroog. Ik ben blond maar niet in opvallende zin. Met mijn blanke huid en ijsblauwe ogen ben ik meer een schaduw- dan een zontype.

Ik bleef even bij de brievenbus staan, klemde de brief tussen mijn bovenarm en lichaam, legde een hand op de rand van mijn hoed en deed een wedstrijdje met de wind om de touwtjes van mijn hoed steviger onder mijn kin vast te binden. Terwijl ik over de anderhalve kilometer lange oprijlaan naar het kasteel liep dat ik mijn thuis noem, genoot ik van het geknerp van het grind onder mijn voeten, dat me in het heden bracht.

Het *chateau*, dat uit de veertiende eeuw dateert, heeft vier torentjes. Het is beslist niet het grootste kasteel in Frankrijk, en ook niet het mooiste, maar wel het mijne. En terwijl ik keek hoe de zon doorbrak en het kasteel in een gouden gloed zette, voelde ik me ontzettend trots. Het kasteel had hier al meer dan een half millennium zonder mij gestaan en zou er waarschijnlijk na mij nog wel een half millennium staan. Ik leende het alleen maar tijdens de korte periode dat ik bestond. Maar in die korte tijd was het mijn eigendom.

Mijn vrienden hadden verwacht dat ik me eenzaam zou voelen alleen in dit enorme kasteel. Maar ik begon mijn leven hier juist weer op orde te brengen en veroverde een plekje voor mezelf in deze wereld. Nog nooit had ik het kasteel als te groot of te leeg ervaren.

Meestal voelde het gewoon als volmaakt.

Maar toen ik vanochtend in mijn moestuin aan het werk was, had ik weer dat bekende gevoel dat ik niet alleen was. Dat er zachtjes tegen mijn hart werd geklopt. En zoals ik wel vaker doe als ik me aangevallen voel door een God Die weigert bij me vandaan te blijven, zei ik hardop: 'Wilt U weggaan?' En zoals gewoonlijk voelde ik toen een leegte om me heen ontstaan.

Ik betrapte mezelf er steeds vaker op dat ik aan het praten was tegen een God van Wie ik het bestaan niet wilde erkennen. Een God in Wie ik misschien niet meer geloofde. Durfde ik maar net zo zeker als Peter, mijn overleden echtgenoot, te stellen dat God niet bestaat. Maar ik was daar niet zeker van. En als God wel bestaat, waar was Peter dan nu? En wat voor soort mens maakte dat dan van mij?

Het was gewoon makkelijker om God te negeren. Dus deed ik dat.

Eenmaal voorbij de twee vierkante pilaren die de afbakening vormden tussen het kasteel en het omliggende terrein, stond ik even stil en keek uit over de oprijlaan en de kale binnenplaats die voor me lag. Ik was van plan om het grindpad in een echte tuin te veranderen. Ooit – nadat ik de stal had gerenoveerd en de meer noodzakelijke verbeteringen had aangebracht. Ik wilde de oprijlaan in de vorm van een scherpe lus laten lopen en het omringende terrein veranderen in een Daidalos-labyrint van katoenplanten, lavendel en taxus. Of misschien in een knoopwerk van liguster, taxus en buxushagen. Ik probeerde me voor te stellen hoe het er met de geometrische patronen van gesnoeide groene hagen uit zou zien.

Ik had een verzameling boeken over tuinarchitectuur vergaard en daar heel wat aangename uurtjes in zitten bladeren en massa's ideeën opgedaan. Ik wist alleen nog niet wat ik wilde. Maar voor nu was het prima. Het zag er bij negentig procent van de andere kastelen in Frankrijk ook zo uit.

Ik liep door en schopte wat grond onder de steentjes vandaan. Daarna beklom ik de stenen trap van het kasteel en liep naar binnen. Met een duwtje van mijn voet sloot ik de massief eiken deur. Ik deed mijn schoenen uit, zette mijn hoed af en legde hem naast een vaas met bloemen op een rond tafeltje in de gewelfde hal. De bloemen stonden te dicht opeen in de vaas, dus bleef ik even staan om ze te herschikken. Door hun paarse, roze en gele kleuren werd de sfeer die de dikke stenen muren uitstraalde, wat opgevrolijkt.

Vanuit deze hal lopen drie smalle zuilengangen. De gang aan de linkerkant geeft toegang tot een smalle wenteltrap die zowel naar de keuken leidt als naar de drie bovenverdiepingen. De gang in het midden leidt naar een hal met een andere, veel bredere, spiraalvormige trap, en naar de ontvangstruimte daarachter. Vanuit de ontvangstruimte is links de eetzaal en rechts de vergaderzaal te zien. De rechterzuilengang leidt naar de kelder.

Terwijl ik onder het middelste gewelf doorliep, opende ik de envelop en ging op de canapé in de ontvangstruimte zitten. De glas-in-loodpanelen met een golvend oppervlak die voor de dikke stenen muren zijn gezet, zorgden voor een diffuus licht en de rechthoeken van gekleurd glas boven de ramen gaven gekleurde vlekken op de zwart-witte tegelvloer. Ik houd van deze kamer. Hij is niet zozeer bedoeld om lang in te verblijven;

het is meer een doorgangsruimte, op weg naar een maaltijd, of een verzamelpunt voor mensen die elkaar ontmoeten voor ze aan hun dagelijkse werkzaamheden beginnen. Er staat een canapé, een dressoir, drie paar stoelen en een tafel, allemaal op middeleeuwse wijze tegen de muren opgesteld. De plafonds bestaan uit balken en geverfd hout, en zijn voorzien van een geometrisch kleurenpatroon van middengroen, goud en scharlaken. De openhaarden aan iedere kant zijn enorm breed en bijna twee meter hoog. De schoorsteenmantels zijn opgetrokken uit steen en worden aan beide zijden ondersteund door gedraaide zuilen. Aan de muren hangen diverse ingelijste antieke kaarten.

Ik trok de brief uit de envelop en bewonderde het dikke, dure, roomkleurige papier waarop was geschreven, evenals het zelfverzekerde, schuine handschrift. De brief bevatte het verzoek van een auteur om voor een periode van een half jaar een kamer in mijn kasteel te huren. En ook al woonde ik al meer dan negen jaar in Frankrijk, ik herkende de naam. Robert Cranwell.

Blijkbaar had hij het ingenieuze idee opgevat om een boek te schrijven dat min of meer gebaseerd zou zijn op het leven van Alix de Montôt, *comtesse de Kertanuan*. Hij had besloten dat een verblijf in mijn kasteel, waarvan gezegd wordt dat zij daar vroeger woonde, hem zeker zou inspireren tot een grotere authenticiteit in zijn werk.

Bij het lezen van deze zin rolde ik onwillekeurig met mijn ogen.

Alix de Montôt.

Had ik geweten wat voor problemen zij zou veroorzaken, dan zou ik haar dagboeken hebben verbrand op de dag dat ik ze vond. Voor een verschoppeling uit de vijftiende eeuw had ze mijn leven behoorlijk overhoop gehaald.

Ik vond haar dagboeken in een oude koffer in de *cave,* de kelder, van een van de bijgebouwen op een stukje grasland, op zo'n tweeënhalve kilometer afstand van het kasteel. Op dat stukje was ik altijd precies halverwege mijn vijf kilometer lange looproute. Om veiligheidsredenen had ik het bouwwerk laten afbreken en de stenen van de fundering laten verspreiden. De dag dat ik de kelder ontdekte, was ik naar de plek toegegaan om te kijken of de werkzaamheden goed waren uitgevoerd. Ik ontdekte een luik naast een restant van een hoek van het gebouw. Als een rasechte Amerikaanse verbeeldde ik me natuurlijk meteen hoe een blond, blauwogig, engelachtig kind door het zeer oude luik was gevallen, een been had gebroken, opgesloten had gezeten en een langzame dood was gestorven. Vervolgens dacht ik direct aan de onvermijdelijke miljoenenrechtszaak die zou volgen. De Fransen zijn niet zo'n procedeerzuchtig volk, maar ik weet zeker dat ze dat uiteindelijk wel zullen worden.

In ieder geval, ik probeerde het luik open te trekken om te zien wat er precies onder schuil ging. Tot mijn verbazing was het hout niet verrot, terwijl het dak van het bijgebouw het al tientallen jaren eerder had begeven. De planken van het luik waren zo'n centimeter dik en de scharnieren en de ring waarmee het luik kon worden opengetrokken, waren wel verroest maar nog net zo stevig als altijd. Die eerste dag kon ik vanwege de roest niet onder het luik komen.

Maar de volgende dag ging ik terug, gewapend met een spuitbus ovenreiniger. Bij de renovatie van de keuken van het kasteel had ik allerlei trucjes geleerd. Maar in dat vertrek vertrouwde ik alleen mezelf. De ovenreiniger stonk verschrikkelijk, nog erger dan een rijpe *Mont d'Or* kaas, maar het spul werkte prima. Ik moest terug naar het kasteel om een koevoet uit de stal, ofwel mijn garage, te halen, maar toen ik eenmaal daarmee wrikte, schoot het luik open en al snel daalde ik een steile, smalle trap af.

Net als op een schip waren de treden smal en lagen ze ver uit elkaar. Hoe verder ik afdaalde, hoe kouder het werd. Tegen de tijd dat ik beneden was, moest ik in mijn handen blazen om mijn vingers warm te krijgen. Zonder zaklantaarn kon ik niet veel zien, maar ik had de indruk dat de ruimte een erg laag plafond had. Er hing een doodse sfeer; niet letterlijk, maar gewoon doods in de zin van somber en leeg. Naar mijn idee was de ruimte niet in gebruik geweest.

Voorzichtig klom ik terug naar boven, uitkijkend voor spinnenwebben of muizen. Nog steeds met de gedachte aan rechtszaken in mijn achterhoofd, liet ik het luik met een harde klap dichtvallen en besloot naar huis te gaan en een middagmaal voor mezelf te maken. Ik had het griezelige gevoel dat ik tijdens mijn korte avontuur een hele verzameling spinnen had verzameld, dus wrong ik me in alle bochten om op mijn rug te kunnen kijken. Toen dat niet lukte, draaide ik zo ver mogelijk mijn armen naar achteren om op mijn rug te meppen en voerde te midden van de oude ruïnes een dwaas dansje uit.

Terwijl ik terugliep via het spoor dat ik door het grasland had getrokken, ging mijn verbeelding met me op de loop en maakte ik me een voorstelling van de mensen die in de eeuwen hiervoor hadden geleefd.

In het algemeen wordt verondersteld dat koning Arthur en zijn Ridders van de Ronde Tafel in Groot-Brittannië woonden, vochten en stierven. Maar de Bretons geloven dat sommige legendes zich in *Brocéliande*, dit jachtgebied van Bretagne, hebben afgespeeld. Voor zover ik begrepen heb tijdens een vier uur durend diner in het gezelschap van een diplomaat van de Culturele Ambassade, zijn de Keltische stammen zo vaak tussen Bretagne en Groot-Brittannië heen en weer verdreven dat de historici er een whiplash van kregen.

De Keltische gemeenschap op het Britse schiereiland Armorica, de oude naam voor Bretagne, was bijna helemaal uitgeroeid door plunderende Saksische piraten. Vervolgens voeren diezelfde piraten richting Groot-Brittannië. De dreiging van plunderingen en de druk van de bevolkingsgroepen die voor de Saksen op de vlucht sloegen, leidden tot een volledige evacuatie van het zuidelijke deel van het eiland. De Britse evacués trokken naar het ontvolkte schiereiland van Frankrijk en toen ze daar aankwamen, verbonden ze hun naam aan het land en de bevolking. Vanaf dat moment zou Bretagne (Brittany) altijd bewoond worden door Bretons. De nieuwe inwoners van Bretagne ontmoetten enkele van de eerdere inwoners, die zich in het binnenland hadden teruggetrokken, en twee families uit de oude Keltische diaspora voegden zich weer bij elkaar.

Tot zich op het schiereiland een nieuwe dreiging voordeed: de Vikingen. Opnieuw vielen de Bretons aan de barbaren ten prooi en deze keer kozen sommigen van hen er voor naar Groot-Brittannië terug te keren. Degenen onder hen die dat niet deden, staken in plaats daarvan met Willem de Veroveraar het kanaal over. Veel edele, oude families in Groot-Brittannië zijn afstammelingen van een Breton – die mogelijk vanuit Bretagne naar Groot-Brittannië is geëmigreerd.

Dus wanneer Bretagne zichzelf het land van koning Arthur en de feeën Viviane en Morgan noemt, kan dat best de waarheid zijn. Want van wie zijn de Arthurlegendes? Van de eerste Amoricanen die met de Saksen vochten? Of van de Britten die met de Saksen vochten? Of misschien zijn de legendes nog wel ouder. Misschien werden ze over het continent doorgefluisterd in de tijd dat de oorspronkelijke Kelten werden verstrooid. Hoe vaak gaat een verhaal rond voor niemand meer weet wie het voor het eerst de wereld in heeft gestuurd? Voor niemand meer weet of het deel uitmaakt van de schering die het stelsel van een cultuur ondersteunt of een fabelachtige gouden draad is die het verfraait? Hoe dan ook, over een ding is iedereen het eens: Arthur leeft nog steeds.

Ik maak me vaak een voorstelling van de levens van deze legendarische personen, en vraag me af wat ze zagen toen ze in dit land liepen. Maar deze keer voelde het anders, was het persoonlijker. Deze keer was het niet of ik door de geschiedenis heen ging, maar alsof ik er in gewandeld had. Ik draaide me om en keek nog een keer om me heen voor ik naar het kasteel terugliep.

Er verstreken drie dagen voor ik de moed had om weer terug te gaan. Ik vind het moeilijk uit te leggen wat voor een gevoel die kelder mij gegeven had. Maar het volgende komt er het dichtst bij: het was geweest alsof ik door een poel met stilstaand water liep. Alsof ik met het open wrikken van het luik iets wat daar al eeuwenlang onder lag, had verstoord en in werking had gezet.

Wetend wat ik nu weet, vraag ik me af of ik me al deze gevoelens heb verbeeld. Of ik misschien de later verworven kennis gebruikt heb om de voorbije gebeurtenissen te verklaren, maar ik denk het niet. Ik denk dat God hier Zijn hand in had. Een God Die de tijd en geschiedenis in Zijn hand heeft. Een God Die de dagboeken van een meisje dat al eeuwen geleden gestorven is, gebruiken kan om het hart van een vrouw uit de eenentwintigste eeuw te genezen.

Toen ik eindelijk terugging, nam ik de koevoet en een zaklantaarn mee. Het was een prachtige ochtend. Uit het gras steeg een damp op, die zich om de bomen leek te slingeren. De zon had het duister nog niet helemaal verdreven, maar was al krachtig genoeg om de mist te verlichten en die te laten glinsteren. Het was zo'n mist die bewegende schaduwen tovert, waardoor je dingen denkt te zien die er niet zijn. Of dingen die er eeuwenlang niet zijn geweest. Op ochtenden als deze beeld ik me altijd in dat hier ridders op paarden rondrijden, op zoek naar Merlijn de Tovenaar. Sommigen beweren dat hij nog steeds in Brocéliande rondzwerft, voor eeuwig gevangen door een toverspreuk van een fee.

Het valluik ging makkelijk open en terwijl ik de trap af liep, wierp het schijnsel van de zaklantaarn een aanmoedigende lichtcirkel voor mijn voeten. Ik had vandaag mijn winterhoed opgezet en handschoenen aangetrokken om me tegen de kou van de ruimte te beschermen.

Met behulp van de lichtstraal onderzocht ik de hoeken en de grootte van de ruimte. Toen ik de tweeënhalve meter hoge trap was afgedaald, kwam ik in een uitgehouwen, rechthoekige ruimte, niet groter dan drieënhalf bij negen meter. De ruimte was volledig betegeld. Waarschijnlijk was de kelder gebruikt als opslagplaats voor voedselvoorraden voor het kasteel, hoewel er geen spoor van rekken meer te bekennen was.

De kelder was erg schoon. Nergens waren muizen of muizenkeutels te bekennen. Geen spinnen of spinnenwebben. In feite was er helemaal niets in die ruimte, iets waarover ik teleurgesteld was, want ik was er zo zeker van geweest dat ik er iets zou vinden.

Ik moet mijn schouders hebben laten zakken, want de lichtstraal op de muur tegenover me schoof ongeveer dertig centimeter naar beneden, tot hij de overgang van de muur naar de vloer bereikte en bleef rusten op een kistje van zestig centimeter hoog en zestig centimeter breed.

Ik liep naar voren en duwde ertegen met mijn zaklantaarn. De kist leek vrij zwaar voor zijn afmetingen. Het deksel was in een halve cilinder uitgesneden. Hij was volledig bekleed met leer, dat met klinknagels op het hout was bevestigd. Ze waren zo geplaatst dat er gebogen, decoratieve vormen waren ontstaan. Ik had dit soort kisten eerder gezien, in musea als Musée de Cluny, het nationaal museum van de middeleeuwen, in Parijs.

Voorzichtig probeerde ik het deksel omhoog te krijgen. Ik had verwacht dat het, net als het luik boven mij, dichtgeroest zat, maar het ging makkelijk en geruisloos open en al snel bescheen mijn zaklantaarn de inhoud. Ik wist genoeg van antiek om te beseffen dat de twee stapels boeken in de kist een extreme waarde vertegenwoordigden, maar ik was een te grote boekenliefhebber om de drang te kunnen weerstaan een van de boeken te openen en de perkamenten bladen om te slaan. Ik had een prachtig versierd handschrift verwacht, opgesmukt met goud- of zilverdraad, maar het leek meer op een dagboek. Het lettertype was persoonlijker dan het type dat in de tijd van de eerste boekdrukkunst werd gebruikt, en zelfs dat van kopiisten. De letters hadden een eigen karakter.

Ik hield de kist en de boeken een week bij me voor ik besloot ze over te dragen aan de Universiteit van Rennes II, met de vraag of ze me wilden laten weten wat erin stond. Al heel snel waren ze verslonden door zowel de vakgroep Archeologie als de vakgroep Keltische Studies, die me vertelden dat de helft van de boeken inderdaad dagboeken waren, geschreven door een vrouw met de naam Alix de Montôt, en dat ze dateerden uit 1459-1462. De andere helft van de boeken waren populaire boeken uit dat tijdperk.

De ontdekking werd in heel Frankrijk bekend. De gewichtigheid van de dagboeken lag zowel in het geslacht van de dagboekschrijver als in de periode waarin ze waren bijgehouden. Het was in de latere jaren van de middeleeuwen niet gebruikelijk dat vrouwen goed geschoold waren. Bovendien was het een zeldzaamheid dat een dagboek meer dan vijfhonderd jaar bewaard gebleven was, laat staan een dagboek van een vrouw. Hierdoor werd de universiteit vanaf het eerste bericht over de ontdekking overspoeld met aanvragen van wetenschappelijk onderzoekers om de boeken te mogen bekijken.

Dat was twee jaar geleden.

Nu de eerste twee delen van de dagboeken vertaald zijn naar modern Frans en Engels en in de universiteitsbladen zijn gepubliceerd, word ik constant lastig gevallen door onderzoekers. Omdat ik in het kasteel woon waarvan men aanneemt dat het van Alix is geweest, schijnen ze te denken dat ze recht hebben op gratis onderdak in mijn hotelkamers. Minstens tweemaal per maand stuit ik op iemand die over mijn land sluipt en in 'de schoenen van Alix probeert te lopen'.

Niet dat ik alle academici afwijs. Ik heb een doctoranda van Rennes bij me in huis, maar Sévérine is anders. Ze is charmant, ook al wil mijn Amerikaanse brein nog steeds haar naam als 'Severing' spellen. Ze heeft me gevraagd of ze het kasteel en de grond eromheen mocht onderzoeken. Vriendelijk. En op dit moment helpt ze me zelfs met mijn hotel.

En nu, Robert Cranwell. Een Amerikaan. Een auteur.

De populariteit van Alix is dus zelfs naar de andere kant van de Atlantische Oceaan overgewaaid. Dat was te verwachten. Maar als hij Alix' verhaal zou schrijven, zou dat boek waarschijnlijk worden verfilmd. Dan kon ik net zo goed in Disneyland gaan wonen met al die toeristen die daarop af zouden komen.

2

Omdat ik vond dat ik wel een espresso had verdiend, stopte ik de brief in mijn broekzak, liep terug naar de hal en nam de trap naar beneden om naar de keuken te gaan. Al lopend draaide ik mijn haar in een knot. Mijn haar golft enorm, dus als ik het in een streng draai en daar een knot van maak, blijft het gewoon zitten. Ik zet mijn haar altijd vast als ik naar de keuken loop, dat is een gewoonte die ik van de koksschool heb overgehouden.

Ik mat de koffiebonen af, vermaalde ze tot poeder en stopte dat in de filterhouder van mijn espressoapparaat. Ik houd van de geur van versgemalen koffie. En het kan me niet schelen wat de Fransen beweren: Starbucks verslaat *Carte Noire* steeds weer opnieuw. Ik streek neer op de stoel voor mijn bureau en speelde met een potlood terwijl ik op de espresso wachtte.

De keuken heeft geen rechtstreeks daglicht, maar door de halvemaanvormige ramen hoog in de muren valt er voldoende indirect licht binnen, dat weerkaatst wordt door de stenen gewelven; het heeft me nog nooit moeite gekost om de recepten te lezen. En voor de korte winterdagen heb ik diverse halogeenlampen, die hun licht tegen de gewelfribben laten weerkaatsen en voor voldoende verlichting zorgen voor mijn werkblad, het keukeneiland met zijn marmeren blad en stoelen eromheen in het midden van het vertrek, en de open porseleinkasten die tegen de muren staan. Mijn potten en pannen hangen aan een met de hand vervaardigd ijzeren rek dat boven het keukeneiland is opgehangen.

Zes maanden.

Het viel niet mee om geen gezicht te trekken terwijl ik de espresso in een kopje schonk. Zes maanden zouden een enorme verplichting zijn. En ik wees regelmatig nieuwe gasten af. Ik heb geen tijd om me fulltime met mijn hotel bezig te houden, dus doe ik dat ook niet. Als Cranwell in september zou komen, zoals hij van plan was, zou hij hier tot... eind februari zijn. Dat was erg ongunstig. Omdat het in januari in het noorden van Bretagne niet echt aangenaam was, ging ik na de Kerst meestal een paar weken naar Rome en Sorrento, om van het milde Italiaanse klimaat te genieten.

Hoewel ik mezelf nooit als een hedonist zou omschrijven, leidde ik een leventje dat me beviel. Na de dood van mijn man in 1998, heb ik van het geld van de verzekeringspolis en de opbrengst van het geërfde landgoed van mijn ouders dit kasteel gekocht. Toen mijn man in Parijs bij de ambassade werkte, heb ik mijn tijd benut om mijn diploma te halen op de *Cordon Bleu* koksschool en ik was de beste van de klas.

Na de nodige renovaties aan het kasteel opende ik in de lente van 2000 mijn hotel en kreeg een bijzonder goede recensie in het Parijse tijdschrift dat de jetset vertelt wat wel en niet trendy is. En blijkbaar was mijn hotel in het wereldje van opmerkelijke hotels dus trendy. Ik reken een ongelooflijk hoog bedrag voor elk van mijn zeven kamers en een evenredig absurd hoog bedrag voor ontbijt, lunch en diner. Het houdt de menigte op afstand, maar ik ga nog steeds maar met een op de acht reserveringen akkoord.

Een afgelegen plek in Noord-Bretagne, aanhoudend slecht weer en buitensporige prijzen: het geheim van mijn succes.

Omdat ik me kon veroorloven kieskeurig te zijn, zou Robert Cranwell gewoon een andere schrijfplek moeten zoeken. En terwijl ik de keuken uitliep, gooide ik de brief in de prullenbak.

De rest van de middag werkte ik in mijn tuin. Hij voorziet mij van verse kruiden en groenten en ik had hem zo ingericht dat hij elk seizoen iets oplevert.

Gasten verwachten bij mij een middeleeuwse tuin, maar die heb ik niet. Mijn tuin is alleen nuttig. Alleen mijn lievelingsbloemen laat ik hier groeien, en die gebruik ik als decoratie voor de ontvangsthal en de gastenkamers. De rage van eetbare planten in Frankrijk is al lang overgewaaid, behalve dan misschien in de Provence, waar ze lavendel in gerechten gebruiken.

Als ik de catering in het toeristenvak moest verzorgen, zou ik meer geïnteresseerd zijn geweest in middeleeuwse tuinen en middeleeuwse gerechten, maar mijn gasten zijn hier niet om bouten te kluiven of wildbraad te verorberen. Ze verlangen het soort keuken dat de Franse driesterrenrestaurants hebben. Ik zal die sterren nooit krijgen: ik heb niet het personeel, het benodigde niveau of de juiste dienstverlening, en heb ook geen wijnkaart. Ik bepaal zelf welke wijn op tafel komt. Als er bij een gerecht een fles wijn van driehonderd dollar hoort, dan zorg ik ervoor dat ik die in huis heb. Ik maak de keuze. Maar dat is dan ook waar mijn gasten voor betalen.

Mijn tuin is in perken verdeeld, aangelegd in geometrische patronen. Hij ligt achter het kasteel, vlak bij de keuken, zodat ik de achterdeur uit kan stappen en snel kan pakken wat ik nodig heb. In de meeste Franse geometrisch aangelegde tuinen worden de verschillende perken gescheiden door laaggesnoeide heggen. Ik gebruik daar stenen voor. Mijn tuin is rechthoekig van vorm en twaalf bij eenentwintig meter groot. In iedere hoek is een bloembed aangelegd, met grote bloemen als vrolijke gele Rudbeckias, prachtige blauwe Perovskias, lavendelkleurige asters en de roze speervormige Lythrum virgatums. Ze zijn bedoeld om de grote ruimtes in het kasteel te vullen. Rondom de basis van het kasteel heb ik bloeiende struiken neergezet, zoals Hortensias, Spireas, Forsythias en heide, als mix met de klimop die zich in de loop van de eeuwen aan de kasteelmuren heeft gehecht.

In het midden van de tuin zijn drie rijen met vierkante bedden, elk opgedeeld in vier gedeelten. In deze bedden staan voornamelijk kruiden. Tussen de bloemen en de kruiden heb ik in de lengterichting van de tuin enkele rijen aangelegd voor planten die ruimte nodig hebben: tomaten, aardbeien, doperwten en bonen.

Mijn tuin is niet voor de sier aangelegd. Hij is bedoeld om tot nut te zijn. Ik breng er dagelijks minstens een dagdeel in door om hem te verzorgen, en ik stel mijn menu's samen aan de hand van wat rijp is en geplukt kan worden. In de herfst betaal ik de plaatselijke jagers een bedrag voor wat ze me ook maar brengen. Ik geef de voorkeur aan wilde eend en konijn, maar ben ook bekend met de bereiding van eekhoorn, hert en gans.

Ik woon in een privéparadijs, waar ik kan doen waar ik van houd: recepten bedenken, de gerechten klaarmaken en daarna opeten. Mijn leven was beslist aangenaam en op dat moment genoot ik van de zoete meloenen, de knapperige komkommers en de zonnige smaak van de aubergines.

Die avond luisterde ik tijdens de maaltijd naar lichte muziek en herlas de nieuwsbrief van de stichting die ik in naam van mijn ouders en echtgenoot heb opgericht. Mijn vader had een behoorlijke stem in de Amerikaanse Senaat en was woordvoerder geweest voor zijn meerderen. Toen ze alle drie overleden waren, had ik ter hunner nagedachtenis een interculturele stichting in het leven geroepen. Hoewel ze ook mijn eigen ideeën over politiek verwoordde, benadrukte ze vooral het belang van intercultureel onderwijs. De stichting sponsorde lezingenreeksen aan invloedrijke universiteiten, evenals bezoeken van hoogleraars aan campussen die op de voorgrond traden. Die zomer had ik besloten om ook te investeren in het opzetten van uitwisselingsprogramma's voor mensen in dezelfde bedrijfstak.

Het werk voor de stichting kostte meer tijd dan ik had verwacht, maar ik bleef mezelf voorhouden dat investeren in de mensheid de moeite waard was.

Tijdens het lezen werd ik gestoord door het geluid van de telefoon. De telefoon stoorde me altijd. Ik keek op de kalender, telde vijf weekenden vooruit en besloot dat ik alleen een reservering zou accepteren als die voor dat weekend was. Sommige mensen vinden me excentriek, maar het spijt me, ik kan niet anders. Ik heb het nodig om alleen te zijn.

Ik zette de muziek zachter, pakte de telefoon van het bureau op en liep terug naar de stoel waarin ik van mijn avondeten had zitten genieten.

'*Chateau de Kertanuan, je peux vous aider*?'

'Engels?' De vraag mocht dan bot worden gesteld, de stem van de vraagsteller was rijk, warm en diep.

'Ja.'

'Is Frédérique Farmer aanwezig?'

Frédérique. Ik heb die naam nooit met mezelf in verband gebracht. Elke andere naam die eindigt op 'ique' zou beter zijn geweest. Monique of misschien zelfs wel Angelique. Mijn vader had zijn eigen koosnaam voor me, maar hij leefde niet meer, dus had ik hem in jaren niet meer gehoord. Ik was in geen jaren meer die persoon geweest.

'Daar spreekt u mee.'

'Goedenavond. U spreekt met Robert Cranwell. Hebt u mijn brief ontvangen?'

'Ja. Vanmorgen.' Iedere keer weer als ik een reservering weigerde, lukte het me niet om te liegen. Een of andere vage herinnering aan de zondagsschoolklas in mijn kinderjaren maakte het schuldgevoel ondraaglijk.

'Mooi. Wat vindt u er van?'

'Zes maanden is een zeer lange tijd. Zulke reserveringen kan ik niet vastleggen.' Ik prikte met mijn vork in de pasta.

'Goed, ik begrijp het. Wat vindt u dan van vier maanden? Ik hoef alleen maar wat onderzoek te doen en te ervaren hoe het voelt om op die plek te zijn. U weet wel, lopen waar Alix heeft gelopen. Dat soort dingen. Als u me na twee maanden niet meer kunt luchten of zien, kan ik altijd nog naar een ander hotel in de stad verkassen.'

De glimlach die om mijn lippen verscheen, moest in mijn stem te horen zijn. 'Mijnheer Cranwell, er is hier geen stad. Het kasteel mag in Alix' tijd het centrum van de omgeving zijn geweest, maar nu bevindt zich binnen een straal van minstens dertig kilometer niets anders meer.'

'O.'

'Het spijt me dat ik u moet teleurstellen. Goedenavond.' Ik wilde de verbinding al verbreken.

'Wacht! Alstublieft. Ik moet dit boek schrijven. Ik kan het uitleggen als ik er ben, maar het is echt belangrijk. Hoelang kan ik dan wel een kamer reserveren? Wat voor periode u ook noemt, is goed. Zelfs al zou het maar een week zijn.'

Mijn wenkbrauwen schoten omhoog. Cranwell moest miljoenen waard zijn. Hij was een geld producerende machine. Tal van zijn boeken waren verfilmd. Ik had er zelfs een paar van zijn hand op mijn boekenplank staan. Maar het leven van een Frans meisje in de vijftiende eeuw was niet bepaald zijn genre.

'Alstublieft.'

Het voelde alsof het hele gewicht van het boek op mijn schouders rustte. Schuldgevoelens wisten me altijd weer te motiveren. 'Laat me even op de kalender kijken.' Ik legde mijn hand over het mondstuk van de hoorn en staarde naar mijn bord terwijl ik met mezelf in conclaaf was. Ik vond het verschrikkelijk om gebonden te zijn aan het schema van een ander. Als Cranwell wilde komen, zou hij zich aan mijn schema moeten aanpassen. Ik kon hem vast wel een maand herbergen. Ik keek naar het tweede weekend in september en telde vier weken terug. 'Als u hier aanstaande zaterdag kunt zijn, kunt u een maand blijven.'

'Geweldig! Dan zie ik u zaterdag.'

Ik walgde zo van het feit dat ik niet had kunnen weigeren, dat ik de rest van mijn pasta met *fines herbes* niet meer naar binnen kreeg. Ik stond op en maakte in plaats daarvan een espresso.

Om half tien ging ik naar bed, samen met de *International Herald-Tribune.* Ik lees altijd 's avonds de krant. Ik vind het fijn te weten dat het nieuws tegen de tijd dat ik het lees al geanalyseerd en bekritiseerd is en dat ondanks alles de wereld nog steeds niet is vergaan. Maar die avond kon ik me niet concentreren, dus liet ik uiteindelijk de krant op de grond vallen, stompte tegen mijn kussen om een meer comfortabele houding te vinden en probeerde te slapen.

En ontdekte dat dit niet lukte.

Dus stond ik mezelf een *nuit blanche* toe, een nachtje zonder slaap. Als ik toch niet kon slapen, kon ik daar dan maar beter iets leuks van maken.

Ik haalde mijn laptop, nam hem mee naar bed en zocht op internet naar informatie over Robert Cranwell. Ik vond enorm veel informatie over alle boeken die van zijn hand verschenen waren, recensies, verkoopsites en verzamelaars die eerste uitgaven verkochten. Ik zocht een interview of iets anders waardoor ik me een beeld van zijn karakter zou kunnen vormen, maar het was of ik door een emmer *gelée* waadde. Er waren bijna zes miljoen sites die op de een of andere manier aan de woorden Robert Cranwell waren gelinkt.

Dus zocht ik via de namen van verschillende roddelbladen uit Hollywood en keek die sites na op berichten over Cranwell.

Het kostte me een paar uur om alle fragmenten met 'Cranwell-nieuwtjes' door te lezen. Hij had vluchtige contacten gehad met veel topactrices, had relaties gehad met diverse modellen, en was een korte tijd verloofd geweest met een rockster. Eén artikel, van drie maanden geleden, stak de loftrompet over zijn vermeende bekering tot het christendom. Na al die andere artikelen over zijn leven te hebben gelezen, snoof ik onbetamelijk bij die bewering. Hoe meer ik las, hoe onbehaaglijker ik me voelde. Het leek erop dat ik de komende maand een man met een gigantisch ego om me heen zou hebben.

Mijn eigen uitgaansleven had maar een persoon geteld: Peter.

Mijn vader was helemaal opgegaan in zijn rol als senator en mijn moeder in haar rol als vrouw van de senator, maar hun levensstijl en hun hoogopgeleide en uit hogere kringen afkomstige vrienden maakten van mij juist een verlegen meisje dat zich steeds meer in zichzelf keerde. Ik had een paar vriendinnen op de middelbare school – goed dan, één vriendin – en het is me nooit gelukt om met een jongen aan de praat te raken, laat staan dat ik ermee heb gedanst. Niet dat ik een muisje was. Ik had absoluut een eigen mening. Ik zat in de debatclub en had er nooit moeite mee om me in de les goed uit te drukken. Het waren de een-op-een gesprekken die problemen gaven.

De hogeschool die ik had uitgekozen, was zo ver mogelijk van huis vandaan. Daar heb ik Peter ontmoet. Ik was gedwongen om met hem te praten omdat een hoogleraar ons bij elkaar zette voor een groepsproject. Vanaf het eerste moment dat hij me aan het lachen maakte, leek het alsof hij me altijd al had gekend. Wanneer ik bij hem was, gaf hij me het gevoel dat ik mooi was. Ik verwisselde mijn slobberige truien en joggingbroeken voor kleren die zich naar de vorm van mijn lichaam voegden. En tijdens dat proces ontdekte ik dat ik een taille had!

Het is nooit bij me opgekomen om vraagtekens te zetten bij Peters vaste veronderstelling dat hij en ik ons leven samen zouden doorbrengen. Ik heb dat besluit nooit hoeven nemen – hij nam het voor me. We trouwden de week na onze diploma-uitreiking, verhuisden naar DC en enkele jaren later naar Parijs. Door alles wat hij me leerde, voelde ik me eindelijk op mijn gemak. Ik ontwikkelde zelfs een soort modegevoel.

Maar mijn jaren op de lagere en middelbare school hadden me wel getekend. Hoewel ik nooit deel had genomen aan het sociale leven op school, heb ik het wel geobserveerd en het volgende geleerd: hoe knapper en populairder de jongen, des te minder betrouwbaar hij was. Deze vergelijking groeide exponentieel op het moment waarop de jongen besefte dat hij er goed uitzag.

Dus hoe was ik de vrouw geworden van Peter, het blonde stuk, die knappe knul, die blauwoog? Hij had me helemaal ontwapend.

En toen stierf hij.

In datzelfde verschrikkelijke jaar stierven ook mijn ouders. Ik deed een verstandige zet, zocht hulp bij de rouwverwerking en heb me een jaar lang door mijn verdriet heen geworsteld. Nu ben ik genezen. Tenminste, dat denk ik. De gesprekken werden in het Frans gevoerd, dus is het moeilijk om het met zekerheid te beweren. Ik weet wel dat de hulpverlener me aan het einde van dat jaar gedag zwaaide en me weer terug in de wereld schoof. Ik kwam weer boven in Bretagne, volledig ontdaan van elke rooskleurige, valse voorstelling over het leven of de rol die God in dit alles speelt.

Terwijl ik Peters ring om mijn vinger draaide, keek ik weer naar het computerscherm.

Robert Cranwell glimlachte me vertrouwelijk toe. Bij zijn ooghoeken waren rimpeltjes te zien. De stipte manier waarop zijn donkere haar over zijn voorhoofd viel, verraadde een kappersbehandeling van zeker honderd dollar.

Een enorm ego zou nog wel eens te zwak uitgedrukt kunnen zijn.

Na zo mijn best gedaan te hebben om mijn leven simpel te houden, leek het alsof ik mezelf had verraden door dat ene telefoontje aan te nemen. Ik maakte mijn blik los van de gloed van mijn computerscherm en keek vol waardering naar de inlandse elementen van de kamer: steen en hout. Het leven kon niet veel eenvoudiger worden. Ik liet mijn gedachten terug gaan naar de tijd waarin het kasteel was gebouwd en stelde me voor hoe de dienstknechten naar deze bovenste verdieping zouden zijn verbannen. Ergens gedurende mijn mijmeringen, na drie uur 's nachts, viel ik in slaap.

Om vijf uur werd ik wakker. Het gebeurt zelden dat ik later wakker word.

Die donderdagavond was ik in een prikkelbare stemming. Ik heb er een hekel aan wanneer ik ja zeg tegen mensen terwijl ik nee zou moeten zeggen.

De regen die vrijdagochtend uit de lucht viel, maakte het nog erger. Ik had 's nachts wel spetters tegen mijn raam gehoord, maar bij het ontwaken stroomde de regen naar beneden. En Sévérine maakte de zaak er ook niet beter op. Zij was in de greep van een van haar eigen sombere buien.

'Frédérique. Deze regen is niet goed.' Ze keek me bezorgd aan terwijl ik een espresso voor haar neerzette.

'Je meent het.' Ik ging op de stoel tegenover haar zitten, en leunde met mijn kin op mijn hand.

Ze mompelde iets in het Frans en sloeg een kruisje.

'Pardon?'

'S'il pleut pour Sainte-Radegonde, misère abonde sur le monde.'

Ondanks haar jarenlange studie was Sévérine buitengewoon bijgelovig, maar die wetenschap voorkwam niet dat er een rilling over mijn rug liep. 'Valt er op Saint-Radegonde regen, dan zit het alle mensen tegen?'

Ze sloeg weer een kruisje.

Omdat ik iets moest doen om die rilling kwijt te raken, stond ik op en knipte de halogeenlampen aan, maar mijn onbehagen nam niets af door het toenemende licht.

Saint-Radegonde. Vandaag, 13 augustus. Zou het nog erger tegen gaan zitten als deze dag, zoals dit jaar, op vrijdag viel?

En hoelang zou de ellende duren?

3

Op vrijdagavond arriveerden mijn gasten uit Parijs. Het regende nog steeds en het water op het wegdek spatte op toen ze met hun Bentley over de oprijlaan reden. Ze parkeerden hun wagen pal voor de deur. Waarom ook niet? Ze waren mijn enige gasten voor het weekend.

Behalve Robert Cranwell dan, hield ik me voor.

De chauffeur, een echte heer, stapte uit, klapte een paraplu open en liep naar de andere zijde van de wagen om het portier voor zijn passagier te openen. Hij hielp de vrouw uitstappen en kuste haar voor hij haar losliet. Hij trok de wollen trui recht die over zijn schouders hing, zij schikte haar sjaaltje en daarna liepen ze hand in hand de trap op.

Toen ze dichterbij kwamen, trok ik de deur wijd open om hen te verwelkomen.

De man was een bekende Fransman, de vrouw was onbekend, maar erg mooi. Ik woonde lang genoeg in dit land om te weten dat ze hoogstwaarschijnlijk niet zijn echtgenote was. Terwijl ik hen voorging naar de ontvangsthal en daarna op de wenteltrap, sprak ik mijn puriteins geweten streng toe dat het zich met zijn eigen zaken moest bemoeien. Hun kamer op de eerste verdieping gloeide al door het haardvuur, dat ik had aangestoken om de kou van de avond te verdrijven. Voor ik de deur achter me dichttrok, zag ik nog hoe de vrouw haar bruine Gucci-instappers uitschopte en haar blauwbruine Hermès-sjaaltje afdeed en over de leuning van een stoel gooide. Hun ontbijt wensten ze de volgende morgen om tien uur in de eetzaal te gebruiken.

Die volgende ochtend was er om kwart over tien nog geen spoor te bekennen van mijn enige personeelslid. 'Mijnheer heeft vast erg honger gekregen,' mompelde ik, terwijl ik de spullen op het dienblad opnieuw schikte. Ik had het blad zelf wel kunnen brengen, maar niet in de kleren die ik droeg. Gisteravond had ik het brooddeeg al gemaakt en vanmorgen alle broodjes gevormd en gebakken. Een klus die de nodige zweetdruppels kost, dus had ik de meeste kledingstukken uit de traditionele koksgarderobe geschrapt en alleen voor de klassieke wit-blauwgeruite wijde broek en gemakkelijke schoenen gekozen. Het wijde witte jasje had ik vervangen door een eenvoudig wit topje.

Hoewel ik er prima uitzag in mijn gewijzigde outfit, was het niet geschikt om me daarin te vertonen voor de ogen van een Franse minister die veel meer voor zijn geld verwachtte. Ik weet niet wat ik zonder Sévérine zou moeten doen.

We hebben een afspraak, zij en ik. Sévérine is nu twee maanden bij me en heeft er nog tien te gaan. Ik voorzie haar van kost en inwoning, zij bedient mijn gasten en maakt de kamers schoon. Het is een uitstekende overeenkomst. Met uitzondering van het feit dat ze bijna altijd te laat is. Maar ze is zo'n klassieke Franse schoonheid dat iedereen – ook ik – haar vergevingsgezind is. Op het moment dat ik de knop van het espressoapparaat indrukte, hoorde ik haar de trap af komen.

'Het spijt me, Frédérique,' zei ze buiten adem toen ze beneden was. Haar korte zwarte rokje en hooggehakte pumps benadrukten haar lange benen, en haar rode trui met diepe V-hals deed haar lippen nog roder lijken. Zelfs haar lange zwarte haar leek nog dieper te glanzen.

'*C'est partie!*' Ik drukte haar een mand vol versgebakken *pains au chocolat* in handen en draaide haar weer naar de trap. Niemand kan kwaad blijven op Sévérine. Ze liep met zo'n slome gang de trap op dat je er razend om zou worden als ze niet zo elegant was geweest. Ik wist dat de Franse minister en zijn vriendin helemaal gecharmeerd zouden zijn op het moment dat ze de eetzaal binnenging.

'Je suis bête.' Ik ben een domoor. Dat is het eerste wat Sévérine tegen elk van mijn gasten zegt. Het klinkt als een soort verontschuldiging; voor laat de deur open doen, voor laat het ontbijt opdienen, laat op het dichtstbijzijnde treinstation verschijnen om hen op te halen. Mijn gasten zouden in haar zien wat iedereen in Sévérine zag: lange, gracieuze Franse benen, een handvol golvend donker haar dat in een staart was gedraaid en waarvan losgeraakte plukjes haar levendig gezicht en ondeugende groene ogen omlijstten.

Zolang ze maar nooit blootgesteld werden aan de schizofrene buien die haar als getijdengolven overspoelden. Ik gaf haar werk de schuld daarvan. Ze was geestdriftiger over haar onderzoek dan iedere andere wetenschapper die ik ooit heb ontmoet. Ze had nog tegen geen van mijn gasten gesnauwd, maar als ze dat ooit zou doen, zou ik onze afspraak opnieuw moeten bezien.

Pas toen ik weer bij het aanrecht stond om fruit te gaan snijden, besefte ik dat ik de suikerpot niet op het dienblad had gezet. *Quelle horreur*! Geen enkele zichzelf respecterende Fransman drinkt een espresso zonder suiker. Ik pakte het potje op en rende naar boven, twee treden tegelijk nemend, in de hoop Sévérine in te halen voor ze bij de eetzaal was.

Na heel snel twee nauwe draaiingen van de spiraaltrap genomen te hebben, was ik wat duizelig toen ik op de begane grond aankwam. Het was natuurlijk mijn bedoeling om door de smalle deur de voorste hal in te rennen en dan langs de grote trap de ontvangsthal in te lopen. Maar boven in de zuilengang, botste ik in volle vaart tegen Robert Cranwell op.

Als ik niet de suikerpot had laten vallen om me aan zijn trui vast te grijpen, zou ik achterover zijn gevallen, de trap af naar de keuken. Als hij niet zijn koffer had laten vallen om me bij mijn middel vast te grijpen, zou hij achterover zijn gevallen, tegen de tafel met het bloemstuk aan. We wankelden even tot we allebei onze balans hadden teruggevonden. Ik liet zijn trui los en kreeg de gelegenheid naar hem op te kijken. Ik moet zeggen dat ik hem bij de eerste aanblik zelfs nog aantrekkelijker vond dan op de foto die op de omslag van zijn boeken staat.

Maar hij was precies het soort man dat ik niet vertrouw. Als ik niet geweten had dat hij vijfenveertig was, zou ik hem hooguit veertig hebben geschat. Hij had donker golvend haar, kort geknipt aan de zijkanten en bovenop achterover gekamd. Zijn slapen waren aan het grijzen, wat hem een soort gedistingeerdheid verleende, die hij naar mijn idee vast niet verdiende. Hij had in ieder geval wel gevoel voor humor; zijn donkere ogen sprankelden. Ze waren waarschijnlijk bruin, ik nam niet de tijd om dat uit te zoeken. Om het compleet te maken, leek hij me het type dat er altijd zongebruind uitziet.

Zijn bruine tint zou in Bretagne nog geen week beklijven.

Er lag al bijna een verontschuldiging op het puntje van mijn tong, maar toen besefte ik dat zijn arm nog steeds om mijn middel lag. Ik maakte me los uit zijn greep en probeerde mezelf bij elkaar te rapen en me professioneel te gedragen.

'Welkom in *Chateau de Kertanuan*.' Op datzelfde moment schoot om een onverklaarbare reden mijn knot los en viel mijn haar als een waterval over mijn schouders. 'Kan ik iets voor u doen?'

'Ik ben Robert Cranwell en ik zou graag Frédérique Farmer willen spreken.'

Even stond ik in dubio: ik kon toegeven dat ik Frédérique was of Sévérine voor mij door laten gaan. Maar die leugen zou ik niet vol kunnen houden. Vroeg of laat zou hij de waarheid ontdekken. Het was beter nu voor de vernedering te kiezen en deze dan achter me te laten. Ik had ergere situaties meegemaakt.

Ik stak mijn hand uit. 'Ik ben Frédérique. Aangenaam kennis te maken.'

Er flitste iets in zijn ogen wat ik niet kon thuisbrengen. Hij schudde me de hand. 'Het genoegen is geheel aan mijn kant.' Daarna bukte hij en begon de stukken van de gebroken Quimper-pot op te rapen. 'Het spijt me echt heel erg.'

Ik knielde naast hem neer op de stenen vloer en legde mijn hand op zijn arm. 'Alstublieft. Laat mij maar. Het stelt niets voor.' *Alleen maar tweehonderd dollar aan antiek aardewerk.* Ik vormde met mijn handen een kommetje en hij legde de scherven erin. 'Als u even in de ontvangstruimte plaats wilt nemen,' zei ik terwijl ik met mijn kin in die richting knikte, 'kom ik zo bij u.'

Op dat moment kwam Sévérine de hal in. Zij en Cranwell wisselden een blik terwijl ze langs me heen zwierde en de trap naar beneden nam. Ze bezorgt me altijd het gevoel dat ik een klungelige tiener ben.

Ik haalde diep adem, draaide me om en liet het aan Cranwell over zelf de ontvangsthal te vinden. Hoofdschuddend sjokte ik de trap af. Ik moest toch een keer een professionele hotelmanager zien te worden, en dan graag voor Sévérine volgend jaar juni zou vertrekken. Zij was mijn gezicht naar de buitenwereld en ik was volkomen afhankelijk van haar. Ik gooide de scherven van de pot in de vuilnisbak.

Sévérine haakte haar voet om de poot van een stoel en trok hem voor me uit terwijl ze een andere pot met suikerklontjes vulde. 'Ik neem deze mee naar boven, goed?'

'Graag.' Ik begroef mijn gezicht in mijn handen terwijl ze naar de eetzaal liep. Het was niet zo dat ik indruk op Robert Cranwell wilde maken. Ik gaf helemaal niets om hem. In feite was hij me al tot last. Het was gewoon zo dat ik niet langer wilde dat iemand me nog als een eenentwintigjarige beschouwde. Toen ik in Parijs woonde, deed ik bewust mijn best om er overeenkomstig mijn leeftijd uit te zien. Maar met mijn gladde huid en ronde gezicht, zou ik er waarschijnlijk op mijn vijftigste nog als een eenentwintigjarige uitzien. Als eigenaar van een hotel, en zelfs een beroemd hotel, zou ik meer respect moeten afdwingen. Ik bracht mijn hand naar mijn haar en dacht er opnieuw over om het af te knippen, maar toen gleed mijn hand erlangs naar beneden en bedacht ik hoe ik het lange haar zou missen. Het was waarschijnlijk het mooiste aan mij. Ik zuchtte en strekte mijn bovenlichaam uit over het marmeren bovenblad van het keukeneiland. Ik spreidde mijn armen en voelde de koelte van het steen tegen mijn handpalmen. Ik draaide mijn hoofd zodat mijn wang op het bovenblad rustte. Het voelde als ijs tegen mijn brandende wangen.

Een lichte beweging onderaan de trap trok mijn aandacht, maar ik nam aan dat het Sévérine was. Ze kende de weg in de keuken goed genoeg om in staat te zijn het fruit van de snijplank te pakken en het op een presenteerschaaltje te schikken. Ik sloot mijn ogen en liet mijn lichaam met het marmer versmelten.

Bij het horen van een onmiskenbaar mannelijk klinkend kuchje vlogen mijn ogen open. 'Cranwell?' Zijn naam ontsnapte me voor ik het kon tegenhouden.

'Mevrouw Farmer?'

Hoe durfde hij mijn domein te betreden. Met tegenzin maakte ik me los van het marmer en draaide me om op mijn stoel om hem aan te kunnen kijken. 'Wat kan ik voor u doen?'

Hij hield een grote Louis Vuitton-koffer voor zich. 'Ik vroeg me af…'

'Uw kamer. Volgt u mij maar.'

Ik bracht hem niet via de officiële trap naar boven, maar via de spiraaltrap vanuit de keuken. Ik nam zelfs af en toe de trap met twee treden tegelijk om hem naar adem te laten snakken en te laten worstelen om zijn dure koffer niet langs de ruwe muren te laten schuren. Maar ja, kastelen zijn nu eenmaal niet gebouwd voor modern comfort.

Het kasteel heeft op iedere hoek een torentje. Hierdoor hebben zowel de eetzaal als de vergaderzaal aan beide zijden een ronde hoek. De drie bovenverdiepingen tellen ieder vier of vijf kamers en een soort hal, waarvan de muren met speciale stof zijn bekleed, die toegang biedt tot de centrale trap in het midden. Op elke verdieping zijn de torentjes omgebouwd tot badkamers, waardoor elke gastenkamer in een suite is veranderd. Zeven kamers zijn gerenoveerd voor gasten. Een van de grotere kamers heb ik ingericht als bibliotheek. Een andere, kleinere kamer, direct naast mijn eigen slaapkamer op de verdieping, heb ik als zitkamer ingericht. De overige ruimtes op de derde verdieping heb ik tot personeelsappartementen verbouwd.

Tegen de tijd dat Cranwell zich weer bij me had gevoegd, had ik de deur van zijn kamer geopend en de donkere roestbruine fluwelen gordijnen opengeschoven.

De olijfkleurige brokaten gordijnen om het bed waren opengeschoven en aan de pilaren bevestigd, waardoor de rijke roest- en olijfkleurige tinten van de dekbedhoes te zien waren. Ik liep over de stenen vloer naar de torenronding in de kamer. 'Badkamer,' somde ik op terwijl ik naar de smalle deur in de stenen muur wees. 'Wanneer u met vuur om kunt gaan en 's avonds de haard aan wenst te steken, zal ik hout laten brengen.'

'Dat zou fijn zijn.' Hij liep door de kamer, raakte de hoek aan van een zestiende-eeuws wandtapijt dat aan de muur hing en streek met zijn vinger over de grote kledingkast die ernaast stond. 'Het is hier prachtig.'

'Dank u.' De diepe herfstkleuren van de kamer pasten bij hem. Ik had hem bewust in deze kleuren ingericht, met de gedachte dat een man zich in deze kamer op zijn gemak moest kunnen voelen.

Hij maakte op een vreemd ontwapenende manier een halve buiging, als een soort van compliment.

Ik glimlachte al voordat ik er iets tegen kon doen.

Toen hij zich oprichtte en naar me keek, glimlachte hij ook. Hij haalde een bril uit zijn zak, hield hem tegen het licht, fronste zijn wenkbrauwen en poetste de glazen op met zijn shirt. Daarna zette hij de bril op zijn neus en boog voorover om een schilderijtje te bekijken dat op een kleine schildersezel op een rechthoekige tafel stond.

'U mag dat wel verplaatsen als u daaraan wilt schrijven.'

Hij draaide zich om en keek me aan, met zijn linkerwenkbrauw opgetrokken.

'Ik neem aan dat u aan de tafel wilt werken. Direct daarnaast zit een wandcontactdoos en een aansluiting voor een laptop.'

'O. Dank u. Ja.'

'Als u bent geïnstalleerd, kunt u naar beneden komen. Dan maak ik een kop koffie voor u.'

'Fijn, een espresso graag.' Hij schraapte zijn keel en keek me over de rand van zijn bril aan. 'Ik heb het niet vermeld in mijn brief, maar ik heb iemand bij me.'

Nog iemand? Twee personen was in hotelbegrippen iets heel anders dan één persoon. Dus ik moest niet alleen de maaltijden voor een beroemde schrijver verzorgen, maar ook onderdak bieden aan een meisje dat hem adoreerde.

'Lucy is...'

Ik stak mijn hand op als teken dat hij niets hoefde uit te leggen. 'Zolang u maar betaalt, mag u doen wat u wilt met wie u maar wilt. U bent mij geen verklaring schuldig.' Ik wilde het niet horen. Een van de meeste aangename dingen van het leven aan de andere kant van de oceaan was het afgescheiden zijn van het Hollywoodwereldje. Ik wilde niets van Cranwells persoonlijke leven weten.

Maar ik houd er niet van wanneer plannen wijzigen.

Toen ik Cranwells kamer verliet, liep ik naar boven in plaats van naar beneden. Het was waarschijnlijk te laat om nog iets te veranderen aan de eerste indruk die Cranwell van mij had gekregen, maar ik wilde dat hij me in iets anders zou zien dan mijn topje en slobberbroek. Het was altijd mogelijk dat ik hem nog voor de maand verstreken was al zou verzoeken te vertrekken, dus was het noodzakelijk dat ik mezelf als een gezaghebbend persoon neerzette. Ik stapte twee minuten onder de douche om op te frissen en bracht daarna ongeveer een kwartier voor de kledingkast door om te beslissen wat ik aan zou trekken. Uiteindelijk koos ik voor een zwarte, strakke damesbroek en een lichtblauwe mouwloze trui. Mijn armen waren getraind door het kneden van het brooddeeg en het roeren in de pannen soep en saus die ik voor mezelf of mijn gasten maakte. Ze waren nu zo gespierd dat ik ze zo veel mogelijk liet zien.

Weer onderweg naar de keuken, sprak ik mezelf streng toe. Robert Cranwell was hier vanwege het kasteel. Wat hij ook van mij mocht denken, het zou hem nauwelijks lukken om niet onder de indruk van het kasteel te raken.

Ik had het ingericht met meubels die vijfhonderd jaar Franse geschiedenis besloegen. De meeste kastelen die privébezit zijn van een familie zijn zo ingericht. Elke nieuwe generatie drukt er zijn eigen stempel op door het opnieuw te verfraaien. Ik had geprobeerd om het in elke kamer bij een periode of thema te houden. De eetzaal is Lodewijk XIV: de stoelen hebben gekruiste, rondgebogen steunlatten tussen de poten. De hoge leuningen worden onderbroken door een horizontaal gestoffeerde rechthoek, die met franje is behangen. De kleuren zijn dieprood en tarwegoud. De tafel is veel smaller dan zijn moderne tegenhanger, maar beduidend langer. Het is een eenvoudig model, zonder ornamenten langs de poten.

De ontvangstruimte is een vitrine van meubels uit de hoogmiddeleeuwse tijd. De canapé, waar ik meestal op ga zitten, is verzacht met een mosgroen fluwelen kussen. De stoelen die tegen de muren staan, zijn eenvoudig van vorm en constructie. Maar toch is het walnoten dressoir een meesterstuk van middeleeuws vakmanschap: de donkere houtpanelen zijn uitgesneden en met terugkerende plantenpatronen versierd.

De gastenkamers van het kasteel beslaan het hele gamma van Lodewijk XV tot art-decostijl, en zijn ingericht in kleuren die variëren van kanariegeel tot zeer donkerrood. Wanneer ik tijd heb en het niet al te koud weer is, struin ik de rommelmarkten af op zoek naar woonaccessoires: boeken, kandelaars, linnengoed en klokken. De Franse meubelstijlen fascineren me. Elk tijdvak heeft zijn eigen kenmerk, zijn eigen kleuren, zijn eigen principes en zijn eigen expressie. De enige periode waar ik niet om geef, is het postmoderne.

Het valt niet mee om spullen uit de middeleeuwen en de renaissancetijd te vinden, behalve dan kisten en koffers, dus koop ik voor een fractie van de prijs reproducties. Met de stevige vervalsingen hoef ik in ieder geval niet bang te zijn dat er iemand door de stoel zakt of de deur van een kledingkast in zijn handen houdt.

De bedden voor de gasten zijn ook allemaal reproducties. Originele antieke bedden zijn in het algemeen zo kort en smal dat mijn gasten er alleen met hoog opgetrokken knieën in zouden kunnen liggen. Maar ik heb de reproducties in ieder geval wel in authentieke stijl bekleed en gedrapeerd. Hoewel ik zelf claustrofobische gevoelens krijg wanneer ik omgeven door gesloten gordijnen moet slapen of helemaal door beddengoed ben omwikkeld, vind ik het er wel romantisch uitzien en ik weet dat mijn gasten er net zo over denken.

Toen ik met de inrichting begon, besloot ik bewust te proberen bij de gastenkamers een evenredige verdeling tussen vrouwelijke tierelantijntjes en mannelijke versieringen aan te brengen. Als er door een vrouw een reservering wordt gemaakt, geef ik haar de Lodewijk XV-kamer met zijn roze en babyblauw gestoffeerde meubels of de Napoleon III-kamer, gevuld met vergulde praal en kristallen druppels. Als er door een man een reservering wordt gemaakt, kies ik voor de Romeins ogende Napoleon I-kamer met zijn kleuren van avocado en aubergine of de Lodewijk XVI-kamer met zijn eenvoudige, rechtlijnige zuilenvormen.

Geef ik mijn kamers een naam? Heb ik een Marie Antoinette? Een Blaise Pascal?

Nee.

De Fransen hebben een aparte smaak en hun keuze voor de stijl van inrichting is vaak gebaseerd op hun politieke en filosofische voorkeuren. Ik zou een verzoek kunnen krijgen voor de Revolutiekamer, maar de Marie Antoinette? Ondenkbaar.

Verzamel ik Engels of Duits antiek?

Nee.

Naar mijn mening is het eerstgenoemde vaak lomp, onhandig van vorm en van vreemd gekleurd hout. Het tweede is meestal afgewerkt met zo'n donkere en dikke toplaag vernis, dat het kunstenaarstalent niet meer te zien is.

Ik ben zowel een francofiel als een snob, en heb daar absoluut geen wroeging over.

Bovendien, het is mijn kasteel.

4

Robert Cranwell zat al in de keuken toen ik beneden kwam en gedroeg zich alsof hij thuis was. Hij was in een gesprek verwikkeld met Sévérine, die op de stoel naast hem bij het keukeneiland zat. Haar arm rustte op het bovenblad en haar kin leunde op haar hand. Ze keek naar Cranwell alsof hij de laatste man in Bretagne was.

Bespaar me de gedachte.

Terwijl ze praatten, maakte ik espresso's en zette een mand met broodjes voor hen neer.

Hij lachte om iets wat ze zei en keek toen naar mij.

Ik keerde hem mijn rug toe en goot de espresso in hun kopjes.

Hij lachte opnieuw en zij viel hem bij, haar melodisch gegiechel voegde zich bij zijn laag gegrinnik.

Ik waagde het erop naar hem te kijken toen ik de kopjes voor hen neerzette. Zijn bruine ogen blikten in de mijne.

'Suiker?'

'Alstublieft.'

Terwijl ik de nieuwe suikerpot uit de kast pakte en hem voor hen neerzette, stootte mijn teen tegen iets wat onder het keukeneiland lag. Ik bukte om te kijken wat het was en stond neus aan neus met een hond. Een kwijlende Boxer met een stompe neus. Hij was lichtbruin met een eigenwijze witte vlek, die zijn neus bedekte en naar zijn bek toeliep. De brede borst was bedekt met een witte bles.

'Mevrouw Farmer, Lucy.' Cranwell stelde ons vol zelfvertrouwen aan elkaar voor.

Lucy was een hond! Ze likte mijn gezicht met haar grote natte tong. Ik kon een grijns niet bedwingen, maar slaagde er toch in om het kwijl weg te vegen voor ik weer rechtop stond en naar Cranwell keek.

Hij stond me met een onschuldige blik aan te kijken, alsof het voor mij heel normaal was om honden in de keuken aan te treffen.

'Als ze blaft...'

'Ze blaft niet.'

'Als ze probeert op mijn meubels te kauwen...'

'Dat doet ze niet.'

'Als ze ook maar aanstalten maakt om...'

'Dat doet ze niet. Niet in huis.'

We staarden elkaar enige tijd aan tot we afgeleid werden door Sévérine, die zich van haar stoel had laten zakken en op handen en voeten kirrende geluidjes naar Lucy maakte. Honden of baby's – de Fransen worden er helemaal lyrisch van. Maar blijkbaar was Lucy niet zo dol op Sévérine. Ze gromde en trok zichzelf nog verder terug onder het keukeneiland.

'Goed. Ze mag blijven.'

'Ze lust graag rundvlees.'

'Nee maar!' Ik wierp een afkeurende blik op het beest. 'Ik bereid maar één maaltijd. Wat voor u geldt, geldt ook voor haar.' Ik keek Cranwell zo vernietigend mogelijk aan. 'U kunt eten wat ik kook, of honger lijden.' Ik schraapte mijn waardigheid bij elkaar en liep statig de trap op naar mijn kamer.

Sévérines stem zweefde achter mij de trap op. 'Maakt u zich geen zorgen. Ze is een bijzonder goede kok.'

Sévérine wist voldoende van mijn dagelijkse gang van zaken om in staat te zijn voor Cranwell een lunch in de koelkast te vinden en deze op te warmen. Mijn andere twee gasten zouden tot vanavond buitenshuis zijn en ik had besloten om zelf de lunch over te slaan. Ik had gewoon geen trek.

Maar ik had wel de behoefte te gaan hardlopen. Ik ben er nooit van beschuldigd pezig zijn, maar ik ben wel slank. En doordat ik heel vaak ga hardlopen, blijf ik dat ook. Ik wisselde mijn kleren om voor een joggingshirt en korte broek, trok mijn schoenen aan en haastte me de trap af, de voordeur door. Ik holde langzaam de oprijlaan over. Mijn voeten sleepten licht over de grond terwijl ik bij iedere stap het grind wegduwde. Maar toen ik rechtsaf sloeg, richting het bos, en het pad op ging dat ik heel vaak koos, vond ik het juiste tempo. Terwijl ik holde, genoot ik van de geur van het bos en de grond. Ik slingerde tussen de bomen door en bereikte een weide. Alix' weide. Het punt waarop ik altijd keer. Ik ren altijd heen weer. Het keerpunt lag op exact tweeënhalve kilometer.

Ik liep door het gras naar het midden van de weide. Vanaf de andere kant van het bos flitste een sperwer langs. Hij wiekte met zijn grijze vleugels. Een keer. Twee keer. Zijn wit met bruin gespikkelde lijf schoot als een torpedo naar de grond. Zonder zelfs maar iets in snelheid te verminderen, pikte hij een muis op en vloog, triomfantelijk, weer omhoog, naar de korenbloemblauwe lucht.

Ik maakte een grote bocht in het midden van de weide en rende terug naar het kasteel. Nu mijn hoofd weer helder was, keek ik uit naar een middagje werken in mijn tuin en keuken. Zodra ik de oprijlaan voor me zag, verhoogde ik mijn snelheid. Toen ik het grind had bereikt, trok ik een volle sprint. Bij de vooringang minderde ik snelheid en liep drie rondjes om het kasteel, waarbij ik langzaam overging naar een wandeltempo. Tijdens het laatste rondje hoorde ik boven me roepen. Ik keek op en zag Robert Cranwell uit zijn raam leunen.

Ik zwaaide en zorgde ervoor dat ik geen stap langzamer liep.

Dit was vandaag de derde keer dat de man mijn leven binnendrong.

Het was een slecht teken.

Zonder van kleding te verwisselen, liep ik rechtstreeks naar de tuin en ging die middag genadeloos het onkruid te lijf. Net voor twee uur, het tijdstip waarop ik meestal aan de voorbereidingen voor het diner begin, liep ik naar het bloemperk om te kijken welke bloemen ik die dag in de ontvangsthal zou zetten. Ik had al enkele asters afgesneden en stond te dubben wat ik nog meer zou nemen. Opnieuw ervoer ik die irriterende, zachte aanwezigheid. Ik hoopte dat God het op zekere dag zou opgeven en me met rust zou laten. 'Wilt U weggaan?'

Stilte.

'Alstublieft?'

'Goed. Het spijt me dat ik u gestoord heb.'

Ik slaakte een kreet en de lavendelkleurige bloemen vielen op de grond.

Lucy blafte. Eenmaal.

'Het spijt me!' Cranwell bukte om de asters op te rapen. 'Ik probeerde u alleen maar te laten weten dat ik hier was.'

Moest die man me iedere keer verrassen als hij bij me in de buurt was? 'Het komt enkel doordat soms...'

'Ik denk dat de Rudbeckias hier mooi bij staan.' Bot wees ik de vriendelijk aangeboden suggestie af.

'Perovskias.' Gehaast sneed ik drie bloemen af, griste de asters uit zijn handen en liep snel het tuinpad af.

'Vergeet uw spade niet,' riep Cranwell me na.

Via een omweg liep ik weer terug naar de tuin, waar ik de spade naast een rij erwtenplanten in de grond verzonken zag liggen. Ik moest echt hebben staan dagdromen om hem daar zo achter te laten. Pas later kwam de vraag bij me op hoe Cranwell wist dat die schep daar lag, want onder de bladeren en ranken van de plant was hij niet te zien geweest.

Cranwell en Lucy liepen achter mij aan het kasteel in en keken toe hoe ik de bloemen in de vaas schikte. Hij had gelijk. De Rudbeckias waren inderdaad een betere keus geweest.

Later die middag, toen ik de trap op liep om in mijn kamer wat te rusten voor het diner, zag ik dat iemand een paar stengels Lythrum en twee takken Spirea aan het boeket had toegevoegd. Het zag er veel beter uit dan eerst.

Terwijl ik de tafel dekte, kwam Cranwell met Lucy de eetzaal binnen. Zonder iets te zeggen pakte hij de vorken en messen op die ik had meegebracht en liep achter me aan terwijl ik voor drie personen bestek neerlegde. 'Als het u niet uitmaakt, eet ik liever niet hier.'

Die opmerking verbaasde me. 'Hoezo niet?'

'Het lijkt me dat het stel dat hier logeert liever...' Hij grijnsde breed.

'Ik begrijp het.' Ik knikte instemmend. 'Ik zal Sévérine vragen uw maaltijd naar uw kamer te brengen.' Ik kon het de man niet kwalijk nemen dat hij zich in de eetzaal te veel voelde.

'Wij, Lucy en ik, willen liever gewoon met u mee-eten.' Hij keek me met een smekende blik vanonder zijn donkere wenkbrauwen aan.

Waarom kunnen bruine ogen niet gewoon bruin zijn? Waarom hebben ze ook zulke fascinerende schaduwen van honing en amber, reebruin en walnoot in zich?

'In de keuken?'

'Eet u daar?'

'Ja.' Maar het is ook de plek waar ik me ontspan. Ik draai een cd, lees een boek, geniet van mijn eten. Een gewoonte waar ik van houd. Zelfs Sévérine eet in haar eigen kamer.

'U kunt me dan vertellen hoe het kasteel was toen zij hier woonde.'

Zij. Alix. Het vroeg om een verklaring hoe iemand die al eeuwen geleden overleden is nog zo veel complicaties in mijn leven kon veroorzaken.

'Ik moet dat weten voor ik met schrijven kan beginnen.'

Ik zou alles doen om hem zo snel mogelijk uit mijn leven te laten verdwijnen. 'Ik begrijp het. U kunt om zeven uur naar de keuken komen.'

Mijn beloning voor de capitulatie was een knipoog.

Ik heb een enorme hekel aan mannen die knipogen.

Cranwell en Lucy verschenen prompt om zeven uur. Hij had net een douche genomen: zijn haar was achterovergekamd en er hing een mannelijke geur om hem heen van zeep, aftershave en het bos. Ondanks dat ik het niet wilde, ademde ik het net zo gretig in als de geur van versgebakken brood.

Hij keek me aan met een glimlach, die ik misschien wel als verlegen bestempeld zou hebben als ik niet beter had geweten hoe hij in elkaar zat.

Vanaf een stoel bij het keukeneiland keek hij toe hoe ik borden met aubergine bruschetta uit de oven haalde en ze met mediterrane vinaigrette besprenkelde.

Ik bukte en zette een schaal met rauwe stukjes vlees voor Lucy neer. Ze keek me aan, boog toen haar kop naar de schaal en slikte de stukken in zijn geheel door. Temminste, dat moest wel, want ze kon ze nooit gekauwd hebben in die dertig seconden die het haar kostte om de bak leeg te eten.

'Heb je een mok? Dan geef ik haar wat water.'

Na hem een glas van zwaar loodkristal gegeven te hebben, keek ik vol verbazing toe hoe hij het Lucy voorhield en zij het water keurig eruit slobberde.

'Als ik haar water in een bak geef, dan morst ze zo.' Hij zette het glas in de gootsteen en ging weer zitten.

Lucy liep langzaam naar de trap, zuchtte en strekte toen haar poten voor zich uit tot haar buik de grond raakte. Ze richtte haar kop op met een vorstelijk gebaar. Daarna strekte ze haar heupen, stak haar achterpoten naar achteren en kruiste ze, bevallig als een dame, bij haar enkels over elkaar.

We keken beiden glimlachend toe.

'Ik noem haar Queen Lucy. Je weet wel: de Narnia-boeken.'

Nee, ik wist het niet, maar het irriteerde me dat hij mijn gedachten had gelezen. De borden hadden de hitte van de oven geabsorbeerd, dus gebruikte ik ovenwanten om ze op het marmeren blad te zetten.

Toen ik daarmee klaar was, pakte Cranwell de wanten bij hun uiteinden vast en trok ze van mijn handen. Hij deed ze bij elkaar en legde ze op het aanrecht.

Een half uur eerder had ik een fles wijn opengemaakt, een Chinon, zodat de wijn vast kon ademen. Ik schonk twee glazen in en overhandigde hem er een. We klonken onze glazen tegen elkaar. 'Op Alix,' waagde hij.

'Op Alix.'

Ik vroeg me af hoeveel hij van wijn afwist en sloeg hem gade terwijl hij zijn eerste slok nam. Ik was onder de indruk.

Hij nam een klein slokje en deed zijn lippen iets van elkaar om lucht in te ademen. Ik zag hoe hij zijn lippen tuitte terwijl hij door zijn neus inhaleerde, wetend dat de kenmerkende smaak van bessen zijn holtes zou vullen, evenals ze dat bij mij deed.

''90?'

''95.'

'Zwarte aalbes, kersen, viooltjes.'

Goed. Ik zou hem geen macaroni met ham en kaas voorschotelen terwijl hij in het kasteel verbleef.

'Brood?' Ik hield een baguette in mijn ene hand en een broodmes in de andere.

'Lekker.'

Ik sneed een royaal stuk voor hem af, evenals voor mezelf. Daarna was het tijd om te eten.

'Is Frédérique een familienaam?'

'In zekere zin. Ik heb hem aan mijn vader, Frederick, mijn moeder en mijn oma te danken. Mijn moeder was er zo zeker van dat ik een jongen was dat ze besloten had dat ik Frederick Jr. zou gaan heten. Ze heeft nooit een andere naam uitgezocht. Toen ik een meisje bleek te zijn, stelde mijn oma, een Française, voor om er Frédérique van te maken.'

'En noemden je vrienden je vroeger Ricki?'

'Nee.'

Hij at een paar minuten in stilte en stak toen een stukje bruschetta omhoog. 'Het smaakt voortreffelijk.'

Het *was* voortreffelijk. De op olijfolie gebaseerde vinaigrette had de aubergine een zoete smaak gegeven en ik had hem uitmuntend gegrild. Ik bedankte hem voor het compliment. Het was zo lang geleden dat ik gezelschap had gehad, dat ik geen idee had wat ik tegen hem moest zeggen. Ik praatte elke dag tegen Sévérine, maar die gesprekken beperkten zich tot het hotel. Ik voelde me als iemand die vanuit de kou een warm huis binnen stapt: mijn wangen waren stijf, mijn mond wilde niet goed werken. Ik probeerde woorden te vormen, zinnen te zeggen, maar ze kwamen er haperend uit, alsof ik in geen jaren had gepraat.

Cranwell was zo sympathiek mijn gehaspel en gestotter te negeren en dirigeerde het gesprek.

'Hoe bent u hier terecht gekomen?'

'Ik heb het kasteel in 1999 gekocht, een jaar aan de renovatie besteed en het hotel geopend. Er verscheen een lovende recensie...'

'Die heb ik gezien. In *à La Mode*.'

'Klopt. Dat was goed voor de zaken.'

'Dat kan ik me voorstellen. Maar hoe kwam u in Frankrijk?'

Nu zou het komen. Zou hij me gaan beklagen? 'Door mijn man, Peter. Hij werkte op de ambassade.'

'In Parijs? Op het ministerie van Buitenlandse Zaken?'

Ik knikte; dat was makkelijker dan uitleg geven. Hoewel het Ministerie van Buitenlandse Zaken zich vooral met het diplomatieke werk bezig houdt, zijn er bij de ambassade veel andere nationale instellingen met een staf – sommige van hen met een hoger profiel dan anderen. 'Hij had een contract voor drie jaar. Een maand voor afloop vroegen ze hem om naar Tanzania te gaan.'

'Tanzania. Daar ben ik op safari geweest. De Serengeti valt niet te vergelijken met al het andere dat ik ooit heb gezien.'

'Het was augustus 1998.'

Hij was snel. Het kostte hem maar een moment om de strekking van mijn opmerking te begrijpen. Hij nam de informatie sneller in zich op dan ik had gedaan. Op het moment van Peters dood hadden de bombardementen op de Amerikaanse ambassade in Oost-Afrika een verontrustende droom geleken en los van de realiteit. Het kostte me weken om het puin van deze ruïnes in verband te brengen met mijn eigen gebroken hart.

Cranwell keek naar mijn linkerhand. Zijn blik bleef hangen op mijn trouwring, daarna hief hij zijn hoofd op en keek me aan. 'En u besloot om niet naar de Verenigde Staten terug te keren?'

Ik werd bemoedigd door een golf van verlichting. Er kwam geen medelijden. Geen pijnlijke stilte. Alleen een simpele aanvaarding dat het leven doorgaat, iets wat ik pas na een lange strijd weer durfde te geloven. 'Nee. Ik bedoel, ja. Ik kon niet terug. Er waren te veel dingen veranderd. Ik was niet meer dezelfde persoon en ik wilde niet meer de dingen die ik vroeger wilde.'

'Kookte u al voor u naar Frankrijk kwam?'

Ik schudde mijn hoofd. 'Peter had het zo druk met zijn werk op de ambassade dat ik iets moest vinden om mijn tijd mee te vullen. Ik koos toen voor de *Cordon Bleu*.'

'Klinkt geweldig.'

'Dat was het niet. Het kostte me alleen al twee weken om te leren hoe ik een mes moest vasthouden. Toen het uiteindelijk echt tot koken kwam, bereidde ik keer op keer hetzelfde recept om het uit mijn hoofd te leren. Soms aten we anderhalve week hetzelfde.'

'Als het smaakte zoals dit, zal hij vast nooit hebben geklaagd.'

'Dat deed hij ook niet. Nooit.'

Ik stond op en haalde de borden van de tafel. Daarna bakte ik snel drie kipfilets en voegde er op het laatste moment meloenjam aan toe. Ik nam een filet uit de pan, schikte hem op een bord en reikte naar het volgende. Cranwell had dit al verwacht en stond al naast me om het bord aan te geven. Het gebaar was ongedwongen, vriendelijk en hij paste zich aan mijn werkritme aan, zonder mijn terrein binnen te dringen.

Ik hoorde een bekend geschuifel op de trap en maakte een blad met eten voor Sévérine klaar.

Lucy gromde en stond op van haar plaats bij de trap om zich weer onder het keukeneiland te verschuilen.

'Sorry. Ik wilde niet storen.' Sévérine bleef even onderaan de trap staan toen ze Cranwell ontdekte, daarna kwam ze naar voren om haar blad te halen.

Cranwell deed wat iedere man doet als hij Sévérine ziet. Hij stond op met de woorden: 'Welnee, het is geen enkel punt.' Vervolgens kreeg hij het op de een of andere manier voor elkaar om haar aan te raken. Soms raken mannen haar arm aan, soms ook haar schouder. Soms pakken ze zelfs haar hand en trekken ze haar dichter naar zich toe. De aantrekkingskracht van Sévérine is al zo oud als die van Eva. En het werkt altijd.

'Ik zie je straks, Frédérique.'

Ik knikte bevestigend. 'Acht uur.' Ze zou het diner aan mijn gasten serveren.

Cranwell volgde haar met zijn ogen terwijl ze de keuken verliet, en nog lang nadat ze uit het zicht verdwenen was ook nog met zijn oren.

Nadat ik had gewacht tot hij was uitgestaard, probeerde ik het gesprek weer op gang te brengen. 'En hoe wist u van Alix?'

'Door een lezing in Los Angeles. *Het feminisme in de Franse middeleeuwen*.'

Ik bukte om een stukje vlees op te rapen dat op de grond gevallen was. Ik keek naar Lucy en besloot toen om het toch niet naar haar toe te gooien; ze was absoluut te voornaam voor afval. 'Wat verlicht van u.'

Terwijl ik het bord voor hem neerzette, keek hij me in mijn ogen. 'Ik was daar vanwege een gegadigde vriendin.'

'Werd het niets?'

'Ze was geen leuk gezelschap. Maar de levensstijl van vrouwen in de middeleeuwen was erg fascinerend.'

Echt een opmerking voor een man. 'Misschien voor u, maar voor hen zeker niet.'

Hij was de kip aan het snijden, maar wuifde met zijn hand, alsof hij mijn opmerking weg zwaaide. 'Ik vroeg om een lijst met referenties en heb wat onderzoek gedaan. Toen kwam ik een artikel tegen van...'

'Laat me raden: ene mevrouw Dupont?'

'U kent haar?'

'U ook.' Het meest irritante aan Sévérine is haar intelligentie. Het is gewoon niet eerlijk. 'Sévérine.'

'Sévérine...?'

Het was onmogelijk om de emoties die over zijn gezicht vlogen niet meteen te plaatsen. 'Perfect!'

Precies. Perfect.

5

Nadat ik voor mijn gasten had gekookt en Sévérine klaar was met bedienen, kwam Cranwell met Lucy naar beneden voor een avondwandeling. Op het moment dat we het laatste vaatwerk opruimden, kwamen ze terug.

Hij klopte op de keukendeur, waardoor ik opschrok. Het was niet gebruikelijk dat de gasten deze deur gebruikten.

Sévérine liet hen binnen. Lucy blafte naar haar.

'Ik hoorde dat u de expert bent wat Alix de Montôt betreft.'

'De expert? Toe maar!' Sévérine schoot in de lach. 'Maar dat klopt, die staat hier voor u. En zeg alstublieft je tegen mij.'

'Goed, maar dat geldt dan ook andersom.' Cranwell trok een stoel voor haar uit en pakte er ook een voor zichzelf. 'Wat was het voor een persoon?'

'Wat voor een persoon ze was?' Sévérine haalde lichtjes haar schouders op. 'Wie zal het zeggen?'

'Ik bedoel, was ze... een waaghals? Een preuts type? Een wildebras?'

'Ik ken die woorden niet, maar vraag je me nu naar haar karakter?'

'Ja.'

'Haar karakter...' Sévérine dacht even na. Tussen haar ogen verscheen een lichte frons, net duidelijk genoeg om iemand het verlangen te geven om zich naar haar toe te buigen en hem weg te strijken. 'Dat is moeilijk te zeggen, want ze is niet van onze tijd. Dat is het probleem van geschiedenis. We kunnen nu eenmaal niet verwachten dat een vrouw in de vijftiende eeuw dezelfde zou zijn als wanneer ze in de eenentwintigste eeuw had geleefd. De samenleving is anders en iedere tijd heeft zijn invloed op het menselijk gedrag. Begrijp je wat ik bedoel?'

Cranwell knikte.

Ik ging achter hen aan mijn bureau zitten en besloot alvast een opzet te maken voor de menu's van de komende week.

'Voor haar tijd was ze... ik weet niet hoe jullie dit zeggen, haar tijd vooruit?'

'Ja.'

'Ze was geschoold. Ze schreef heel veel. Ze had haar eigen gedachten...'

'Je bedoelt dat ze voor zichzelf dacht?'

'Ja, dat bedoel ik.'

'Waren dat gedachten die niet gebruikelijk waren?'

'Misschien wel voor een man, maar niet voor een vrouw.'

'Dat klinkt modern. Vooruitstrevend.'

'Ja, maar volgens ons komt dat omdat haar niets was bijgebracht.'

'En net zei je nog dat ze geschoold was?'

'Ja. Dat was ook zo, maar ze was niet... Ze was *mal élevée.*'

Er viel een stilte en tegen wil en dank kwam ik tussenbeide. 'Men had haar niets bijgebracht wat betreft manieren, etiquette, huishouden en zo.'

'Ja. Dat bedoel ik!' Sévérine draaide zich om en schonk me een dankbare glimlach. 'Ze wist dus niet wat er van haar werd verwacht.'

'In welk opzicht?'

'Als vrouw. Als echtgenote. Ze kon lezen, schrijven en rekenen, maar ze kon geen kasteel beheren. Ze wist niet hoe je een huishouding moest voeren, of personeel moest aansturen. Ze kon niet borduren, zingen of musiceren. Ze begreep ook niet dat ze geen keuzes in haar leven had, waardoor ze dacht en deed alsof dat wel zo was.'

'Dus, ze was haar tijd vooruit, maar ze liep ook achter.'

'Nee. Ze liep niet achter, want ze was wel ontwikkeld. Maar ze was gewoon niet...'

Opnieuw mengde ik me in het gesprek. 'Ze was niet gesocialiseerd.'

'Precies. Niet gesocialiseerd.'

'Dus wilde ze ook niet trouwen?'

'Nee, dat wilde ze wel. Ze wist dat ze moest trouwen omdat ze een vrouw was, maar ze wist niet wat het inhield.'

'Je bedoelt: zoals haar ouderlijk huis verlaten?'

'Dat wist ze wel. Maar ze wist, bijvoorbeeld, niets over de lichamelijke relatie tussen man en vrouw. Ze wist niet wat een goede echtgenote hoorde te doen.'

'Wat deed ze dan wel?'

'Niets.'

'Niets?'

'Niets.' Sévérine zuchtte. 'Het is nogal gecompliceerd. Misschien kun je beter de dagboeken en mijn aantekeningen lezen om het huwelijk beter te begrijpen.'

'Maar hoe zit het met de geschiedenis? In haar tijd hoorde Bretagne nog niet bij Frankrijk.'

'Dat klopt. Veel delen van de republiek van deze tijd werden nog niet door de koning van Frankrijk bestuurd. Ze hadden wel trouw gezworen aan de koning, maar de provincies hadden hun eigen koningen of regeerders. Bretagne was een van de meest machtige, maar er waren er nog veel meer.'

'Wat viel dan wel onder "Frankrijk"?'

Sévérine haalde haar schouders op. 'Dat is lastig te zeggen, maar de meesten gaan uit van Normandië, Champagne, Poitou, Languedoc, Dauphiné, Touraine en het gebied van Bordeaux tot Cahors.'

'En Alix' familie kwam uit het Frankrijk van toen?'

'Ja. Haar vaders familie kwam uit de omgeving van Chinon

in Touraine. Maar haar moeders familie kwam uit de Provence, de provincie die door een andere koning werd bestuurd. Koning René.'

'Stond Bretagne op vriendschappelijke voet met Frankrijk?'

Sévérine zoog lucht tussen haar tanden. 'Ja. Maar ook met Engeland.'

'En Engeland en Frankrijk hadden een hartgrondige hekel aan elkaar.'

'Ja. De Honderdjarige Oorlog was nog maar net voorbij. Nog niet eens tien jaar.'

'Dus het huwelijk van Alix was een strategische kwestie.'

'Ja. En het kwam haar familie ten goede.'

'Had haar familie een hechte band met de koning?'

'Ze waren verwant aan elkaar, in de tweede graad. Maar ze hadden niet zo'n nauwe band.'

'En Bretagne, had dat een koning?'

'Nee. In Bretagne hadden ze een hertog. De *duc de Bretagne.* Hij had de functie van een koning.'

'Had de familie waar Alix in trouwde een hechte band met de hertog?'

'Ja. Zij waren ook familie in de tweede graad, maar stonden dichter bij elkaar dan de familie van Alix en de koning.'

'Dus is het mogelijk dat Alix een spionne is geweest?'

'Een spionne? Dat denk ik niet. Er is geen enkele aanleiding om dit te veronderstellen.'

'Maar het is mogelijk?'

'Ik wil niet geloven dat ze een spionne was.'

Opnieuw keek ik op van mijn kookboeken om tussenbeide te komen. 'Cranwell schrijft fictie, Sévérine. *Les romans d'espionnage.* Hij schrijft geen verhaal over Alix. Hij schrijft een verhaal over een jonge vrouw uit Alix' tijd. Is het mogelijk dat zo'n vrouw door haar vader gebruikt kon worden om informatie over de verhouding tussen Bretagne en Engeland te verkrijgen?'

Cranwell keek me dankbaar over zijn schouder aan.

'Ja. Ja, dat is mogelijk.'

Zo te horen konden Sévérine en Cranwell nog wel tot diep in de nacht blijven praten. Dus ging ik naar boven en liet hen alleen. Hoe sneller hij de informatie kreeg die hij nodig had, hoe sneller hij zou vertrekken. Ik heb het echt nodig om alleen te zijn en daar was deze dag weinig van gekomen. Morgen zou ik hem mee naar het bos nemen en hem het hele landgoed rond laten rennen.

Ik liet me op bed zakken en genoot van de rustige vertrouwdheid van de kamer. Mijn kamer bevindt zich op de bovenste verdieping van het kasteel, aan het einde van de gang. Hij heeft een laag balkenplafond en een kleine, doelmatige haard. Er zijn diverse ramen, maar die zijn heel erg klein. In de tijd dat het kasteel werd gebouwd, werden zulke raampjes door boogschutters gebruikt om de vijand te beschieten. Misschien dat sommige mensen zulke kleine ramen mistroostig vinden, maar ik was geen type dat lang in de slaapkamer bleef talmen. Als ik me terugtrok, was het in de keuken. Ik heb een tweepersoonsbed met een donkerhouten, gebeeldhouwde ombouw; het ziet er antiek uit, maar het is een reproductie. Ik heb voor mijn kamer meubels uitgezocht waar ik verliefd op werd. *Les coups de coeur.*

Er staat een gebeeldhouwde houten dekenkist die ik als nachtkastje gebruik. De bovenkant is van gladde, samengevoegde planken. Op de zijkanten is een hele verzameling dierenfiguren uitgesneden. Er staat een eenvoudige eiken stoel in de Lodewijk XIII-stijl. In al zijn eenvoud straalde hij meer waardigheid uit dan elk weelderig Lodewijk XV-meubelstuk dat ik ooit heb gezien. Ik heb ook nog een walnoothouten kledingkast met een stijl die precies tussen Lodewijk XV en

Lodewijk XVI in zit en dus van allebei iets heeft. De zijkanten zijn zuilvormig, de boven- en onderkant gebogen. Het ijzerwerk rondom het slot en de scharnieren is gebloemd. Bovenaan de kast is door een ambachtsman uit de achttiende eeuw een cirkel uitgesneden en daarna opgevuld met ivoor en ebbenhout dat in een stervorm is samengevoegd. Het enige luxe in mijn kamer is een enorm oosters Tabriz-tapijt met een kersenrode ondergrond. Ik kwam hem tegen bij Puces in Parijs toen Peter nog leefde, en kon mijn ogen niet van de levendige kleuren afhouden. Verder geeft hij het voordeel dat mijn voeten niet bevriezen als ik over de stenen vloer naar de badkamer loop. Met uitzondering dan van het karpet, is mijn kamer een samenstelling van het grijs van de stenen muren, de donkere, glanzende tinten van de houten meubels en het balkwerk, en het zachte wit van mijn dekbedhoes.

Die volgende ochtend nam ik, na een ontbijt met espresso en *tartines* van brood met chocolade-hazelnootpasta, Cranwell en Lucy mee voor een rondleiding. De bewolking en de kou die in de lucht hing, waren een voorbode van het weer dat op stapel stond. Ik droeg een oude spijkerbroek en een dikke, crème met rood gestreepte mariniersblouse met lange mouwen, dikke sokken en mijn werklaarzen. Cranwell droeg ook een spijkerbroek, en een lichtgeel overhemd, maar zijn instappers waren meer geschikt voor een dag in het Louvre dan voor een wandeling op het platteland.

Ik keek naar het bos en besloot eerst met hem die kant op te gaan om bij de restanten van het oude bijgebouw in het weiland te gaan kijken. Voor het gemak spraken we af elkaar voortaan te tutoyeren.

'Hoe groot was het landgoed vroeger?

'Het hangt ervan af wat je met het landgoed bedoelt. Het bos van Paimpont strekte zich wel zestien kilometer uit. De man van Alix was eigenaar van het kasteel en de omliggende hectares, maar de *duc de Bretagne* had hem ook stukken land in andere regio's van Bretagne gegeven.'

'Waar?'

'Helemaal naar het westen, tot aan Chateaulin en noordwaarts, richting Morlaix.'

'Dus hij had meerdere kastelen?'

'Nee. Alleen uitgestrekte gebieden. En hij had rechten gekregen op diverse molens en andere commerciële bedrijven, waardoor hij een percentage van hun winst opstreek.'

'Hij was dus rijk.'

'Extreem rijk.'

'En waar woonde de koning… de hertog?'

'In Nantes, zuidwaarts.'

'Maar Alix en haar man woonden hier…?' We liepen een tijdje in stilte verder. Lucy rende steeds voor ons uit en stopte dan weer om ons op te wachten. 'Was hij betrokken bij de zeehandel?'

'Nee. Niet dat we weten. Door de Honderdjarige Oorlog was het moeilijk om in dit deel van Europa handel te blijven drijven, en het is nooit volledig teruggekomen.'

Cranwell fronste zijn wenkbrauwen. 'Maar voor zo'n rijke man lijkt deze locatie me erg geïsoleerd.'

'Dat is het ook. Maar je moet je een voorstelling maken van de dingen die je hier nu niet meer ziet. Om een kasteel van dit formaat te onderhouden, moet er heel wat personeel nodig zijn geweest. Bovendien zullen er akkers zijn geweest, die ook bewerkt moesten worden. En als hier mensen hebben gewerkt, zullen er andere mensen nodig zijn geweest om hen te bevoorraden, zoals een bakker, een schoenmaker, een smid en een molenaar. Er moet ook een melkboer en een kerk…'

'Hier?'

'Ja. Een compleet dorp.'

Cranwell stopte en keek om zich heen naar de bomen, die tot aan de horizon leken te reiken. 'Het is echt moeilijk voor te stellen.'

Lucy blafte en spoorde ons aan om door te lopen. Ik zag de weide al door de bomen schemeren, maar we hadden nog even nodig om daar te komen.

We liepen naar het midden van het stukje grasland, waar het oude gebouw had gestaan. 'Hier vond ik de dagboeken.'

'Hier?' Cranwell stond abrupt stil. 'Waarom zou zij ze hier verborgen hebben? Zo ver van het kasteel vandaan?'

Goede vraag. Voor zover ik wist, had niemand die vraag nog gesteld. Op de universiteit vonden ze het alleen maar belangrijk dat ze überhaupt gevonden waren.

We stapten over de fundering en Cranwell hurkte neer om aan de ring te trekken waarmee het luik open ging. 'Mag ik?'

'Natuurlijk.'

Waar ik een koevoet voor nodig had gehad om het klaar te spelen, leek het hem geen enkele inspanning te kosten. Behendig daalde hij de trap af en bracht enkele minuten in de kelder door voor hij weer naar boven klom. Lucy was niet op haar gemak en jankte de hele tijd boven de duisternis van het gat.

Ik gaf hem een hand toen hij eruit klom. Met een bons liet hij het luik weer dichtvallen. Hij veegde zijn handen aan zijn broek af en bleef een poosje staan, terwijl hij opnieuw naar het omringende bos keek. Lucy zat als een schildwacht aan zijn voeten, praktisch boven op zijn tenen.

Uiteindelijk gaf hij Lucy een knikje en begaven we ons verder op het weiland. 'Ik heb eerder vreemde plaatsen bezocht, maar hier lijkt het...'

'Alsof je gadegeslagen wordt?'

'Inderdaad.' Hij keek me even scherp aan. 'Jij voelt dat ook?'

'Al sinds ik hier ben. Daarom vroeg ik in de tuin... toen jij...'

Hij grijnsde zijn witte tanden bloot.

Ik haalde mijn schouders op.

'Helpt dat?'

'Hij gaat weg. Voor eventjes.'

'Wie?'

'God.'

'Aha. Maar Hij komt altijd terug, toch?' Door de manier waarop hij dat zei, klonk het net of hij dankbaar was.

Omdat ik me ongemakkelijk voelde bij het bespreken van privézaken met iemand die ik nauwelijks ken, veranderde ik van onderwerp. 'Dit gebied heeft een zeer oude geschiedenis. En legendes. Koning Arthur. De Ridders van de Ronde tafel. Merlijn. Zijn geliefde, de fee. Diverse druïden.'

'Hier?'

'Het bos van Paimpont maakt deel uit van de *pays de Brocéliande,* het land van Brocéliande. Hier is naar de heilige graal gezocht.'

Bij deze opmerking bleef Cranwell staan en liet zijn blik op me rusten. 'Ik weet niet beter dan dat dit in Engeland was. In de buurt van Glastonbury.'

'Dat denken de meesten, maar dat klopt niet. Sommige legendes speelden zich hier af.'

'Waarom denk je dat?'

Zijn hardnekkigheid begon me te storen. 'Waarom anders is de geboorteplaats van de fee Viviane hier vlakbij? En waarom is Merlijns graf slechts een paar kilometer verderop? En hoe kan ik anders de plek bezoeken waar Merlijn en Viviane elkaar voor het eerst hebben ontmoet?'

'Meen je dat nu echt?'

'Ja!' Ik ging een paar stappen voor hem lopen. Die man was onuitstaanbaar. Hoe kon iemand een mening hebben over iets waar hij niets vanaf wist?

'Waarom zouden ze in Frankrijk naar de graal zoeken?'

Ik was onderhand in staat om mijn haren uit mijn hoofd te trekken. 'Vanwege Josef van Arimatea.'

'Wie?'

'Josef. De eigenaar van het graf waarin Jezus werd begraven. Kom op, Robert. Koning Arthur is een klassieker in de Westerse literatuur.'

'Er gaat wel een belletje rinkelen als je het over Josef hebt, maar ik weet weinig tot niets over hem. Dus zeg het maar.'

Lucy keek verlangend naar Robert op en vervolgens naar mij en besloot er toch maar bij te gaan zitten, op haar hurken, precies tussen ons in.

'De heilige graal, waaruit Jezus tijdens het Laatste Avondmaal heeft gedronken, is aan Josef gegeven en is gebruikt om het bloed van Christus op te vangen toen Zijn lichaam van het kruis werd genomen. Nadat het lichaam van Jezus was verdwenen, werd Josef ervan beschuldigd dat hij het had gestolen, waardoor hij in de gevangenis werd gezet. Terwijl hij daar was, verscheen Christus aan hem. Hij zegende de graal en zei dat deze Josef tot steun zou zijn tijdens de tweeënveertig jaar dat hij gevangen zou zitten. Toen Josef vrij kwam, vluchtte hij, samen met zijn gezin, vanuit Israël naar een plaats in het Romeinse rijk, waar ze in vrede konden leven. Hij bracht zijn gezin, en de graal, naar Gallië.'

'Naar Frankrijk?'

'Ja. Dat maakte deel uit van het Romeinse rijk.'

'En wat gebeurde er daarna mee?'

'Dat weet niemand.'

'En jij beweert dat die beste koning Arthur hierheen is gekomen om hem terug te vinden? Hoe kon hij van de graal geweten hebben?'

'Alle Kelten, alle Bretons weten dat.'

Hij haalde zijn schouders op. 'Als jij het zegt.'

Voor zo'n bereisd persoon wist hij verbazingwekkend weinig af van dit deel van de wereld. Ik haalde mijn mouw langs mijn neus en keek hem over mijn arm heen even aan. Ik was er niet aan gewend om me een naïeve dwaas te voelen.

Lucy verplaatste haar gewicht naar haar poten en jankte op een vreemde toon, waardoor Cranwell haar met een doordringende blik aankeek.

'Lucy wil weg.'

'Prima.' Ik keerde hem mijn rug toe en liep in de richting van de bomenrij tegenover ons. Het vochtige groene gras werd onder mijn voeten vertrapt. Toen ik de rand van het bos had bereikt, keerde ik me om, in de verwachting Cranwell achter me te zien.

Hij stond nog steeds op de plek waar ik hem had achtergelaten en keek in het weiland om zich heen. Hij haalde bruusk zijn schouders op, alsof hij een plotselinge rilling van zich wilde afschudden en nam toen een sprintje in mijn richting, op zijn hielen gevolgd door Lucy.

'Het is een vreemde plek.' In zijn ogen lag een onzekere blik.

'Deze plaats is oud. Eeuwenoud. Zijn verleden is doortrokken van allerlei soorten heidense religies.'

'Ik heb me in geen enkel andere deel van Frankrijk zo gevoeld.'

'Dit is Frankrijk niet, dit is Bretagne. Ander land, andere geschiedenis.'

6

Mijn dertiende jaar
Jaar 37 van de regering van Karel VII, koning van Frankrijk

Een dag voor Saint Dominique

Ik ben Alix de Montôt. Ik ben dertien jaar. Ik ben het enige kind van de eerste vrouw van mijn vader. Toen ik twee was, is mijn moeder overleden. Mijn vader is zeven jaar geleden opnieuw getrouwd. Zijn tweede vrouw heet Hélène. Ze heeft drie kinderen. Zonen.

Maar ik ben degene aan wie mijn vader de magie van de letters heeft uitgelegd. Ik ben degene die hij het mysterie van cijfers uit de doeken heeft gedaan. Sinds mijn geboorte ben ik al uitgehuwelijkt, om een oude belofte na te komen die mijn over-overgrootvader tijdens de Kruistocht heeft afgelegd.

Hij heeft met de graaf van Barenton, zijn wapenbroeder in de oorlog, afgesproken dat hun nakomelingen met elkaar in het huwelijk zouden treden. Tweehonderd jaar lang zijn er alleen maar jongens geboren. Ik ben de eerste mogelijkheid om deze belofte in te lossen.

Mijn vader vaart er wel bij. Na deze jaren van twist tussen Frankrijk en het hertogdom van Bretagne, en tussen Frankrijk en Engeland, is het een verstandige zet: ik ben uitgehuwelijkt aan een Breton. Als Bretagne zich tot Engeland wendt, zoals sommigen voorspellen, of als Bretagne zich tot Frankrijk wendt, zoals de koning hoopt, zullen er via mij huwelijksbanden met Bretagne zijn. En mijn vader zal daar profijt van hebben. Dat heeft hij aan mij uitgelegd.

Ik begrijp wat ik waard ben.

Volgende maand vindt de verloving plaats.

Een dag voor Saint Matthieu

Morgen is de verloving. Ik ga met Awen de Kertanuan trouwen, comte de *Barenton. Hij is een Breton en moet dus rijk zijn van de koopvaardij.*

Agnès, mijn kamenierster zegt dat ik altijd mooie jurken zal hebben en alleen maar blauw en goud zal dragen.

Hij is dertig jaar. Dat is al erg oud. Ik zal blij zijn als hij nog zijn eigen tanden heeft.

Dag van Saint Matthieu

Vandaag ben ik verloofd. Ik droeg een lange, bladgroene houppelande over mijn schouders. Hij valt in ruime plooien langs mijn lichaam. Zowel de binnen- als buitenkant zijn voorzien van stroken grijs eekhoornbont. Hij wordt om mijn middel ingesnoerd met een reep wilgengroene, fluwelen stof, waarop een groene jaspis is genaaid. Hélène zegt dat deze jaspis een symbool is van mijn trouw om de oude belofte van mijn familie in te lossen.

Er is me verteld dat mijn heer niet dicht bij de zee woont. Hij woont in het binnenland, in het zuiden van Dinan. Mijn heer is donker, zoals volgens Agnès alle Bretons zijn. Hij is langer dan mijn vader en hij heeft zijn tanden nog, waar ik blij om ben. En ze zijn nog steeds wit. Ik heb niet met hem gepraat, maar hij gaf me als verlovingsgeschenk een kistje dat met sierknopjes is beslagen. Op de stof waarmee de binnenzijde is bekleed, is met gouddraad een kruis geborduurd. Ik had liever een gouden ketting gekregen, maar Agnès zegt dat het een heel mooi geschenk is.

Het is in ieder geval wel een praktisch cadeau. Ik kan er dit dagboek in leggen, en er kunnen nog meer dingen bij.

Een dag na Saint Matthieu

Ik heb vandaag met de graaf gepraat. Ik maakte een reverence en zei: 'Mijn heer', precies op de vriendelijke manier waarop ik het heb geleerd. Hij bleef zo lang zwijgen dat ik opstond.

Hij keek me heel vreemd aan. Toen gaf hij me zijn hand en trok me dichter naar zich toe. Hij raakte mijn gezicht aan en vertelde me dat hij eens een zusje van mijn leeftijd had gehad. Hij sprak zo zachtjes dat ik hem nauwelijks kon verstaan. Ik vond hem er verdrietig uitzien.

Ik vroeg hem of ze een vrolijk meisje was geweest.

Hij glimlachte en antwoordde dat ze heel vrolijk was geweest. Wanneer hij lacht, ziet hij er vriendelijk uit.

Twee dagen na Saint Matthieu

Mijn heer is vandaag vertrokken. Hélène zegt dat ik met hem mee zal gaan als ik volwassen ben.

Vijf dagen voor Saint Dionysius

Er is vandaag iets met me gebeurd. Mijn ingewanden begonnen eruit te komen. Ik gilde en werd niet rustig voor Agnès was gekomen.

Agnès heeft Hélène verteld wat er is gebeurd.

Hélène schrok ervan. Ik hoorde haar tegen Agnès zeggen dat dit betekent dat ik binnenkort moet vertrekken.

Twee dagen voor Saint Martin

Ik word naar mijn heer, de comte, *gestuurd.*

Mijn vader zegt dat ik moet gaan. Hij zal Agnès met mij mee laten gaan.

Ik ken de taal niet die ze in Bretagne spreken. Ik ken de mensen daar niet. Ik voel me eenzaam. Ik heb mijn vader gesmeekt mij te laten blijven, maar hij antwoordde dat hij gebonden is aan de verlovingsovereenkomst.

Vier dagen na Saint Martin

Ik bereid me deze week voor op het vertrek.

Dag van Sainte Cécile

Vader heeft me iets gegeven van de meest waardevolle bezittingen van mijn moeder. Het is een kleine, ronde staf van leer. Om de bovenzijde van de staf heen is een cirkel van twaalf violetkleurige juwelen aangebracht. Op de voorkant is een bijzondere 'N' gegraveerd, met een golvend lijntje erboven. Ik zal dit geschenk altijd koesteren. Vader heeft me ook het lievelingsboek van mijn moeder gegeven. Ik had het nog nooit eerder gezien, maar mijn vader vertelde dat ze er elke dag in las.

Van zijn eigen bezittingen kreeg ik de boeken van koning René d'Anjou, de broer van de koning van Frankrijk. De boeken heten Livre du Cuer d'Amour, Espris *en* Mortiffiement de Vaine Plaisance. *Ik vind het mooie boeken.*

Agnès vertelt me nog steeds verhalen over de Emprise de la Joyous Garde *in Saumur, het bekende toernooi van koning René. Dat toernooi werd gehouden voor ik geboren werd, maar mijn moeder is ernaartoe geweest en Agnès zegt dat ze nog mooier was dan Isabel d'Anjou, de vrouw van koning René.*

Ik heb Jeanne de Laval, de huidige vrouw van koning René, van vrij dichtbij gezien. Ze is aardig, maar ik heb horen zeggen dat ze niet zo vrolijk is als Isabel. Misschien omdat zij Bretagne mist op de manier waarop ik Frankrijk zal missen.

Twee dagen na Sainte Cécile

Ik ben weggestuurd. Ze hebben me in ieder geval wel Agnès meegegeven. Ze was de kameniersterster van mijn moeder, en nu van mij.

Chinon ligt achter me en ik kon mijn tranen niet tegenhouden. Zal ik ooit het kasteel, dat vanaf de rivier de Vienne zo duidelijk in het zicht ligt, nog terugzien? Of zou ik nooit meer langs zijn oneindige lengte lopen, nooit meer de plek zien waar Richard Leeuwenhart heeft gewoond? En me nooit meer kunnen inbeelden hoe Jeanne d'Arc koning Karel VII overtuigde dat hij tegen de Engelsen moest strijden?Mijn hart ligt in Chinon. Touraine is mijn land. Ik wil niet anders.

Twee dagen voor Saint André

Er was deze vijf dagen weinig tijd om te schrijven. We zijn voorbij Saumur. Ik had daar het liefst willen stoppen om Jeanne de Laval te vragen of zij niet in mijn plaats naar Bretagne wilde. De nacht daarvoor sliepen we in Chateau de Montsoreau, na de abdij van Fountevraud gepasseerd te zijn, waar Richard Leeuwenhart en zijn moeder en vader begraven liggen. Het kasteel is helemaal nieuw. De vierkante torens lijken meer op die van Saumur dan van Chinon. Het is ook veel groter dan die twee.

We staken de volgende ochtend de rivier de Loire over. We verbleven op Chateau de Treves.

De nacht daarna brachten we door in St. Remy la Varenne.

En nu hebben we Angers bereikt.

Ik heb nog nooit zo'n ontzagwekkend kasteel gezien. Het is enorm groot. Aan de buitenzijde zijn stroken lichter gekleurde stenen aangebracht. De torens kunnen niet als evenwichtig of elegant omschreven worden en de wallen zijn laag en lelijk. Binnen veranderde ik van gedachte. Hier is koning René geboren. Hoe kan het er dan niet aangenaam zijn? Er zijn veel tuinen, paviljoenen en galerijen. Als het niet zo koud was geweest, had ik misschien een wandeling over het domein gemaakt.

Ik wilde dat ik voor altijd in deze stad van boeken, dichtkunst en onderwijs kon blijven.

De tijd dringt. Mijn heer wacht.

Vier dagen voor Saint Nicolas

Angers is niet meer dan een herinnering.

Deze dagen tussen Angers en Chateaugiron zijn moeilijk. Hoe langer de reis, hoe vreemder de omgeving me schijnt. Ik mis de vergezichten. Ik kan zelfs de rivier niet zien. Ik zie alleen maar bomen. En nog eens bomen. Ze dringen zich op aan de kant van de weg en ik krijg geen lucht.

Het gefluit van de vogels is vreemd. Zelfs de lucht, als ik hem al kan zien, lijkt anders.

Drie dagen voor Saint Nicolas

Het berijden van mijn genet *put me helemaal uit. Dit kleine, maar vurige Spaanse rijpaard volgt blindelings de telganger van de bediende van mijn vader, maar is te gehaast en te verlangend om deze reis te beëindigen. Dat betekent dat ze voor iedere stap die de telganger zet, zelf twee passen doet. Mijn hersens zijn door haar gang zo door elkaar geschud dat ze helemaal versuft zijn. Ik kan niet meer denken. De bomen, de heuvels, de weg, de dorpen, alles wat we passeren, kan ik me tien minuten later al niet meer herinneren. Ik ben afgestompt.*

Twee dagen voor Saint Nicolas

Ik heb Bretagne bereikt.

Agnès zegt dat ik me gelukkig mag prijzen dat ik in de lijn van Barenton ga trouwen.

Maar het enige waaraan ik kan denken, is Chinon. Hoe kan ik terug naar mijn eigen lieflijk, vriendelijk land?

Ik vind het hier niet leuk.

Een dag voor Saint Nicolas

We zijn bij Chateaugiron. De kamenier van mijn vader vertelde me dat het een van de negen grote graafschappen is. Het kasteel is gerenoveerd. Ik heb het gezien toen we erlangs reden. Ik vind het een mooi kasteel, met zijn ronde, grote torens die van stenen uit de buurt zijn gemaakt.

Misschien kom ik hier op een dag terug voor een bezoek met mijn heer.

Ik hoop dat mijn kasteel er net zo uitziet.

Dag voor Saint Nicolas

Vannacht verblijven we in Rennes. We zijn door de dikke Portes de Mordelaises gereden. Toen we tussen de twee plompe ronde torens doorreden, had ik het gevoel alsof ik door Bretagne werd ingeslikt. Mijn genet *probeerde de vrije teugel te krijgen en de stad in te rennen.*

Ik heb de kamenier van mijn heer ontmoet. Hij is onze kant opgereisd en zal ons nu vergezellen.

Een dag na Saint Nicolas

Vandaag passeerden we de rivier Ille en heel veel molenaars, wasvrouwen en looiers die aan de oevers werkten. Vanavond werd me verteld dat we over twee dagen op Chateau de Kertanuan zullen arriveren.

7

Drie dagen na Saint Nicolas

Vandaag zijn we op Chateau de Kertanuan aangekomen. Toen ik vanmorgen opstond, hielp Agnès me bij het aantrekken van een van mijn nieuwe jurken. Het is een grijsgroene houppelande. De mouwen en de hals zijn met bont afgezet. Over de hele stof zit een laagje zilverkleurige broderie. Het is echt een elegante jurk. Net boven mijn middel zit een ceintuur met een gouden gesp, die versierd is met groene agaatsteentjes.

Agnès zegt dat deze symbool staan voor deugdzaamheid.

Ik zou liever een steen hebben die intelligentie of wijsheid symboliseert.

Mijn zacht leren schoentjes hebben een lange, gekrulde punt, zoals de mode voorschrijft.

Ik schrijf deze avond in het kasteel van de gravin van Barenton, Chateau de Kertanuan. Het is niet zo groot als Chateaugiron. Het is gebouwd van stenen uit de buurt, en heeft vier grote ronde torens, een op elke hoek. De ringmuur omheint een kapel en een groot binnenhof voor het kasteel. Het binnenhof ligt vol met modder, stenen en hooi. Misschien dat ik er te zijner tijd een tuin van ga maken.

Het dorp is niet echt klein, er is zowel een herberg als een timmerwerkplaats, maar het is ook niet groot, want ik zag geen slager, geen visboer en geen smid.

Het kasteel is in ieder geval niet door bomen ingesloten. Dat zou ik niet kunnen verdragen. Je kunt hier vandaan duidelijk de weg af kijken, tot aan het dorp toe. Dat ligt hier dichtbij.

Ik heb een eigen kamer.

Agnès slaapt op de verdieping boven me. Haar kamer is veel te groot.

Ik heb een bed voor mezelf. Een groot bed. Het heeft vier zuilen en een draperie. Op deze draperie zijn met tarwekleurige zijde bloemen en ranken geborduurd. De sprei is van hetzelfde materiaal. Ik heb een bank gekregen om voor het raam te zetten, en ook een paar stoelen. Er is een grote vuurhaard in de kamer. Ik kan er wel twee keer in de lengte in staan en liggen. De haard wordt de hele dag brandend gehouden. Ervoor ligt een vacht waarop ik kan gaan zitten. Aan de muren hangen diverse Oosterse tapijten met exotische patronen in blauw, goud, dieprood en kaneelkleur.

Er staat ook een grote kast waar al mijn kleren in kunnen.

Maar het mooiste meubelstuk is een tafel met daarop een aantal geslepen ganzenpennen en een potje inkt. Aan deze tafel zit ik nu te schrijven.

Dit is mijn nieuwe thuis.

Een dag voor Saint Damase

Omdat het regent, vond vandaag de noces, *het huwelijk, plaats in de kapel. Daar was ik blij om. Anders zou mijn zwaluwblauwe, fluwelen houppelande misschien geruïneerd zijn geweest. De cape beschermde wel de buitenkant van de jurk, maar de dieprode satijnen band onderaan de rok is vuil geworden. Ik zal ook een paar nieuwe satijnen muiltjes nodig hebben.*

Ondanks de regen waren er muzikanten die voor ons uitliepen. Ze speelden op de schuiftrombone, sloegen op de trommels en hadden ook een muziekinstrument waar ik nog nooit eerder van gehoord had: een doedelzak. Mijn haren gingen recht overeind staan bij het vreemde, wilde en snerpende geluid dat uit zo'n doedelzak kwam.

Ik beloofde plechtig mijn lichaam aan mijn heer te schenken, en hij deed plechtig de belofte het te ontvangen. Daarna beloofde hij plechtig zijn lichaam aan mij te schenken, waarna ik de belofte deed het te ontvangen.

Mijn heer gaf me een gouden ring met een robijn. Ik heb nog nooit zo'n grote robijn gezien. Hij schoof hem eerst om de duim van mijn rechterhand, daarna om mijn wijsvinger en tot slot om mijn middelvinger, en bad om de zegen van de Drie-eenheid. De ring zit nog steeds om de middelvinger van mijn rechterhand. Ik zal aan het gewicht moeten wennen.

De kamenier van mijn vader legde mijn hand in de hand van de priester en de priester legde mijn hand in die van mijn heer.

Daarna vierden we de mis terwijl mijn heer en ik onder een sluier voor het altaar lagen geknield.

Na de plechtigheid sprak ik met mijn heer, de comte.

Hij is net zo donker als ik me herinnerde. Zijn haar golft onder zijn hoed uit. Zijn voorhoofd en kaak zijn streng, zijn ogen donker. Hij spreekt Frans. Vandaag droeg hij een kostuum van bloedrood fluweel en een korte houppelande. Agnès zegt dat hij erg mooie benen heeft. Ik moet geloven dat ze gelijk heeft, want zijn beenkappen zitten mooi strak. Om zijn nek hing een gouden ketting, die nog dikker was dan mijn dunste vinger. Aan die ketting hing een schijf die met parels was bezet. Aan zijn gordel zag ik een kleine dolk, met een heft dat bedekt was met juwelen in vele kleuren. Ik ken deze dolk, want mijn vader draagt precies dezelfde. Het zijn de wapens die onze over-overgrootvaders tijdens de Kruistocht kregen.

Ik glimlachte toen ik de dolk zag en toen ik opkeek, zag ik dat mijn heer teruglachte.

Hij heeft een nicht, Anne, die bij hem woont. Zij spreekt ook Frans.

Na de noces *was er een groot feest. We hadden oesters, patrijs en speenvarken. Er waren jongleurs die met ballen en messen gooiden. En zoals altijd waren er muzikanten.*

Na het diner hebben we gedanst.

De eerste dans was de grote danse basse. *Die begon toen mijn heer een buiging voor me maakte. Deze dans vind ik leuk, want door de korte, glijdende pasjes, danste mijn heer niet ver van me vandaan. Ik vind het ook een elegante dans, door de rustige muziek en het omhoog veren op mijn tenen, lijkt het op het zwemmen van een zwaan. En na-*

tuurlijk genoot ik ook van de muziek van de draailier en de blokfluit.

Na deze danse basse, dansten we de conjé, die mijn heer de trihoris noemde. Deze dans vind ik ook leuk. Er zijn acht figuren, allemaal wat sneller dan de danse basse, maar wel even elegant.

Daarna volgde een verrassing. Een branle met fakkels. De dans werd door de gasten opgevoerd om ons huwelijk te vieren. Ze hadden allemaal verschillende kleuren kaarsen. Het was prachtig om te zien, alsof de sterren zelf aan het dansen waren.

Daarna stak mijn heer zijn hand uit en ik legde mijn hand erin, want iedereen die elkaars hand vasthield was aan het dansen. Daarna leidde het volgende koppel de branle double, waarna een ander koppel de branle single leidde. Tot slot leidde het koppel wat daarna kwam, de branle gai. Toen was het tijd voor de kinderen om de branle de bourgogne te dansen. De muziek ging steeds sneller, tot ze lachend op de grond vielen.

Daarna dansten Agnès en de kamenier van mijn heer de branle du haut barrois.

Daarop volgde de cinq pas, waarin we heel snel in alle richtingen sprongen en huppelden.

Na deze dans nam ik rust.

Het was al laat toen Agnès en Anne me naar bed brachten.

Ze schonken veel aandacht aan mijn nachtkleding, maakten mijn haar los en kamden het tot het glansde. Agnès wreef geparfumeerde rozenolie op mijn huid en kneep in mijn wangen om ze rood te maken. Ze hielpen me in een mooie zijden hemdjurk, met lange, wijde mouwen en een lage halslijn van broderie in de vorm van slingerende ranken. Ze lieten me kaneelwater drinken om mijn adem zoet te laten ruiken. Ze vertelden me dat mijn heer zou komen als zij weg waren en zeiden dat ik alles moest doen wat hij van me zou vragen. Daarna lieten ze me alleen, staande voor de haard en geurend naar rozen en kaneel.

Toen ze weg waren, kwam mijn heer, precies zoals ze hadden gezegd.

Ik maakte een reverence en begroette hem.

Hij pakte mijn hand om me overeind te helpen en wilde toen weten wat Agnès en Anne me over het verloop van deze nacht hadden verteld. Ik zei hem dat ze daar niets over hadden gezegd, alleen dat ik moest doen wat hij van me vroeg.

Hij keek toen erg kwaad.

Ik werd er bang van en beefde.

Hij zag het en trok me dichter bij het vuur. Ik moest gaan zitten en hij spreidde een kleed van bont over me heen. Hij bleef naast het vuur staan en keek me een lange tijd aan voor hij sprak.

Hij vroeg me of ik een verhaal wilde horen.

Het was eigenlijk wel een vreemde vraag. Ik vind het altijd leuk om verhalen te horen, maar ik had wat slaap gekregen en probeerde niet te gapen.

Hij begon met een verhaal over een fee, maar toen hij me zag gapen, stopte hij.

Ik bood mijn verontschuldiging aan, maar vroeg hem toch of ik naar bed mocht.

Hij was zo aardig om de sprei voor me terug te slaan. Daarna kuste hij me op mijn wang en vroeg me of hij misschien mocht blijven tot het vuur uit was. Ik stemde toe, als hij me maar niet wakker zou maken. Hij blies de kaars uit en hoewel mijn oogleden zo zwaar waren dat ik hem niet zag, hoorde ik dat hij naast de haard ging zitten. Maar net voor ik in slaap viel, zei hij tegen me dat ik de volgende morgen moest zeggen dat ik gedaan had wat hij vroeg. En dat hij erg voorzichtig was geweest en het niet zo veel pijn had gedaan.

Tenminste, ik geloof dat hij het zo zei.

Hij was er niet meer toen ik in de duisternis van de nacht wakker werd, dus kon ik het hem niet vragen.

Dag van Saint Damase

Toen Anne en Agnès vanochtend in mijn kamer kwamen, keken ze zo bezorgd, dat ik hun vertelde wat ik me van de woorden van mijn heer kon herinneren.

Agnès omhelsde me.

Anne was het bed aan het opmaken en leek het niet gehoord te hebben.

Agnès stak mijn haar op. Nu ik getrouwd ben, hoor ik het niet meer los te dragen. Ze trok het strak naar achteren, plaatste bovenop mijn hoofd een henin *en drapeerde er tule overheen. Ze vertelde me dat dit hoge puntvormige hoofddeksel van mijn moeder was geweest. Het kostte me zo veel moeite om de* henin *de hele dag in balans op mijn hoofd te houden, dat ik er pijn in mijn nek van kreeg. Daarom heeft Agnès vanavond mijn nek gemasseerd.*

Mijn heer sprak me vandaag aan toen ik in de hal zat te lezen. Hij vroeg me of ik Agnès en Anne had verteld wat ik ze van hem had moeten zeggen.

Ik vertelde hem dat ik niet wist of ik het goed had onthouden, maar herhaalde wat ik tegen hen had gezegd.

Hij glimlachte en zei dat ik het precies goed onthouden had.

Ik begon hem te vertellen over de druïden en hoe zij spelletjes hadden bedacht om alles goed te onthouden, maar ik kon merken dat hij niet luisterde, net zoals ik het altijd aan mijn vader merk wanneer hij niet luistert. Ik vroeg hem of hij het erg vond als ik verder ging met lezen.

Voor hij zich excuseerde, zei hij nog dat hij af en toe 's avonds langs zou komen om een verhaal te vertellen.

Ik stelde hem voor dat hij dan eerder op de avond zou komen, zodat hij meer plezier aan me zou beleven. Hij gaf me nog een broche met parels cadeau en zei dat ik deze moest dragen en tegen Agnès moest zeggen dat hij hem vandaag aan mij gegeven had.

Een dag na Sainte Damase

Anne, de nicht van mijn heer, komt uit Beaune. Haar ouders, broers en zussen zijn aan de pokken overleden. Mijn heer is het meest naaste familielid, dus is ze bij hem gaan wonen. De vader en moeder van mijn heer zijn al in zijn jeugd overleden, dus heeft Anne de rol van kasteelvrouwe op zich genomen. Ze is tweeëntwintig jaar oud. Ze heeft donker haar, is vrolijk en lacht heel vaak. Ik weet zeker dat ze mijn beste vriendin gaat worden.

Agnès mag haar niet. Ik weet niet waarom.

Maar ik ben een vrouw. Ik ben dertien. Ik kan doen wat ik wil.

Dag van Saint Thomas, apôtre

Agnès zegt dat ik de verantwoording voor de huishouding op me moet nemen: het personeel, de ambachtslieden, de maaltijden en de rekeningen.

Ik vroeg haar wie tot op heden verantwoordelijk was geweest.

'Anne,' vertelde ze.

Nu ik kasteelvrouwe ben, moet ik tegen Anne zeggen dat ze deze dingen kan blijven doen. Dan heb ik meer tijd voor mijn studies.

Agnès zei dat het mijn plicht is om als respectabele echtgenote het kasteel te besturen. Ook hield ze me voor dat ik de plichten van een echtgenote verzaak. Ik weet niet hoe ik broderie moet maken, ik kan niet musiceren en niet zingen.

Zingen? Ik schrijf liever liederen. Gedichten declameren? Ik schrijf ze liever.

Agnès bracht me het voorbeeld van Anne in herinnering.

En ik hield Agnès voor dat Anne, voor zover ik heb gezien, niet veel bijzonders doet. Ze speelt maar wat met haar broderiewerk. Ze musiceert en zingt wel, maar ik heb het allebei beter gezien en gehoord. Wat Anne nog het beste doet, is praten met haar kamenier. Misschien dat Anne haar taak als kasteelvrouwe ook nooit ernstig genomen heeft. Maar als dat zo is, kan het niet zo'n moeilijke rol zijn om te spelen. En omdat ik mijn heer nog niet heb horen klagen, neem ik aan dat hij tevreden is met haar inspanningen. Dus mag Anne wat mij betreft gewoon haar gang gaan, dan ga ik studeren.

Als verstandige vrouw laat ik alle plichten over aan degene die deze goed aan kan. Zeker nu het bijna kerstfeest is. Ik weet dat Anne dit altijd heeft verzorgd.

Ik ben de kasteelvrouwe. Als ik per se in dit vreemde land moet zijn, doe ik wat ik belief. En het belieft mij om de verantwoordelijkheden aan Anne over te laten.

Dag van Noël

Gisteren hebben we erg hard moeten werken – schoonmaken en de dieren voor twee dagen tegelijk eten geven – en iedereen leek een beetje in de war te zijn. Maar vandaag hebben we de dag doorgebracht met kaarten, bidden en zingen. Ze hebben een boomstam gevonden, die even dik was als zes mensen bij elkaar en even lang als twee mensen boven elkaar, en die in de haard van de eetzaal aangestoken; we zullen er zeker nog drie dagen mee kunnen doen. We hebben er zout, wijn en brood bovenop gegooid, als eerbetoon aan de Drie-eenheid.

Om middernacht vierden we de mis. Ik vind dit de mooiste mis van het jaar. Deze nacht zongen we liederen en brachten we offergaven. Er was zelfs een kerstvoorstelling. Ik zorgde er voor dat ik geen moment te vroeg de kerk uit ging, want ik had geen behoefte om de doden in processie door het dorp te zien trekken.

Daarna luisterde ik buiten, op weg naar het kasteel, tijdens de twaalf slagen die de kerkklok om middernacht liet horen, of ik de dieren hoorde spreken, en keek ik of ik de stenen zag oprijzen, of de fruitbomen zag bloeien. We zullen wel te laat zijn geweest, want ik heb geen van de dingen gezien en ook de dieren niet gehoord. Ik bleef ook goed om me heenkijken of er geen heksen of demonen verschenen. Ik was ongerust omdat ik niet meer wist of ik de deur open had gelaten om de boze geesten een uitweg uit het kasteel te bieden, maar toen we terug waren, zag ik dat iemand de deur had open gezet.

Als maaltijd hadden we geroosterde everzwijnoesters, koeken, kastanjes en truffelsoep. Alles was vanavond op tafel gezet. Anne zei dat dit werd gedaan zodat de doden zichzelf konden bedienen en deel konden nemen aan ons feest. Er moeten enkele doden onder ons zijn geweest, want aan het einde van de maaltijd zag ik nergens meer eten staan.

Dag van het nieuwe jaar

Anne heeft tussen de ontvangsthal en de eetzaal de maretakken opgehangen die een paar mensen hadden gevonden.

Anne en mijn heer liepen vanavond samen de eetzaal in.

Ik en de anderen zaten allemaal al.

Toen ze onder de deurpost door liepen, besefte mijn heer dat er maretakken hingen en hij daarom Anne moest kussen, wat hij dan ook deed. Anne bloosde ervan. Ze is erg aardig.

Ik vraag me waarom ze nog niet getrouwd is.

Dag van Epifanie

Vandaag vierden we Epifanie, Driekoningen. Er werd driekoningenbrood geserveerd. Mijn heer vond de feve, *de boon, in zijn brood, waardoor hij tot koning werd gekroond en zijn koningin moest kiezen.*

Ik was eerst verdrietig dat ik niet als zijn koningin verkozen werd, maar toen hij Anne koos, was ik blij. Het is erg aardig van hem om aan haar belangen te denken, nu ze op zo'n late leeftijd nog niet is getrouwd.

We gaven de kok opdracht om het overgebleven deel van het brood, het deel van de Maagd, weg te geven aan de eerste bedelmonnik die met een paard dat versierd was met laurier, langs het kasteel zou komen.

Twee dagen na Sainte Agathe

Mijn heer kwam vanavond naar mijn kamer om me een verhaal te vertellen.

Ik heb besloten om de verhalen die mijn heer mij vertelt, op te schrijven. Als het Bretonse verhalen zijn, heb ik ze nog nooit eerder gehoord. Het zal ook een goede oefening zijn voor mijn schoonschrijfkunst. Hieronder schrijf ik het verhaal dat hij vanavond heeft verteld.

In Trédamial wonen veel gezonde mensen. Dat komt omdat de Chapelle de Notre Dame Du Haut in het bezit van zeven genezende heiligen is. Dit zijn: Eugénie, die van hoofdpijnen geneest; Houarniaule, die van angst en zenuwziekten geneest; Hubert, die de woede doet bedaren; Lubin, die gewrichten en ogen geneest; Mamert, die darmproblemen oplost; Néen, die somberheid wegneemt en Yvertin, die ook van hoofdpijnen geneest.

Ik vroeg mijn heer wat dit verhaal voor nut heeft. Het is geen amusant verhaal.

Hij vertelde me opnieuw over de heiligen en de ziekten die zij kunnen genezen, en zei me dit te onthouden voor het geval ik ze nodig zou hebben.

Ik herinnerde me op dat moment dat zijn jongere zus door een ziekte overleden was. Evenals mijn moeder.

Somber gestemd bleef mijn heer bij het haardvuur zitten.

Ik kwam uit mijn bed, schoof de gordijnen open en ging aan zijn voeten zitten. Hij leek gezelschap nodig te hebben.

Samen staarden we een tijd lang in het vuur.

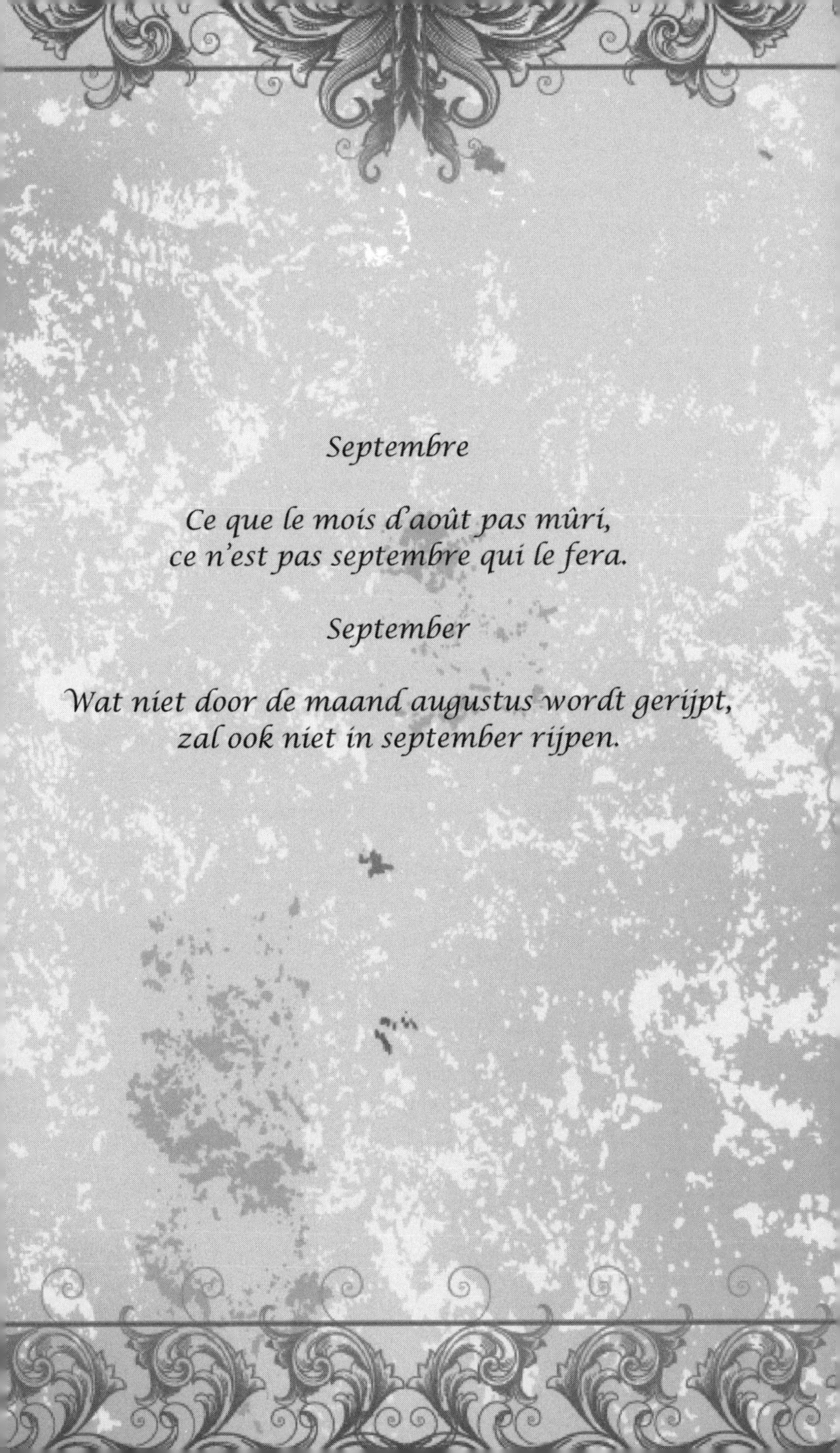

Septembre

Ce que le mois d'août pas mûri,
ce n'est pas septembre qui le fera.

September

Wat niet door de maand augustus wordt gerijpt,
zal ook niet in september rijpen.

8

In september zwierf Robert met Lucy over het landgoed. Ik zag hem soms terwijl ik aan het joggen was. Dan zat hij in het bos op een boomstronk wat te krabbelen op het notitieblokje dat hij altijd bij zich droeg, of hij gooide in het weiland een stok voor Lucy weg. Robert zwaaide dan naar me en keerde daarna gelijk weer in zichzelf.

Bij het diner was hij doorgaans attent en goed gezelschap. Op een avond vroeg ik hem naar zijn wandelingen, terwijl we genoten van de *gougère bourguignonne* en *braisé de boeuf*. Door de sponzige structuur van het kaasbrood kwam het vlees volledig tot zijn recht.

'Wat doe je daar zo de hele dag met Lucy in het bos?' vroeg ik, terwijl ik mijn knot losmaakte en met mijn vingers door mijn haren kamde. Door het ongewone warme weer was mijn huid uitgedroogd en jeukte mijn hoofd. Voor geen goud zou ik op mijn hoofd gaan zitten krabben waar Robert bij zat, maar het gevoel van mijn vingers door mijn haren lenigde de ergste nood.

'Hm?' Hij keek me over de rand van zijn wijnglas aan.

'Je zwerft nu al drie weken hier buiten rond.'

'Ik doe ideeën op en praat met God. Ik kan het beste nadenken wanneer ik wandel.' Hij reikte naar achteren en trok zijn schipperstrui over zijn hoofd, waardoor zijn haar nonchalant over zijn voorhoofd viel.

Ik weerstond de neiging om mijn hand uit te steken en het weer op zijn plaats te strijken.

Hij knoopte de mouwen van zijn verschoten spijkerbloes

los en rolde ze op. Ik zou wel eens willen weten waarom een spijkerbloes een man altijd zo goed staat.

'Hoe staat het ermee?'

'Goed.' Zijn blik werd weer glazig en zijn ogen dwaalden van mijn ogen naar mijn handen en mijn haar. Hij bleef er, als gemagnetiseerd, naar kijken, strekte zijn hand uit en raakte mijn haar bij de punten aan.

Ik kreeg het gevoel dat de lucht uit mijn longen werd geperst.

'Wat voor haarkleur had Alix?' Het was duidelijk een vraag die hij aan zichzelf stelde. Ik had geen antwoord kunnen geven, zelfs niet als ik het had geprobeerd. Mijn stem had het begeven.

Hij legde zijn andere hand tegen zijn borst, alsof hij het zakje van zijn jasje wilde doorzoeken. Toen hij besefte dat hij zijn jasje niet droeg, verscheen er een scheef lachje om zijn mond. 'Ik denk dat ik even met Lucy ga wandelen.'

Hij liet mijn haren los. Ik keek hoe hij als een slaapwandelaar overeind kwam en met zijn vingers naar Lucy knipte.

Ze kwam zuchtend overeind en keek me smekend aan.

Ik gaf haar een klopje en schudde mijn hoofd terwijl ze naar de achterdeur liepen.

'Vergeet je jas niet.'

Hij bleef staan, keerde zich om en staarde me een paar tellen aan. 'O ja.' Hij liep weer terug en nam toen de spiraaltrap in de richting van zijn kamer.

Terwijl ik hen nakeek, nam ik mijn haar in mijn trillende handen, bond het bijeen en maakte een nieuwe knot.

Die week wijdde ik me aan het maken van *confiture*. Ik legde de correspondentie over de stichting opzij, annuleerde mijn vaste tochtje naar de stad en besloot de wekelijkse regionale vlooienmarkt ook over te slaan. September is in Frankrijk de traditionele maand om jam te maken. Sterker nog, toen de revolutionairen in de achttiende eeuw de kalendermaanden nieuwe namen gaven, werd september zelfs *Fructidor* genoemd, naar de bereidingsprocessen van het fruit in die maand. Natuurlijk houd ik me aan de regels van de jambereiding die me tijdens mijn koksopleiding zijn bijgebracht. – In Frankrijk, het geboorteland van de bureaucratie, zijn er zonder enige twijfel wetten voor deze vaardigheid bepaald. – Jam bereiden is iets ander dan marmelade maken, en ook iets anders dan een compote maken. Jam is een samenvoeging van grote hoeveelheden suiker en vers fruit, heel of geperst, terwijl het fruit voor marmelade helemaal wordt gezeefd en er gelatine aan toegevoegd wordt. Compote doet de jamwetten ook geweld aan, omdat daar maar heel weinig suiker voor wordt gebruikt.

Mijn keuken stond vol met kisten *fruits verger*, boomgaardfruit, er was geen enkel plekje onbenut gelaten. Ik had appels, peren, perziken, pruimen, vijgen, kruisbessen en zwarte aalbessen, evenals een hele berg citroenen, een stapel vanillepeulen, en zakken vol met suiker. Ook had ik een verzameling hazelnoten en walnoten om aan sommige jammengsels toe te voegen, en ik bezat een heel assortiment potten en deksels.

Terwijl ik van een afstandje stond te kijken naar al het werk dat voor me lag, voelde ik me opeens verschrikkelijk moe. Met een espresso erbij plande ik mijn werk in volgorde van de rijpheid van het fruit. De voorbereiding, citroenen uitknijpen en noten kraken en fijnhakken, zou me niet zo veel tijd kosten. Ik zou beginnen met het fruit dat het meest vatbaar was voor bederf: perziken, peren en kruisbessen. Het andere kon ik rustig tot het einde van de week laten liggen.

Na mijn espresso schikte ik alle kisten overeenkomstig mijn werkplan: het fruit dat ik eerst zou verwerken, zette ik vlak bij mijn werkplek, het overige schoof ik in de richting van de achterdeur.

Ik zorgde ervoor dat ik voor die week geen reserveringen aannam en stopte de vriezer vol met eten van het merk Picard... maar dat was mijn geheimpje. Picard heeft een ongelooflijke variatie in diepvriesproducten, van *sauce béarnais* tot *coquilles St. Jacques*, en alles was ontzettend goed voorbereid. Het opdienen van deze reeds bereide gerechten zou geen enkele afbreuk doen aan mijn reputatie. Al hoopte ik natuurlijk wel dat Picard haar ook niet zou versterken!

Halverwege de week waren er kisten in mijn keuken verschoven. Eerst dacht ik dat Robert hierachter zat, dus sprak ik hem er woensdag tijdens het avondeten op aan. We genoten van *filets de pintade aux cèpes et aux girolles.* Het was zelfs zo lekker dat ik bijna besloot om vaker van de kookkunsten van Picard gebruik te maken. De kip was heerlijk mals en de bijbehorende saus met diverse soorten paddenstoelen smaakte verrukkelijk.

Tussen twee gangen in stond ik op om even bij de inmaakpotten te gaan kijken. Ik zag terloops dat mijn witte topje en broek helemaal onder de fruitvlekken zaten, maar het was al zo laat in de avond dat het niet meer de moeite loonde om me om te kleden. Bovendien, Robert maalde nergens om. En door die gedachte schoot het me weer te binnen.

'Robert? Wanneer je de kisten opzij schuift om met Lucy door de achterdeur naar buiten te kunnen, wil je dan niet vergeten om ze daarna weer terug te zetten?'

'Welke kisten?'

'Die bij de achterdeur. Het fruit. Ik heb ze precies op volgorde van mijn werkschema gezet.'

Hij draaide zich om op zijn stoel om naar de kisten te kijken. 'We zijn niet via die deur gegaan, want ik wilde je niet storen in je werkstraatje.' Hij draaide zich weer naar me toe. 'Is er iets mis?' De kleur van zijn bordeauxrode trui kwam overeen met de kleur van de wijn die we dronken. Toen hij zijn glas opnam en aan zijn lippen zette, weerkaatste de kleur door een fonkeling in zijn ogen.

Ik zuchtte. 'Nee, laat maar. Het ligt vast aan mij.' Ik pakte het stokbrood op en sneed een stukje af. Maar het probleem was dat het *niet* aan mij lag. Ik kende mezelf, ik kende mijn werkwijze, en ik wist precies in welke volgorde ik de kisten had neergezet. En nu stonden ze anders.

'Misschien heeft Sévérine hier schoongemaakt en ze verzet?'

Tegen wil en dank fronste ik mijn wenkbrauwen. 'Ze maakt hier nooit schoon. De keuken is mijn verantwoordelijkheid. Ze helpt me met het serveren van de maaltijden en daarna met de afwas, maar daarmee heb je het ook wel gehad.' Maar terwijl ik nog aan het praten was, herinnerde ik me ineens dat ik Sévérine inderdaad eerder die dag op een ongebruikelijk tijdstip in de keuken had gezien. Het was ergens halverwege de middag geweest, lang na de lunch en nog uren voor ze haar avondeten kwam halen. Ik was naar buiten gegaan om de tuin te wieden, maar besloot eerst wat basilicum te knippen voor het avondeten. Ik verzamelde wat blaadjes en liep naar de keuken om ze in de koelkast te leggen.

Toen ik door de achterdeur naar binnen stapte, zag ik Sévérine. Ze zat vlak bij de trap ineengehurkt naast de keukenmuur.

Ik hield abrupt mijn pas in, waarbij ik bijna mijn evenwicht verloor, en slaakte een kreet. Sévérine draaide zich vliegensvlug om en sprong overeind, met een mes in haar hand.

Ze mompelde dat ze een stukje stokbrood wilde en het mes had laten vallen terwijl ze het brood stond te smeren. Ik weet nog dat het me verbaasde: de Fransen willen alleen maar bij het ontbijt boter op hun brood. Nu ik eraan terugdacht, besloot ik haar ernaar te vragen. Maar toen ze naar beneden kwam om haar eten te halen, stelde Robert haar voortdurend vragen. Ze was deze nog aan het beantwoorden toen ze alweer de trap opliep.

'Hoe ver reikte het onderwijs in de tijd van Alix? Ik weet dat ze les kreeg. Zou ze boeken in het Latijn, Frans... Arabisch, Hebreeuws of Grieks gelezen hebben?'

Sévérine bleef halverwege de trap staan. 'We weten dat ze Latijn en Frans kon lezen. Arabisch is niet populair. Door de kruistochten was de kerk niet zo blij met de Arabieren. Al hun kennis was gekleurd door hun religie, en dus hielden ze hun wetenschappen en wiskundekennis voor zichzelf. Hebreeuws is moeilijk. De Joden kenden natuurlijk Hebreeuws, maar zij waren in de veertiende eeuw uit Frankrijk verjaagd. Voor die tijd hebben er veel Joden in deze streek gewoond. Maar ze moesten weg en hebben zich over het koninkrijk Provence, Spanje en Italië verspreid. In de vijftiende eeuw was er geen geregistreerde Joodse bevolkingsgroep in Frankrijk. Wel waren er mensen in Frankrijk die hun Joodse identiteit ontkenden en zich voor Fransen uitgaven. Snap je? Maar er werden geen documenten in het Hebreeuws geschreven en er werd geen Hebreeuwse les gegeven, omdat dit in die tijd niet was toegestaan. Bovendien was het Hebreeuws ook nog eens erg moeilijk, want in die tijd werd het zowel voor letters als cijfers gebruikt. Elke letter had ook een getalswaarde. Ik zal het je laten zien.'

Ze liep de trap af, zette haar bord op tafel en pakte een stuk papier en een pen van mijn bureau. 'Kijk. Hier staan bijvoorbeeld de letter Y en de letter A. De tiende letter van het Hebreeuwse alfabet, *Yod,* kan gebruikt worden als onze letter J of Y. En *Alef* is, net als onze A, de eerste letter van het Hebreeuwse alfabet.' Ze tekende iets wat op een N leek, met een golvend streepje erboven. 'In het Hebreeuws zijn dit ook de nummers tien en één. Dus kun je ze bij elkaar optellen en er elf van maken. De grap is dan dat zo'n elf gewoon het cijfer elf kan betekenen, maar het kan ook als symbool zijn bedoeld.'

'Als symbool?' Robert keek of hij water zag branden.

'Ja. De klassieke taal werd op veel verschillende niveaus gelezen. Sommige cijfers hadden een bijzondere betekenis, andere niet. Twaalf bijvoorbeeld, is een getal dat voor volledigheid staat en erg belangrijk is. Elf is net een cijfer lager, en daarom staat dat symbool voor 'niet volledig'. Kun je me volgen?'

'Ik geloof van wel.'

'*Bon*. En wat Grieks betreft, als ik op haar dagboeken afga, denk ik dat Alix deze taal niet kende. Heb ik hiermee je vraag beantwoord?'

Robert knikte.

Terwijl Sévérine haar weg naar boven vervolgde, viel mijn blik op de plaats waar ik haar eerder die dag ineengehurkt had aangetroffen. Het was net of het cement tussen de stenen afbrokkelde. Het leek wel of ik last van muizen had! Ik pakte een bezem en veegde het gruis op. Ik trok mijn neus op bij de gedachte hoe Sévérine het gevallen mes had opgeraapt en het daarna had gebruikt om brood te snijden en boter te smeren. Na het cementgruis in de afvalbak gegooid te hebben, besloot ik de boter weg te gooien waar Sévérine haar mes in had gezet, want iets wat een mengeling van cementgruis en muizenkeutels kon zijn, wilde ik niet in het eten hebben. Ik opende de koelkast, pakte de botervloot en nam hem mee naar het aanrecht. Toen ik het deksel oplichtte, zag ik tot mijn verbazing dat de boter nog nieuw in de verpakking zat. Sévérine had de boter niet eens aangeraakt.

Waarom zou ze tegen me gelogen hebben? En wat had ze dan met dat mes gedaan?

De week daarop was er een conferentie op mijn kasteel. Het werd gesponsord door het Franse *Minestère de la culture et com-*

munication. De hele bijeenkomst draaide om de dagboeken van Alix. Wetenschappers zouden het belang van de vondst aantonen voor het huidige onderzoek naar de late middeleeuwen in Frankrijk. Maar het was vooral een kans voor zes professoren van de Universiteit van Rennes II en de Universiteit van Parijs IV (Sorbonne) om bijeen te komen en hun opvattingen over de dagboeken met elkaar te bespreken.

Voor mij was het in zoverre spannend dat het de eerste conferentie was die hier gehouden werd.

Tijdens de restauratie van het kasteel had ik besloten nog even te wachten met het herstel van enkele bijgebouwen en de stal, die ik inmiddels als garage gebruikte. Ik had makkelijk met nog zes kamers kunnen uitbreiden, maar ik wilde juist een kleinschalig hotel. Ik ben zelfs min of meer van plan geweest om de vergaderzaal op de begane grond te sluiten. Er bestond immers geen reden om die aan te houden. Ik had al een bibliotheek op de tweede verdieping en een soort kantoortje in mijn keuken gerealiseerd. Bovendien was het een enorm vertrek, dat zich over de hele breedte van het kasteel uitstrekte en op beide einden geflankeerd werd door een toren. Mogelijk dat het in een vroegere periode van de geschiedenis als balzaal is gebruikt. De ramen waren nog puntgaaf en de openhaard werkte nog, dus er hoefde nog niet direct iets aan die ruimte te worden gedaan. Maar mijn eerste gasten vroegen al of ik ook vergaderruimtes had. Op dat moment, nog helemaal aan het begin van mijn hotelcarrière, had ik er nog geen idee van dat ik zulke absurd hoge tarieven kon rekenen, dus had ik belangstelling voor elke mogelijkheid om meer geld in het laatje te krijgen.

Het was niet moeilijk geweest om het vertrek in een conferentieruimte te veranderen. Het vereiste de aankoop van moderne voorzieningen als een groot scherm dat vanaf het plafond naar beneden en omhoog getrokken kon worden, een overheadprojector, een videorecorder en een computer die aangesloten waren op een projector aan het plafond, een printer, een kopieermachine, een faxapparaat, een telefoon en zwarte rolgordijnen voor de ramen. En natuurlijk ook geschikte attributen om het vertrek haar waardigheid te laten behouden, zoals een enorm, naar behoren verbleekt en versleten karpet, aangeschaft bij veilinghuis Drouot in Parijs, een imitatie van een enorme langwerpige tafel in renaissancestijl, een aantal comfortabele, inklapbare leren leunstoelen naar een soort middeleeuws directiestoelmodel, een bureausetje met papier, plakband, schaar en paperclips en een langwerpig, kabinet van een meter hoog, dat met de hand was uitgesneden. Bovenop dat kabinet plaatste ik een koffiezetapparaat, een thermoskan voor heet water, een doosje met theezakjes in tal van smaken, espressokopjes en kop en schotels. Ik had zelfs de plafondbalken groen-, goud- en roestkleurig laten overschilderen, compleet met wapenschilden en *trophées de guerres*, militaire gedenktekens.

Om het thema 'krijgsraad' te versterken, had ik de muren behangen met alle schilden, lansen, helmen en speren die ik op de vlooienmarkten had kunnen vinden. Ik had zelfs twee volledige harnassen gekocht, die ik naast de haard de wacht liet houden.

Alles bij elkaar was het een vergaderzaal om trots op te zijn en hoewel ik moest toegeven dat ik niet stond te popelen om een horde gasten te krijgen, keek ik er wel naar uit dat het vertrek zou worden gebruikt.

Ik was ervan overtuigd dat ik bij de voorbereidingen van de conferentie niets over het hoofd had gezien. Het ontbijt zou iedere dag voornamelijk uit brood en fruit bestaan, zodat ik geen tijdrovende voorbereidingen hoefde te treffen. Voor de lunches en diners had ik voor een eenvoudig te bereiden stoofpot of gegrild vlees gekozen, met simpele nagerechten als sorbets, taart en kaasplateaus. En alle maaltijden zouden in buffetvorm worden opgediend. Het kon niet stuk.

Tot Sévérine aankondigde dat ze niet zou kunnen helpen.

'Maar...'

'Het lukt me echt niet hier te zijn.'

'Maar deze conferentie gaat over Alix. Denk aan je proefschrift. Alle knappe koppen op jouw vakgebied zullen hier aanwezig zijn.'

'Ik ben niet uitgenodigd.'

'Nodig jezelf dan uit. Bied aan te notuleren. Ik kan me niet voorstellen dat je deze kans laat schieten.'

Sévérine haalde enkel haar schouders op en daarmee was de zaak afgedaan. Tenminste, wat haar betrof. Het was niet de eerste keer dat ze zomaar haar plichten verzaakte. Een maand eerder had ze me gewoon laten zitten terwijl ik voor een paar gasten de lunch aan het bereiden was. Ze was pas tegen het eind van de volgende dag teruggekeerd.

Misschien dat een vastberaden jacht naar kennis een waardevolle eigenschap was voor een wetenschapper. Maar het werd zeker niet door deze werkgever op prijs gesteld. Onze overeenkomst was niet officieel – we hadden alleen mondelinge afspraken gemaakt, maar Sévérine gedroeg zich soms net alsof ze me een gunst bewees door überhaupt te komen helpen.

Als ik het niet zo druk had gehad met mijn hotel en de stichting, zou ik haar misschien hebben gevraagd wat er gaande was. Ik kende de symptomen van een workaholic, en ik wist dat Sévérine door haar jacht naar kennis op de rand van een burn-out balanceerde. Peter was net zo opgegaan in zijn carrière. Maar mijn rol als echtgenote had me belet om er iets van te zeggen, want als ik mijn bezorgdheid uitte, klonk het alsof ik zat te zeuren.

Sévérine was mijn vriendin geworden. Dus zou ik deze keer misschien wél iets kunnen zeggen.

Maar niet nu. Mijn taak was net verdubbeld. Ik moest niet alleen maaltijden bereiden, maar ze ook serveren, de hotelkamers op orde brengen, ladingen wasgoed wegwerken die net zo hard weer aangroeiden, en tussendoor ook nog een paar uur slaap zien te krijgen.

Ik besloot zo veel mogelijk maaltijden van tevoren te bereiden, en was een hele dag zoet met het fijnhakken van groenten als selderij en wortel, het bereiden van *oeufs en gelée*, eieren in gelei, peren-, appel- en cassissorbets, en ook verfijnde bonbons die tijdens de koffiepauzes de espresso's zouden vergezellen. Ik maakte *terrines,* zowel van groenten als van vlees, en trok een bouillon die ik nodig had voor een paar maaltijden die ik later zou bereiden.

Robert verscheen die avond, met Lucy aan zijn zijde, keurig op tijd voor het diner. Eerlijk gezegd had ik nog weinig over de maaltijd voor die avond nagedacht, maar ik sneed vlug een van de groentetaarten aan en gooide een stokbrood op het keukeneiland. Daarna bakte ik twee biefstukjes en maakte snel een saus van wijn en champignons. Als nagerecht koos ik voor de oude roquefort die ik had laten bezorgen. Deze zou zich prima met een oude port uit de wijnkelder laten combineren. En ik had gelijk.

Robert was dezelfde mening toegedaan. 'Ik heb nog nooit zo'n lekkere roquefort geproefd.'

Het was de perfecte combinatie van een kruidige smaak met room. 'Hij komt uit mijn geheime bron.'

'Zeg, zijn er de laatste tijd nog vreemde dingen gebeurd?'

'Nee.' Ik schaamde me dat ik er ooit met Robert over had gepraat. 'Heb jij tijdens je wandelingen nog andere ontmoetingen met God gehad?'

Hij leek verrast en nam de tijd om de kaas op een stukje stokbrood te smeren voor hij antwoord gaf. 'Ja. Een paar keren...'

Zijn zin werd afgebroken door de komst van Sévérine. Ik verontschuldigde me, zodat ik haar biefstuk kon bakken.

'Robert, is alles goed met je?' Sévérine eigende zich mijn stoel toe en ging naast hem zitten.

Hij legde zijn brood neer en glimlachte naar haar. 'Zeker. Maar ik zou je graag een paar vragen over Alix willen stellen als dat kan.'

'Natuurlijk. Als ik gegeten heb, kom ik wel naar jouw kamer.'

Ik glimlachte in mezelf. Haar antwoord was zo typerend: nooit zaken met eten combineren... tenminste, niet voor het nagerecht.

Robert wierp een blik op zijn horloge. 'Negen uur?'

Sévérine knikte. Daarna stond ze op, pakte haar bord van mij aan en liep naar boven.

'Het komt goed uit dat je haar nu sprak. Volgende week is ze er niet.'

'Waar gaat ze heen?'

De vraag sloeg me met stomheid. Want dat had ze me eigenlijk niet eens gezegd.

9

Gelukkig arriveerden de conferentiegasten de volgende middag niet allemaal tegelijk. Ik gaf elk van hen een rondleiding door het kasteel en bracht hen daarna naar hun kamer. Tussen de aankomsten in dekte ik de tafel in de eetzaal en bereidde het diner.

Om half acht 's avonds gingen ze aan tafel. Ze begonnen met de paté en *cornichons*, augurken, *blanquette de veau*, kalfsvlees in romige saus, rijst en haricots verts, Franse boontjes, gevolgd door een buitengewoon lekkere *gâteau au chocolat*, die veel voller van smaak was dan ieder ander machtig chocoladedessert dat ik ooit had geproefd. Ik had van elk gerecht voldoende achtergehouden voor Robert en mij en dat allemaal op het aanrecht gezet. Ik had Robert gevraagd die avond zichzelf te bedienen. Het was mijn bedoeling om zelf tussen het serveren door te eten, maar nadat ik alle espresso's had gebracht, de bestellingen voor *digestifs* had aangenomen en de tafel had afgeruimd, was het al over tienen. Gelukkig had Robert mijn eten in de koelkast gezet, maar het zag er niet meer zo smakelijk uit. Uiteindelijk bakte ik maar een roerei, zocht wat brood bij elkaar en noemde het een maaltijd. Het kostte me nog eens bijna twee uur om het brooddeeg voor het ontbijt van de volgende morgen te bereiden en de tafel alvast te dekken. Toen ik eindelijk om middernacht naar boven stommelde, was ik helemaal op. Ik kreeg het nog net voor elkaar om mijn kleren uit te trekken voor ik me op bed liet vallen.

De volgende morgen ging de wekker veel te vroeg af.

Omdat de conferentie om half negen begon, wilden de gasten al om half acht ontbijten. Tegen de tijd dat de broodjes de juiste vorm hadden en in de oven lagen, moest ik in een hoog tempo het fruit snijden en een dienblad met espresso's klaarzetten. Pas rond tien uur, nadat de tafel was afgeruimd en de vaat was weggewerkt, had ik eindelijk tijd voor mijn eigen ontbijt, dat uit restjes bestond: een schijf meloen en een halve perzik. Een blik op mijn horloge leerde me dat het alweer bijna lunchtijd was, dus dekte ik de tafel opnieuw en begon met koken.

Ik besloot tot eenpersoons *salades composées,* gegrilde kipfilet met ratatouille en een appel-rabarberkruimeltaart. Op dat moment waren kruimeltaarten razend populair, zelfs in de meest exclusieve driesterrenrestaurants in Parijs. Eerst maakte ik de salades en zette ze in de koelkast. Daarna bakte ik kort de groente voor de ratatouille. Op het laatste moment braadde ik de kipfilets. De kruimeltaart zou ik pas bakken als de gasten al aan tafel zaten. Op die manier wist ik zeker dat hij nog warm was als hij werd geserveerd.

Op het moment dat de gasten met hun lunch begonnen, kwam Robert de keuken in. Ik wees naar de koelkast, het fornuis en de oven en vertelde hem dat hij zichzelf moest behelpen, voor ik weer naar boven vloog om bij de gasten te gaan kijken.

Nadat ze weer in de vergaderzaal verdwenen waren, ruimde ik de tafel af. Net toen ik een espresso voor mezelf wilde maken, herinnerde ik me dat ik hun lakens en handdoeken moest verzamelen voor de was. Ik was al naar boven gerend om in de eerste kamer aan de gang te gaan, voor ik erachter kwam dat ik de loper nog moest pakken om de kamers in te kunnen. Een half uur later was ik buiten adem en aan het eind van mijn Latijn. Mijn lijf smeekte om een pauze voor ik aan het avondeten begon. Normaalgesproken knapte ik altijd op van een stukje joggen, dus besloot ik het er een half uurtje van te nemen.

Ik was al in het bos toen ik draaierig begon te worden. Ik weet nog dat ik Robert en Lucy voor me op het grasveld zag en ik denk dat ik mijn hand opstak om naar hen te zwaaien, maar dat is dan ook alles wat ik me nog kan herinneren.

Toen ik bijkwam, zat ik op een boomstronk, met mijn hoofd tussen mijn benen, en vertelde Robert me dat ik diep en langzaam moest ademen. Hij had zijn hand in mijn nek gelegd alsof hij er zich van wilde verzekeren dat ik niet zou opspringen en wegrennen. Ik bleef een poosje zo voorover zitten, lang genoeg om te beseffen dat er een hele formatie mieren druk bezig was met hun voedselopslag in de stronk. En lang genoeg voor Lucy om heel mijn gezicht af te likken.

'Gaat het weer? Heb je iets bezeerd?'

Vanuit mijn dubbelgeslagen positie inspecteerde ik mijn enkels en knieën. 'Ik geloof van niet.'

'Wat gebeurde er?'

Te moe om antwoord te geven, bleef ik naar de mieren kijken en vroeg me af wanneer ze zouden stoppen. Namen ze nooit een pauze?

'Voel je je ziek?'

'Nee.'

'Heb je in het verleden hartproblemen gehad?'

'Nee.' Ik probeerde zijn hand van mijn nek te schudden. 'Ik zou graag rechtop zitten, als het je niet erg vindt.'

'Sorry.'

Hij ging staan terwijl ik mijn ogen sloot, mijn rug strekte en daarna rechtop op de stronk ging zitten. Toen ik mijn ogen opendeed, merkte ik dat Robert naar me stond te kijken. De frons op zijn voorhoofd maakte me duidelijk dat hij zich zorgen maakte.

'Er is niets. Het komt vast doordat ik de laatste vierentwintig uur niet veel gegeten heb.'

'Waarom niet? Jij hoeft echt niet op dieet.' Hij legde een

hand om mijn middel terwijl ik een poging deed te gaan staan.

'Het komt door die conferentie. Ik kom nergens anders aan toe dan koken en schoonmaken.'

Hij had zijn jasje uitgedaan en hing het om mijn schouders. Ik moest toegeven dat ik het koud gekregen had. Een topje en een korte broek waren prima als ik aan het rennen was, maar wanneer ik stilstond, was het snel te koud.

'Waarom heb je me niet gevraagd om te helpen?'

Waarom niet? Omdat het niet in me was opgekomen. 'Jij bent een gast. Ik kan jou niet om hulp vragen. Het is mijn hotel, niet dat van jou.'

Hij mompelde iets binnensmonds, pakte me stevig bij mijn bovenarm en voerde me mee in de richting van het kasteel. 'Zodra we terug zijn, ga je zitten en dan maak ik iets te eten voor je klaar. Daarna ga je me precies vertellen hoe ik jou kan helpen.'

Zijn woord getrouw, vond hij iets te eten voor me. Hij zorgde dat ik een appel at om mijn suikerspiegel weer op peil te brengen en gaf me daarna een bord pasta met *gruyère.*

Terwijl ik zat te eten, hield hij me scherp in de gaten. Het bezorgde me bijna een ongemakkelijk gevoel.

Eindelijk had ik mijn bord leeg en schoof ik het opzij.

'Opgeknapt?'

Eigenlijk wel. Verrassend wat een verschil een klein beetje eten kan maken.

'Wat kan ik voor je doen?'

Ik keek de keuken rond, maar kon op het gebied van koken niets bedenken waarmee hij zou kunnen helpen, dus schudde ik mijn hoofd.

'Wat kan ik voor je doen?' De dwingende toon waarop hij de vraag herhaalde, was duidelijk.

'De was?'

‘Waar ligt het en wat moet ik ermee doen?’

‘Alle handdoeken en lakens zitten in de wasmachines. Wil je ze in de drogers stoppen en daarna de bedden opmaken en de handdoeken weer in de kamers leggen?’

‘Zeg maar waar ik de wasruimte kan vinden.’

Nadat ik hem dat uitgelegd had en hem de loper in zijn hand had gedrukt, liep hij de trap op als een man met een missie.

Het diner voor die avond was niet moeilijk te bereiden. De *oeufs en gelee*, halve eieren in gelei, lagen enkel nog te wachten om uit de vormpjes gehaald te worden. Voor de *civet de sanglier,* stoofschotel met everzwijn, hoefde ik alleen nog maar de ingrediënten bij elkaar te voegen en de pan op het vuur te zetten. De sorbets waren al klaar. Het enige wat ik straks nog aan het eten moest doen, was wat aardappelen met de stoofschotel mee laten koken.

Een uur later was Robert nog niet terug. Ik vroeg me even af of hij eigenlijk wel wist hoe je een bed moest opmaken, maar zette die gedachte net zo snel uit mijn hoofd als ze opgekomen was.

Een paar minuten later verscheen hij weer in de keuken en stond erop om mee te helpen met het dekken van de tafel in de eetzaal.

Toen ik daarna de trap opliep, vroeg hij waar ik heen ging.

‘Ik wil me even gaan omkleden. Als dat mag van jou...?’

Hij trok een lelijk gezicht en liep toen achter me aan naar boven. ‘Ik ga me ook omkleden.’

Nadat ik een snelle douche had genomen en een zwarte broek en gebreid zwart topje met boothals had aangetrokken, ging ik naar de keuken terug, waar Robert al op me zat te wachten. Hij droeg nog steeds zijn witte overhemd, maar had zijn spijkerbroek omgewisseld voor een zwarte sportpantalon.

Terwijl ik de laatste hand aan de maaltijd legde, volgde hij me met argusogen.

'Ik zal niet weer flauwvallen. Dat beloof ik.'

Hij maakte een brommend geluid, alsof hij me niet geloofde.

Geïrriteerd door zijn aanhoudend toezicht, gaf ik hem uiteindelijk een paar borden om naar de eetzaal te brengen. Dan hield hij zich tenminste ergens anders mee bezig.

Een voordeel van zijn hulp was dat ik zowaar tijd had om wat te eten tussen het hoofdgerecht en het dessert van de gasten in. Robert hielp me met het afruimen van de tafel toen het diner was afgelopen, en bleef bij me in de keuken toen ik het deeg voor de broodjes en croissants voor de volgende ochtend maakte. Ik had zelfs tijd om de krant te lezen en las over de afgrijselijke overstromingen die de Provence die week hadden geplaagd. Frankrijk kan een land zijn van meteorologische extremen; elders in het land had overal de zon geschenen en was er geen wolkje aan de lucht.

Toen ik de volgende morgen in de keuken kwam, zat Robert opnieuw op me te wachten. 'Wat kan ik doen?'

Ik kon met moeite mijn oogleden open houden en tastte naar het espressoapparaat, maar Robert pakte me bij mijn hand, zette me op een stoel en schoof een espresso naar me toe.

'Hoelang ben jij al op?'

Hij haalde zijn schouders op. 'Een half uur.

Nou, qua punctualiteit was hij beslist Sévérines meerdere. Ik nam de tijd en genoot van de espresso terwijl hij met zijn vingers op het marmeren blad van het keukeneiland trommelde.

'Zeg, wat kan ik nu doen?'

De espresso begon zijn werk te doen. Ik stond op en liep naar het deeg om het plat te slaan.

Robert volgde me op de voet. 'Tenzij je me iets te doen geeft, neem ik de boel hier over en krijgen je gasten melk en cornflakes als ontbijt.' Hij was bloedserieus.

'Kun je deze in twaalf gelijke stukken verdelen?' Ik had twaalf stokbroden nodig voor de maaltijden van die dag.

'Natuurlijk.'

Robert zette zijn handen in het deeg en ik richtte mijn aandacht op het vormen van de croissants. Hij moest zelf maar uitzoeken hoe hij het deeg moest scheiden. Toen ik klaar was met de croissants en mijn aandacht weer op hem kon richten, zag ik hem met zijn armen over elkaar geslagen en met zijn rug tegen het aanrecht geleund staan. Naast hem lagen twaalf gelijke ballen deeg.

Ik liep er naar toe, pakte een bal op en kneedde het deeg in de juiste vorm. Robert deed precies mijn handelingen na en binnen tien minuten lagen zowel de stokbroden als de croissantjes in de ovens.

Omdat Robert zo duidelijk liet blijken dat hij in alle oprechtheid wilde helpen, gaf ik hem een snijplank en een mes en liet hem het fruit in stukjes snijden terwijl ik naar boven liep en de tafel dekte.

Toen ik terugkwam, had hij het fruit netjes in verschillende hoopjes gescheiden. Ik moest hem nageven dat het allemaal gesneden was, maar het was wel een beetje grof gedaan. Gemakshalve liet ik het zo, gooide alles in een grote kom en vroeg hem die boven op het buffet te zetten.

Ik had nog nooit eerder iemand toegestaan mij te helpen met koken. Maar ik had dan ook nog nooit zo veel gasten tegelijk gehad. Hoe dan ook, Robert bleek een echte redder in nood.

Net nadat de laatste gast vertrokken was, kwam Sévérine terug. Ik zag haar aankomen toen ik de vergaderzaal opruimde en de rolgordijnen omhoog trok. Tegen wil en dank werd mijn blik naar haar auto getrokken, want hij zat helemaal onder de modder.

'Alles in orde, Sévérine?' vroeg ik voor ze naar haar kamer ging.

'Jazeker.'

'Had je een noodgeval in de familie?'

Ze fronste haar voorhoofd. 'Nee. Ik moest weg voor onderzoek. Ik heb geen familie.'

'Helemaal niet?'

'Mijn moeder is gestorven. Mijn vader is...' Ze rondde haar zin af met een typische Franse schouderbeweging.

'Kun je niet goed met hem opschieten?' *Geef me de vijf.*

'*Non.*' Ze lachte, maar het was geen vrolijke lach. 'Jij bent Amerikaans, dus misschien begrijp je dit niet, maar mijn moeder was een maîtresse. Van een zeer invloedrijke man. Uit adellijke kringen.'

'Maar dat is...' *verkeerd... immoreel...* 'toch niet zo erg?'

Ze keek me aan. 'Voor mijn moeder misschien niet. Maar wel voor mij. Wij Fransen zijn niet zo vooruitstrevend als jullie Amerikanen. Wij kennen nog steeds maatschappelijke klassen. We zijn nog net als koning Arthur en zijn ridders. Er wordt hier veel vergeven, maar een buitenechtelijk kind is en blijft onvergeeflijk.'

'Heeft hij je bestaan ontkend?'

'*Non.*' Ze zette haar weekendtas neer en legde haar handtas op de tafel. 'Hij vertelde me de prachtigste verhalen toen ik nog klein was. Over Arthur en de zoektocht naar de heilige graal. Maar dat was alleen om mijn moeder een plezier te doen. Toen zij overleed, was het contact voorbij. Hij zag er geen reden meer voor.'

'Maar je bent zijn dochter.'

'Biologisch gezien wel, maar niet van naam.'

'Maar...'

'Jij weet niet wat het is om het gevolg van een verhouding te zijn. Niet zomaar van een slippertje, maar een levenslange verhouding tussen twee mensen. Twee, nooit drie. In het weekend draaide alles om mijn moeder en mij, waren we de beste vriendinnen. Maar door de week? En 's nachts wanneer mijn vader er was? Ik had er net zo goed niet kunnen zijn. Ik bestond niet meer. Dus of alles in orde met me is? Ja hoor, alles in orde. Het gaat uitstekend zelfs. Ooit wil mijn vader, meer dan wat dan ook, mij zijn dochter noemen, zal hij er trots op zijn dat hij mijn vader is. En die dag laat niet lang meer op zich wachten.' Ze pakte haar tassen en stampte de trap op. Ik keek haar na en wist niet goed hoe ik moest reageren, want het was me niet duidelijk welke emotie ik net in haar ogen had zien fonkelen. Triomf? Woede? Opstandigheid? Moest ik haar gelukwensen, mezelf tegen haar beschermen of medelijden met haar hebben? Toen ik 's avonds met Robert de maaltijd gebruikte, was ik er nog steeds niet uit.

Al had ik dan niet bepaald op Roberts aanwezigheid in mijn kasteel zitten wachten, hij had in ieder geval wel bewezen niet veeleisend te zijn. En omdat hij tijdens de conferentie zo graag had willen helpen, durfde ik zonder al te veel gewetenswroeging zijn hulp in te roepen voor de *Journées de Patrimoine,* de Open Monumentendagen. Ieder jaar openden in Frankrijk de monumentenpanden in september hun deuren voor het publiek. Deze panden konden musea zijn, maar ook rijksmonumenten, het parlement, de huizen van de president en de minister-president... én interessante panden op het platteland, zoals mijn kasteel. Het kasteel is een *site classé,* het equivalent voor een plaats op de Nationale Monumentenlijst. Om het onderhoud van historische panden te stimuleren, verstrekken de Fransen enorme subsidies voor de restauratie van deze panden. Als tegenprestatie kun je als eigenaar van zo'n pand een weekend per jaar het publiek de kans geven alles te bekijken. Het was niet vereist maar werd wel sterk aangemoedigd. Omdat ik plannen had om de komende jaren wat bijgebouwen en het terrein op te knappen, zou ik alle hulp van vrienden met hoge posities nodig hebben om mijn aanvraag snel door de bureaucratische molen heen te krijgen.

Het kostte me ook wel wat, zoals enorm veel tijd om na zo'n monumentenweekend alles weer op orde te brengen en schoon te maken. Vorig jaar moest ik na al dat bezoek zelfs de tapijten professioneel laten reinigen. En ik had alle hulp nodig om ervoor te zorgen dat fans van Alix niet alles meesmokkelden wat maar in hun broekzak paste. Ik had nooit gedacht dat wetenschappers zulke kleptomanen konden zijn.

Het was dus heerlijk dat ik zowel op de steun van Sévérine als van Robert kon rekenen. Ik besloot Sévérine het toezicht over de tweede verdieping te geven. Zij had affiniteit met de bibliotheek en ik wist dat ze mijn collecties desnoods met haar leven zou bewaken.

Robert kon de eerste verdieping wel beheren. Hij sprak geen Frans, maar dat kon hem niet beletten een oogje in het zeil te houden.

Als eigenaar van het kasteel nam ik zelf de begane grond en de tuin voor mijn rekening.

De bovenste verdieping van het kasteel, waar Sévérine en ik verbleven, zou voor publiek gesloten blijven. En omdat ik nu eenmaal niet nog meer mensen tot mijn beschikking had, zou ik het omliggende terrein aan het geweten van de bezoekers moeten toevertrouwen.

De week voor de *Journées* begon, legde ik mijn bedoelingen uit aan Sévérine en Robert.

'Mag ik op jullie hulp rekenen?'

'Sorry?' Robert had klaarblijkelijk niet geluisterd.

'*Journées de Patrimoine.* Wil je helpen?'

'Wanneer is dat ook alweer?'
'Volgend weekend.'
'Natuurlijk, geen probleem.'
'Sévérine?'
'Goed, Frédérique. Natuurlijk wil ik je helpen.'

10

Die volgende zaterdag begon grijs en mistig. Het zag ernaaruit dat de tapijten zich opnieuw op een stoombeurt konden verheugen.

De eerste bezoekers arriveerden om half tien. Er zou die dag beslist niet gekookt worden, want ik kon me zo indenken dat het de gasten zou aanmoedigen om langer te blijven als er uit de keuken geuren opstegen die hen deden watertanden. Ik had gekozen voor een standaard Franse outfit: een zwarte broek en een zwarte trui met een V-hals, met een zijden sjaaltje om een noodzakelijk kleurtje in het geheel aan te brengen. Ik ging zelfs zo ver dat ik mijn haar in een Grace Kelly rol op mijn hoofd vastpinde.

De eerste bezoekers waren studenten van de universiteit in Brest. Ze kwamen in een karavaan van drie minibusjes. Sévérine liep naar buiten om hen te begroeten. Haar donkere spijkerbroek en hooggehakte laarsjes dienden alleen maar om haar lange benen te benadrukken, en haar citroenkleurige zijden overhemdbloes liet haar ogen nog meer sprankelen en haar tanden nog meer glanzen als ze lachte. Ze bleef een poosje staan praten met de professor die de studenten begeleidde. De studenten zelf liepen wat rond over het grind van de oprijlaan en rookten sigaretten.

Knarsetandend sloeg ik hen gade. Ik was vergeten hoeveel dagen het vorig jaar had gekost om alle achtergebleven sigarettenpeuken te vinden en te verwijderen.

Sévérine was zo hoffelijk de studenten een privérondleiding door het kasteel te geven. Ik bleef bij de voordeur om de volgende gasten te verwelkomen.

En die bleven komen!

Pas toen ik een uur later een korte adempauze nam, besefte ik dat ik Robert die ochtend nog niet had gezien. Ik rende de middelste trap op naar de eerste verdieping en hoopte vurig hem in de vestibule aan te treffen, want ik had gevraagd of hij daar wilde gaan staan.

Helaas, wie ik ook zag, geen Robert.

Ik stak mijn hoofd om het hoekje van de kamers en stond af en toe even stil om vragen van de gasten te beantwoorden.

Na tevergeefs alle vertrekken afgezocht te hebben, nam ik een sprint naar de tweede verdieping, in de hoop dat hij wellicht met een groepje bezoekers was meegelopen.

De enige persoon die ik aantrof, was Sévérine; zij zat op haar post in de bibliotheek.

'Heb je Robert gezien?'

'*Non.*'

Als hij zich op dat moment had vertoond, had ik met liefde zijn ogen uitgestoken. 'Ik kan hem niet vinden. Kun jij zowel deze als de eerste verdieping onder je hoede nemen?'

'Natuurlijk.'

Ik vloog de trappen weer af en schold mezelf de huid vol dat ik hem had vertrouwd.

Klokslag zes uur in de avond verscheen hij in zijn Jaguar, en zwaaide naar me terwijl ik bij de voordeur stond en de laatste bezoekers zag vertrekken.

Zijn vrolijke grijns en zwierige tweed overjas konden op geen enkele manier mijn hart verzachten toen hij naar me toe kwam lopen. In weerwil van alle dingen die ik tegen hem wilde zeggen, was de zin 'Waar was je?' de enige die ik daadwerkelijk over mijn lippen kreeg.

'In Nantes. Wat een geweldige stad is dat. Ik heb vannacht in grove lijnen wat dingen op papier gezet en besefte toen dat ik eigenlijk helemaal niets van die stad afwist. En het was nog wel de hoofdstad van Bretagne. Dat heb ik toch van jou gehoord, of niet? Dus besloot ik daar een dag rond te kijken.' Hij gloeide bijna. 'Bijna elke museum in Nantes was gratis toegankelijk en het was verschrikkelijk druk. De Fransen nemen hun geschiedenis wel serieus.'

'Dat weet ik. Want vandaag is het *Journées de Patrimoine.*'

'En dat is?'

Ik bleef hem stokstijf aanstaren. Ik moest wel, want als ik me zou bewegen, zelfs al was het maar één spier, zou ik iets doen waar ik misschien spijt van zou gaan krijgen. Zoals hem aanvliegen.

In een snel tempo verschenen er, als overdrijvende wolken boven het land, verschillende uitdrukkingen op zijn gezicht. 'O, nee. Ik heb je laten zitten, hè? Het spijt me verschrikkelijk. Het komt gewoon – dit zal als een excuus gaan klinken, wat het waarschijnlijk ook is – dat ik niet echt betrouwbaar meer ben wanneer ik in deze fase van het schrijven zit. De helft van de tijd weet ik niet eens wat ik zeg.'

'Ik rekende op je.'

'Ik weet het. En het spijt me.'

'Wat zijn je plannen voor morgen?'

'Ik kreeg net op de terugweg uit Nantes een paar geweldige ideeën voor het plot. Maar ik moet ze even laten bezinken en ze op hun plek zien te krijgen, dus ben ik van plan om Lucy mee te nemen en...'

'En over het terrein te gaan wandelen? Te lopen waar Alix heeft gelopen, dat soort dingen?'

'Precies.'

'Dus je zegt nu met andere woorden dat je morgen ook niet kunt helpen?'

'Waarmee?'

'Laat maar.' Ik moest het hem nageven, hij had me gewaarschuwd. En hij had gelijk: hij was niet betrouwbaar, ik kon niet op hem rekenen. Als hij zich nog niet eens twee minuten kon concentreren op een gesprek dat hij aan het voeren was, hoefde ik er geen seconde op te rekenen dat hij morgenochtend zou verschijnen.

En het was maar goed dat ik dat niet deed.

De tweede dag was het niet minder druk dan de dag ervoor. Tegen de tijd dat ik de deur achter de laatste gast gesloten had, was ik eraan toe om me op mijn bed te laten ploffen en een maand lang te gaan slapen. Ik weet zeker dat Sévérine zich ook zo voelde. Ik trok de zwarte outfit uit die ik dat weekend had gedragen, schudde mijn haar los, schoot een gemakkelijk zittende spijkerbroek aan en liet een oud kersenkleurig overhemd van Peter over mijn hoofd glijden.

En Robert?

Hij had de hele dag in het bos rondgezworven. Toen hij eindelijk verscheen, zijn haveloos jack had uitgedaan en in een smoezelige zwarte corduroy broek en een eenvoudige zwarte coltrui voor de avondmaaltijd verscheen, was zijn maag zijn enige zorg. Het liefst wilde ik hem een kan water en een stokbrood in zijn handen duwen en hem daarmee naar zijn kamer verbannen!

Maar toen keek hij me in mijn ogen en glimlachte. Het was een gelukkige glimlach – zo'n glimlach die je doorgaans bij peuters ziet. Natuurlijk liet ik me daardoor inpakken, zo'n sufferd ben ik wel. Mijn hart smolt en ik zette een overvol bord met *moules marinaire*, mosselen gestoomd in aromatische bouillon, voor zijn neus.

Hij boog zijn donkere hoofd boven het bord en snoof met zijn voorname neus de geurige dampen op. Hij slaakte zo'n zucht van verrukking dat ik niet anders kon dan hem vergeven.

Bovendien, schrijvers zijn een soort kunstenaars. Werden die niet verondersteld onbetrouwbaar te zijn?

Hij moest hele einden in het bos gelopen hebben, want hij werkte bijna een kilo mosselen naar binnen, evenals bijna driekwart meter stokbrood dat hij eerst in de bouillon had gesopt. Eindelijk schoof hij zijn bord opzij, haalde diep adem en blies langzaam uit.

'Ik heb toch niet alles in mijn eentje opgegeten, of wel?'

Ik zei niets.

'Lieve help! Is er nog wel wat voor Sévérine overgebleven?'

'Jawel, ik heb wat voor haar bewaard. Maak je geen zorgen.'

Toen ik opstond om af te ruimen, maakte hij aanstalten om te helpen, maar ik gebaarde dat hij kon blijven zitten. 'Ik neem aan dat je geen *profiteroles* meer hoeft?'

'Hoe groot zijn ze?'

Ik legde vier kleine, met roomijs gevulde soesjes op een bord, goot er dampende chocoladesaus overheen en zette het midden op het keukeneiland. 'Niet groot.'

Zijn hand zweefde al boven het bord voor ik kon gaan zitten. 'Misschien eentje dan.'

Met een glimlach zette ik het espressoapparaat aan en keek toe hoe de glazen karaf volliep met het karamelkleurige vocht. 'Robert, hoe komen jouw boeken eigenlijk tot stand?'

'Dat hangt ervan af wat voor soort boek het is. Ik begin met het idee...'

'Maar waar haal je die ideeën vandaan?'

'Dat weet ik eigenlijk niet, ze komen gewoon. Ik denk dat God ze aan me geeft.' Er verscheen een wrange glimlach om zijn mond. 'Ik zou een jaar geleden nooit toegegeven hebben dat het iets met Hem te maken had, maar toch is het zo. Soms komen eerst de hoofdpersonen, soms komt eerst het plot. Als er onderzoek voor nodig is, doe ik onderzoek. Bij sommige boeken laat ik stukken open, die vul ik dan later in.'

Ik ging niet in op wat hij over God had gezegd, maar vroeg verder door over het schrijfproces. 'Hoe weet je of je genoeg onderzoek hebt gedaan?'

'Wanneer de hoofdpersonen gaan praten. Zodra zij hun verhaal gaan vertellen, begin ik te typen.'

Ik goot de espresso in de kopjes en zette er eentje voor hem neer. 'Maar hoe weet je *hoe* je moet schrijven?'

'Dat weet ik niet. Het is een talent dat ik gekregen heb. Ik luister gewoon naar de hoofdpersonen. Als ze krachtig genoeg zijn, schrijven zij het verhaal voor mij. De kunst is vooral snel genoeg te kunnen typen, of aantekeningen te maken wanneer ik niet in de buurt van de computer ben.'

'Maak je niet eerst een korte schets?'

'Jawel. Maar de hoofdpersonen praten meestal niet in chronologische volgorde tegen me.'

'Hoe lang doe je er over om een boek te schrijven?'

'Een halve dag werken levert een resultaat van zo'n tweeduizend goede woorden op. Een boek telt gemiddeld honderdduizend woorden. Als ik in één keer alles goed zou opschrijven, zou een boek in vijftig dagen klaar zijn. Maar het kost me meestal een paar kladversies voor het goed is.'

'In welke fase zit je nu met dit boek?'

'Ik moet nog steeds beslissen wie het verhaal gaat vertellen. Het is anders deze keer. Ik weet niet goed meer hoe ik het schrijven moet aanpakken. Het is net alsof ik weer met mijn eerste boek bezig ben. Ik ben sinds kort tot geloof gekomen en...' Hij hief zijn hoofd op en keek me doordringend aan. 'Misschien begrijp je het niet helemaal, maar nu ik God ken, staat alles in een ander licht. Er is een nieuwe aanwezigheid in mijn leven, een nieuw besef. En de dingen die ik eerder automatisch deed, zonder na te denken, zijn niet noodzakelijkerwijs de juiste dingen, de juiste manieren om mee verder te gaan. Ik merk dat ik vragen ben gaan stellen bij alles wat ik doe.'

Hij wekte de indruk nog iets te willen zeggen, maar leek geen woorden te kunnen vinden. Dat moest verontrustend zijn voor een auteur.

'Ik denk dat ik eerst de dagboeken van Alix verder ga lezen om haar denkwijze te leren kennen. Eens kijken wat dat oplevert. Misschien laat ik Alix wel het verhaal vertellen. Of misschien haar man. We zullen zien.'

Ik vond het moeilijk om me zelfs maar voor te stellen hoeveel moeite het kostte om een boek te schrijven. Robert kon dan misschien een losbol wezen, en misschien zelfs niet helemaal normaal zijn, maar een boek schrijven was een kunst waarvoor ik niet in de wieg gelegd was.

'Begrijp je het – wat ik over God vertelde?' vroeg hij.

'Kunnen we ergens anders over praten dan over God?' Praten over God riep gedachten aan de eeuwigheid op, en gedachten aan de eeuwigheid waren onherroepelijk verbonden met gedachten aan Peter. Als ik ooit de moeite had genomen om met hem een eerlijk gesprek over God aan te gaan, als ik ooit de moeite had genomen om zijn atheïstisch geloof aan te vechten, zouden gedachten aan de eeuwigheid niet zo'n schuldgevoel oproepen. Maar ik had de moeite niet genomen, dus deden ze dat wel. Er waren veel manieren om met verdriet om te gaan. De meeste daarvan had ik geprobeerd, maar tot op heden had ik niets gevonden wat mij hielp met dit schuldgevoel om te gaan. En in plaats van dat het in de loop van de tijd minder werd, nam het gewicht ervan alleen maar toe.

In Roberts ogen stond teleurstelling te lezen.

'Begrijp me niet verkeerd, ik weet alles over Hem. Ik ben christelijk opgevoed. Maar ik ben het gewoon niet met Hem eens.' Ik hoopte dat ik niet te defensief klonk; Robert zou nooit de dialoog begrijpen die ik met God voerde.

'Vanwege je man?

'Vanwege heel veel dingen. Hoe dan ook, ik zal een fles

champagne in de koelkast leggen. Laat me weten wanneer je laatste kladversie klaar is, dan ontkurken we de fles.'

'Bedankt.' Robert stond op en strekte zich uit. Middenin zijn strekbeweging vroeg hij of ik wat armagnac in huis had.

Of ik armagnac had? Elke chef-kok die zijn koksmuts waard was, zou diep vernederd zijn als hij zonder armagnac aangetroffen werd.

'Als ik geen hulpmiddel heb om al dit eten te verteren, kan ik vannacht echt niet slapen.'

'Dat kunnen we niet hebben, natuurlijk.' Ik schonk twee grote cognacglazen vol.

'Zullen we ze in de bibliotheek opdrinken?'

Verbaasd keek ik hem aan en haalde mijn schouders op. Ik had mijn eigen zithoek op de derde verdieping, dus had ik er nooit aan gedacht om de bibliotheek als zitkamer te gebruiken, maar het had wel wat. Het was daar knus genoeg.

Hij stommelde de trap op en ik volgde hem naar de ontvangsthal en daarna de trappen op naar de tweede verdieping.

In de bibliotheek stonden diverse vloerlampen, en een lamp op de grote tafel die als bureau diende. Tijdens de renovatie had ik besloten dat deze intiemer licht gaven dan een enorme kroonluchter.

Robert hield me tegen toen ik het vertrek rond liep om alle lampen aan te doen. 'Laten we geen licht aan doen, maar een vuur aansteken.'

Ik deed de lichten weer uit, ging in een leren leunstoel zitten, schopte mijn schoenen uit en trok mijn benen onder me.

Robert schikte het houtvuur. De vlam van de lucifer verlichtte even zijn gezicht. Het hout vatte vlam en de kamer vulde zich met een zacht gloeiend licht.

Ik keek om me heen, naar het dikke rode Oosterse tapijt, naar de boekenwanden die de muren helemaal besloegen, naar de met leer beklede Lodewijk XVI-fauteuils, en kreeg een vredig gevoel. De knagende onrust over het mysterie van de fruitkisten verdween en ik nam me voor om hier vaker aan het einde van de avond te gaan zitten.

Robert ging tegenover me zitten, strekte zijn benen uit en kruiste zijn enkels. Hij nam een slok van de armagnac en genoot van de smaak.

Ik volgde zijn voorbeeld en voelde de smaak langzaam ontwaken in mijn mond. Ik liet het vocht mijn smaakpapillen verwarmen en slikte het toen door, waarna de aangename gloed zich naar mijn maag uitstrekte. Ik hield het glas vast en liet de armagnac de warmte van mijn hand absorberen.

Robert ving mijn blik. 'Waar zou dit vertrek voor hebben gediend?'

'In Alix' tijd? Als slaapkamer of zitkamer. Misschien als opslagruimte voor boeken, maar waarschijnlijk zullen er niet zo veel boeken zijn geweest. Die waren toen een fortuin waard. Zelfs een enthousiaste liefhebber las er misschien maar twintig of dertig in zijn leven. Het waren meer de koningen en prinsen die het geld hadden om ze te verzamelen.'

'Wat zouden ze gelezen hebben?' Dit was vast een retorische vraag, want Robert hield zijn ogen strak op het vuur gericht.

Hij ging geheel in zichzelf op.

Eerlijk gezegd kreeg ik het gevoel genegeerd te worden. Het was verrassend te merken hoe Robert me steeds meer aan begon te trekken. Ik miste zijn onverdeelde aandacht, zelfs als ik de reden voor zijn zelfbeschouwing begreep.

Omdat ik hem niet wilde storen, ontspande ik me in mijn stoel, nipte aan mijn armagnac en liet mijn eigen gedachten de vrije loop. Mijn blik viel op de boekenkasten om me heen. Vele waren gevuld met boeken die ik als oude vrienden was gaan beschouwen. Sommige las ik ieder jaar opnieuw en bezorgden me nog steeds hetzelfde leesgenoegen als toen ik ze voor de eerste keer las. Andere waren naslagwerken. Een set encyclopedieën die ik op de basisschool gebruikte. Minstens drie woordenboeken. Geschiedenisboeken. Atlassen. Twee kasten waren helemaal gevuld met boeken over politieke wetenschap en regeren. Het waren Peters lievelingsboeken geweest. Hij had altijd heel gulzig gelezen, soms twee of drie boeken tegelijk. Er stonden klassiekers, zowel oude als moderne. Biografieën. Autobiografieën. De enige afwezige categorie was mijn collectie kookboeken. Die stonden in de keuken, zodat ik ze dicht bij de hand had.

Na nog een slokje genomen te hebben, stond ik op en liep naar mijn lievelingsboekenkast, gevuld met zeldzame en antieke exemplaren. De temperatuur in het kasteel was betrekkelijk constant, dus kon ik het me veroorloven deze boeken op planken te bewaren, in plaats van in vitrinekasten. Ik had het niet aangedurfd om er veel in te lezen. Het openslaan en door de pagina's bladeren was al luxe genoeg. Sommige waren zo oud, dat ze in het Latijn geschreven waren. Andere in Oud-Engels en Frans. Sommige dateerden zelfs uit Alix' tijd. Ze waren de verjaardags- en kerstcadeaus voor mezelf.

'Robert, misschien vind je dit interessant.'

Hij schrok op in zijn stoel. Ik had hem in zijn mijmering gestoord, maar hij liep naar me toe, met zijn cognacglas in zijn hand.

'Deze zijn uit Alix' tijd.' Ik wuifde met een hand naar een boekencollectie op een plank. 'Ze zijn in het Frans, dus ik denk niet dat je ze kunt lezen, maar als je er iets aan hebt, kun je ze inzien.' Dit deel van mijn bibliotheek had ik in chronologische volgorde gerangschikt; de andere boekenkasten waren gerangschikt op onderwerp en op boekhoogte, maar dit gedeelte koesterde ik. Ik streek met een vinger over de plank, voor de boeken langs en somde voor Robert hun jaar van uitgave op.

'1352. 1365. 1380. 1412. 1430. 1433. 1451. 14...' Verward

zweeg ik. Het boek dat ik nu wilde noemen *was* 1451. Ik haalde de dingen vast door elkaar. Ik begon opnieuw, vanaf het begin van de plank, maar toen ik bij het boek in kwestie kwam, gaf ik het opnieuw een verkeerd jaartal. Ik zocht de hele boekenplank af.

'Is er iets?'

Pas toen ik weer opnieuw begon en de titels doelbewust met de jaartallen vergeleek, zag ik het. Er zat een hiaat tussen 1412 en 1430. Ik had het gevoel of iemand me in mijn maag had gestompt. 'Er is een boek verdwenen.'

'Misschien heb je het op de verkeerde plaats teruggezet?'

'Dat lijkt me erg onwaarschijnlijk.'

'Wat voor soort boek was het?'

'Het was een boek dat tijdens de renovatie van mijn kamer is gevonden.' Het enige boek op de plank dat ik niet zelf had gekocht. 'Het was een getijdenboek.'

Hij keek me nietszeggend aan.

'Een middeleeuws boek met gebeden en Bijbellezingen. Het was versierd en geïllustreerd.'

'Waarom zou iemand dat willen stelen?'

'Ik zou het niet weten.'

'Misschien heeft Sévérine het geleend.'

'Dit boek beslaat een generatie eerder dan Alix en is daarom niet interessant voor haar. Haar onderzoek richt zich specifiek op de tijd van Alix zelf. Bovendien heb ik haar verteld dat ze al mijn boeken mag gebruiken. Ze heeft op deze plank gekeken, maar had er geen belangstelling voor. Ze zei dat er niets bij stond dat verband hield met haar werk.'

Iemand moest het tijdens de *Journées de Patrimoine* hebben meegenomen. Dat was de enige verklaring. Ik kon wel huilen. Als Robert zich aan zijn afspraak had gehouden, had Sévérine niet twee verdiepingen tegelijk hoeven te bewaken en was het boek niet gestolen.

Robert keek in de richting van de plank, maar had zijn ogen op een lager punt gevestigd. 'Waar zou jouw kamer ook alweer voor gebruikt kunnen zijn?'

'Als slaapkamer van een bediende. Waarschijnlijk een met enige status. De persoonlijke bediende van de heer of de dame.'

Ik dronk de rest van mijn armagnac op en keek nog eens de kamer rond.

De vrede was verdwenen.

Het was de laatste dagen van de maand net zo warm als in juli. We kregen bezoek van een *été de la Saint-Martin,* een subtropische luchtstroom.

Mijn kasten stonden vol met jam. De tapijten waren gereinigd; de schilderijen hingen weer recht; de vingerafdrukken waren weer van de meubels gewreven; en de bedden waar de bezoekers op gezeten hadden, waren ook weer glad getrokken.

Ik had zelfs tijd om brieven te schrijven aan een paar oude vrienden van mijn vader met het oog op de stichting. De woordkeuze kan lastig zijn wanneer je probeert om tegelijkertijd een oude vriendschap op te roepen, het geweten te prikkelen en voor een nieuwe wetgeving te lobbyen.

Mijn leven ging weer over tot de orde van de dag.

11

Aswoensdag

Agnès vindt dat ik in ieder geval Anne leiding moet geven nu ik de dagelijkse gang van zaken in het kasteel aan haar overlaat.

Ik heb tegen Anne gezegd dat ik iedere week de menu's wil weten en de boekhouding in wil zien.

Misschien dat Agnès me nu met rust laat. Dan kan ik me op mijn studie concentreren.

Zes dagen na Aswoensdag

Het volgende verhaal heeft mijn heer me verteld. Op Chateau de Trécesson *zag een stroper hoe twee jonge mannen een jonge bruid levend begroeven. De kasteelheer arriveerde en probeerde haar te redden, maar het was al te laat. De mannen wilden hem niet vertellen waarom ze deze misdaad hadden begaan en de bruid had het leven verloren voor ze haar verhaal had kunnen vertellen.*

Toen de kasteelheer navraag deed in de omgeving, hoorde hij dat de twee jonge mannen broers van de vrouw waren. Ze hadden haar gestraft omdat ze een huwelijk was aangegaan waar zij geen toestemming voor gegeven hadden.

Als eerbetoon aan de bruid hing de kasteelheer haar sluier in de kapel. Nu komen jonge vrouwen uit alle delen van het land naar de kapel om de sluier aan te raken, in het geloof dat deze hen zal helpen een echtgenoot te vinden.

Ik vertelde mijn heer dat ik blij was dat ik geen echtgenoot hoefde te zoeken, want het leek me maar niets om de sluier van een dode vrouw aan te raken.

Hij lachte naar me en zei dat sommige vrouwen echt alles willen doen om maar een man te krijgen. En andere vrouwen echt alles doen om er een te houden.

Ik vroeg mijn heer wat er terecht komt van vrouwen die niet trouwen.

Mijn heer zei dat er gewoonlijk wel iemand gevonden wordt die ze in huis wil nemen. Zelfs de kerk wilde hen wel opnemen.

Ik vroeg hem waarom vrouwen niet op zichzelf mogen wonen, zoals mannen. Mannen mogen trouwen, ze mogen zich aansluiten bij de kerk, of aan een oorlog deelnemen. Waarom mogen vrouwen dat niet?

Mijn heer antwoordde dat vrouwen niet geschikt zijn om alleen te wonen. Ze moeten beschermd worden. En mannen hebben de taak hen te beschermen.

'Of God,' hield ik hem voor. 'Mannen of God.'

Maar ik vroeg mezelf af of oorlogen zouden toenemen of afnemen als vrouwen deel mochten nemen aan de strijd. Agnès houdt haar negatieve gedachten over Anne voor zich. Dat doet ze al sinds we hier zijn aangekomen. Ik heb ook nog geen gevechten in de oorlog tussen hen gezien, maar ik heb wel sterk de indruk dat die nog steeds woedt. Een oorlog zonder reden. Misschien is het maar beter dat vrouwen geen oorlog met wapens voeren.

Twee dagen na Saint Grégoire le Grand

Dit is niet het land van Touraine. Ik was gewend aan een vriendelijk landschap, omgeven door beken en rivieren. Een groen land dat fruit en tarwe geeft, een land dat door de zon beschenen wordt.

Dit landschap is woest. En het staat vol met bomen. Gemene bomen. Ze hebben niets van het vriendelijk karakter of van de schaduw van de bomen in mijn land. Ze zijn dun en lang en staan zo dicht naast elkaar dat het licht niet door kan dringen. En de zon laat zich maar zelden zien. Ik heb gezien hoe de mist lichter werd en ging glinsteren door een vleugje warmte van de zon, maar de zon zelf heb ik in deze negenendertig dagen nog niet gezien.

Alles is donker.

De bossen, het platteland, de mensen.

Ik vraag me af hoe God, Die de zon, de bloemen en de vogels heeft geschapen, ook zo'n woest landschap als dit heeft kunnen maken. Kan Hij trots zijn op zoiets? Beleeft Hij hier net zo veel genoegen aan als aan mijn land? Als dat zo is, ken ik Hem toch niet zo goed als ik dacht.

Dag van Annonciation

Op deze heilige dag werd de mis in de kapel gelezen.

Dit is in ieder geval iets wat hetzelfde is. Toen ik naar de woorden luisterde die ik uit mijn hoofd ken, gleed er een traan over mijn wang. Ik sloot mijn ogen en wenste mezelf terug in het huis van mijn vader. Ik zag zijn kapel voor me, rook de geur van wierook, hoorde het geluid van de priester en voelde de aanraking van zijn hand. Maar toen opende ik mijn ogen en zag dat het slechts de hand van mijn heer was. Hij gaf een klopje op mijn hand omdat hij mijn traan had gezien.

Ik hoorde mijn heer vandaag een gebed uitspreken, in een taal die ik niet begreep. Dus vroeg ik hem of hij in heilige tongen spreekt.

Hij lachte en antwoordde me dat wanneer Bretons als een tongentaal werd beschouwd, hij dit dan moest spreken.

Ik vroeg hem waarom hij in het Bretons bad terwijl hij zo goed Frans spreekt en de mis in het Latijn gelezen wordt.

Hij antwoordde dat een gebed een taal is van de geest. Zijn gedachten konden dan Frans zijn, en zijn ziel Latijns, maar zijn geest moest altijd Bretons zijn.

Ik vroeg hem of hij me Bretons wilde leren en hij antwoordde dat deze taal erg moeilijk is.

Ik hield hem voor dat ik het Latijn net zo goed beheers als het Frans.

Hij beloofde een leraar voor me te zoeken.

Vijf dagen na Annonciation

Mijn heer begon met het verhaal over het Roelantslied.

Ik onderbrak hem omdat ik dit verhaal al kende en vroeg hem me een ander verhaal te vertellen.

Hij antwoordde me dat in tegenspraak met het Roelantslied waarover ik had gehoord, de graaf van Bretagne en neef van Karel de Grote niet in Roncevaux was gestorven, maar in Dompierre, in het dal van de Cantache in Bretagne.

Dat wist ik niet, dus vroeg ik hem verder te vertellen.

Het gebeurde terwijl hij op de terugweg was uit Spanje, waar hij tegen de Saracenen had gevochten. Roelant kwam bij het dal van de Cantache en wilde er met zijn paard overheen springen, want zijn geliefde stond aan de andere kant op hem te wachten.

Met de hulp van God slaagde hij erin.

Hij besloot te proberen of het hem nog eens lukte, nu in de naam van de Heilige Maria en opnieuw bereikte hij de overkant.

Toen hij voor de derde keer de sprong waagde, nu in de naam van zijn geliefde, gleed zijn paard uit en vielen ze allebei van de steile rotswand naar beneden.

Mijn heer vertelde dat je die plaats nog kunt bezoeken en je, wanneer je heel goed kijkt, nog steeds de sporen kunt zien die het paard tijdens de val heeft getrokken.

Vlak bij deze plek staat de Pierre Doutante, een rots waar helder water van naar beneden valt. Dit zijn de tranen van Roelants geliefde.

Toen het verhaal uit was, huilde ik zelf ook.

Hij veegde mijn tranen weg en vroeg me waarom ik huilde.

Ik vroeg hem of hij zich niet het verdriet van Roelants geliefde kon voorstellen. De graaf was zo dicht binnen haar bereik, maar gleed toen weg en was voor altijd verloren. Ik denk dat het verdriet van de vrouw me altijd bij zal blijven. Ik vroeg mijn heer of hij dat ook zo ervoer.

Hij vertelde me dat hij het alleen maar erg dom van Roelant vond om drie keer over te vallei te willen springen, terwijl één keer al genoeg was geweest. Daarna rolde hij zichzelf op voor het vuur en zei me dat ik moest gaan slapen.

Negen dagen na Annonciation

Vandaag heb ik Anne gevraagd of ik de boekhouding en de menu's kon inzien. Dat had ik twee maanden geleden al moeten doen. Anne heeft de administratie drie jaar bijgehouden. Ik weet niet welke voedselprijzen en hoeveelheden gebruikelijk zijn, maar het handschrift van Anne is armzalig.

In de toekomst zal ze me recepten geven en zal ik de boekhouding bijhouden. Ik heb beloofd hier iedere week tijd voor vrij te maken.

Dat deed Agnès plezier.

Dertien dagen na Annonciation

De priester is gekomen om mij Bretons te leren. Ik heb heel veel aantekeningen gemaakt, maar toen hij weg was, merkte ik dat ik me de uitspraak van de letters niet meer kon herinneren. Ze zien er hetzelfde uit als mijn eigen letters, maar ze worden met andere accenten uitgesproken. Soms is het accent zo totaal anders dat het net zo goed een heel andere letter zou kunnen zijn.

Zestien dagen na Annonciation

Ik heb de hele dag Bretons geleerd, maar ik krijg het niet in mijn hoofd. De samenstelling is raar. De klanken zijn vreemd. De woorden hebben geen verwantschap met de twee talen die ik ken.

Zeventien dagen na Annonciation

De priester is opnieuw geweest. Ik ben bang dat ik hem niet kan behagen. Ik had de zinnen die hij had achtergelaten in klanken vertaald, waarbij ik mijn eigen letters heb gebruikt op de manier waarop ik dat gewend ben.

Hij vertelde me dat ik niet op die manier kan leren. En dat het niet de moeite waard is om een vrouw te onderwijzen. En als het dat wel zou zijn, waarom ik dan niet Latijn of Frans wilde leren schrijven.

Daarop liet ik hem mijn dagboeken zien, die ik in het Frans schrijf, en ook mijn Latijnse boeken die ik lees. Ik heb hem ook verteld dat hij zijn taal maar voor zichzelf moest houden. Het heeft geen waarde om een taal te kennen die niet langer aan het hof gesproken wordt.

Dag van Saint Jacques en Philippe

Vandaag was een feestdag die ik nog niet kende. Bij het ontwaken zei Anne me dat dit de dag was van Saint Brieuc, maar ze had geen tijd om iets over deze heilige, of over zijn daden, te vertellen. Dus zocht ik mijn heer en vroeg hem of hij dat wilde doen.

Hij antwoordde dat het een heilige grondlegger van Bretagne is. Een van de zeven die Bretagne het christelijk geloof gegeven had. Saint Brieuc werd opgevoed door Germanen, verrichtte veel wonderen en bekeerde Cynan.

Ik vroeg hem wie dat was, want ik had nog nooit van Cynan gehoord.

Hij vertelde me het volgende:

Cynan was de zoon van de broer van Octavius, de koning van Wales. Toen Octavius stierf, moest Cynan de plaats van zijn oom innemen. Maar de dochter van zijn oom was getrouwd met een Romein, Magnus Maximus, en Cynan moest de Romein verslaan voor hij de macht zou krijgen. Hij probeerde het, maar zonder resultaat, want in plaats van dat Magnus en Cynan vijanden werden, sloten ze vriendschap met elkaar.

Toen de Romein zich klaarmaakte voor een reis naar het vasteland om keizer van het Westen te worden, besloot Cynan met hem mee te gaan. Cynan doodde de leider van Armorica, nam in Bretagne zijn positie in, en bleef hier met zijn mannen. Het was alleen wel een probleem dat ze geen vrouwen hadden, dus vroeg Cynan Donaut, de vriend van zijn oom, om veel vrouwen uit Cornwall. Op de dag dat Cynan in het huwelijk trad met Ursula, de dochter van Donaut, zou-

den Cornwall en Armorica verenigd worden. Maar Ursula had graag non willen worden, dus vroeg ze Cynan wat tijd om met elfduizend meisjes een pelgrimsreis te maken. Nadat ze deze reis achter de rug had, trouwde ze met Cynan en werd hun huwelijk in Rome door de paus bevestigd.

Helaas stierf Ursula. Het duurde vele jaren voor Cynan opnieuw in het huwelijk trad, maar hij werd wel erg machtig. Als tweede vrouw koos hij de zus van Saint Patrick van Ierland. Toen Cynan stierf, werd Armorica in tweeën verdeeld voor zijn zoons Gradlon en Gadeon.

Hemelvaartsdag

Vandaag herinnerde ik mezelf eraan dat ik nog niets wist van de andere heilige grondstichters van Bretagne. Dus heb ik mijn heer opnieuw opgezocht en hem gevraagd naar de identiteit van de andere zes heiligen. Het zijn:

Saint Samson de Dol, die dezelfde naam heeft als Saint Nazaire. Koning Childebert heeft hem tot bisschop van Dol benoemd. Net als de Simson uit de Heilige Schrift, weigerde hij alcohol te drinken.

Dan heb je Saint Pol Aurelian, ook een bisschop. Hij heeft dezelfde naamdag in de lente als Saint Grégoire le Grand. Er wordt van hem gezegd dat hij veel wonderen heeft verricht.

Dan Saint Tugdual, die door koning Childebert tot bisschop van Tréguier werd benoemd. Hij kwam uit Groot-Brittannië met zijn moeder, zus en andere familieleden.

Saint Patern, die zijn naamdag met de Vénérable César deelt. Hij kwam uit Wales en stond bekend om zijn liefdadigheid en zelfkastijding.

Verder nog Saint Malo, die met Saint Brendon naar Bretagne kwam.

Tot slot Saint Corentin, de eerste bisschop van Cornouaille.

Mijn heer vertelde me dat het merendeel van de heiligen uit Groot-Brittannië kwam. Misschien dat ze medelijden zullen hebben met mij, die van Bretagne naar Frankrijk gekomen is.

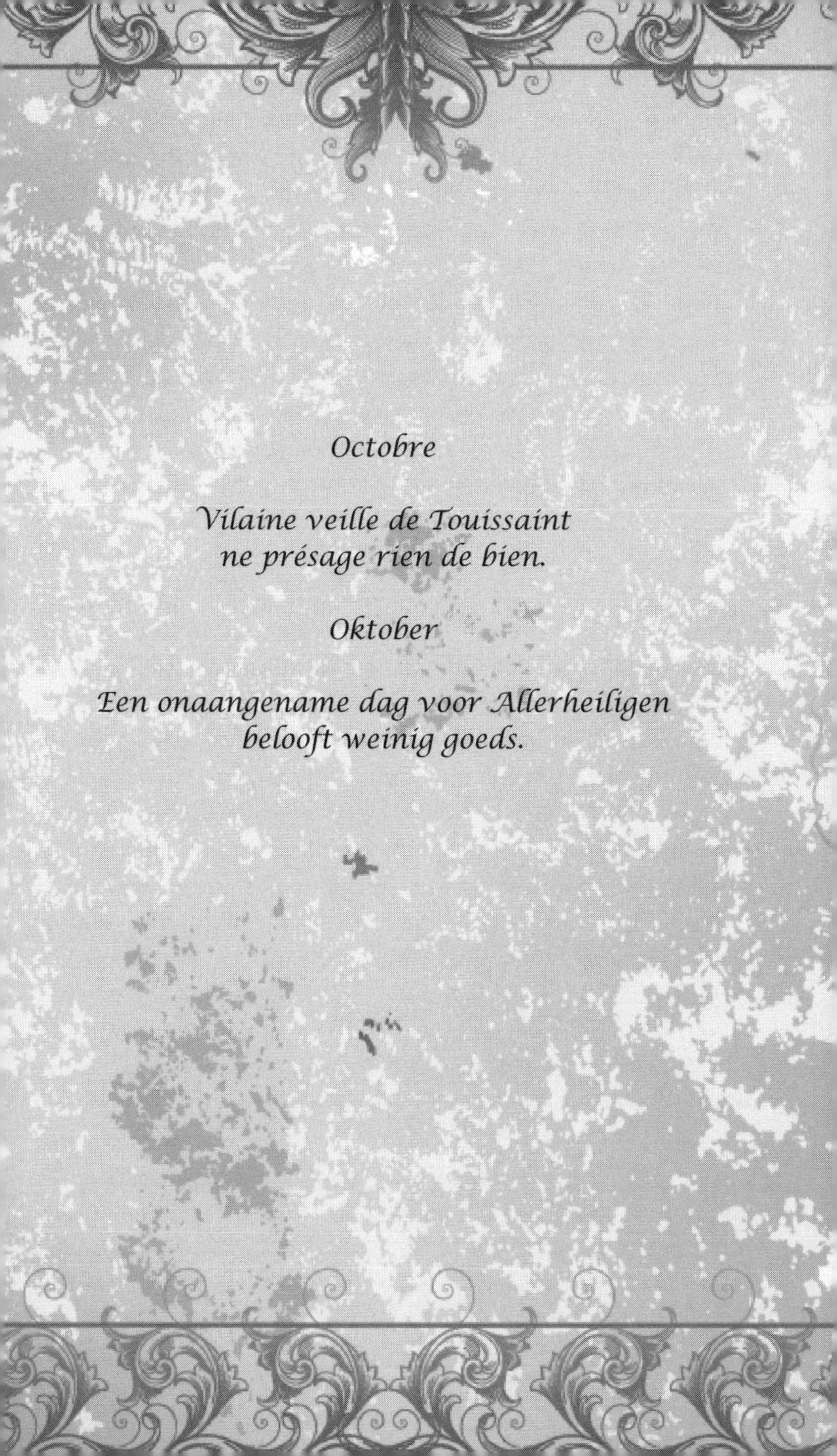

Octobre

Vilaine veille de Touissaint
ne présage rien de bien.

Oktober

Een onaangename dag voor Allerheiligen
belooft weinig goeds.

12

'Freddie?'

'Hmm?' Ik maakte mijn blik los van de steelpan voor me en keek over mijn schouder, recht in de glinsterende ogen van Robert. Hij droeg een groengele trui op een zwarte broek. Op de een of andere manier verleende het aparte groen een diepte aan zijn ogen.

'Ik wist het!'

'Wist wat?'

'Dat ooit iemand jou Freddie genoemd moest hebben.'

'Slimmerik.' *Kijk toch eens wat een lol hij had.* 'Mijn vader. Hij begon ermee toen ik dertien was en bleef er alleen maar mee doorgaan omdat ik er zo fel op reageerde.' Ik wist dat de kleur die ik op mijn wangen voelde komen waarschijnlijk dicht in de buurt kwam van de vuurrode kleur van mijn trui. Als ik niet al mijn concentratie nodig had gehad om de saus af te maken, zou ik hem woest hebben aangekeken. Nu dat niet kon, besloot ik niet verder op het onderwerp in te gaan. 'Moet jij niet gaan schrijven of zo?'

'Freddie, ik wil graag langer blijven.'

'Toen je kwam, wist je dat het maar voor een maand zou zijn.'

'Dat weet ik. En ik waardeer het enorm dat je me al een paar weken langer hebt laten blijven, maar ik heb meer tijd nodig. Ik begin nu pas het ritme van het verhaal te pakken te krijgen.'

'Dit is niet echt jouw genre. Er komen geen wapens in voor. Geen terroristen.'

'Dat weet ik. Maar dit is wel het boek dat ik altijd heb willen schrijven. Een historische spionageroman.'

'Dat is belachelijk. Je hebt pas een paar maanden geleden over Alix gehoord.'

'Dan zei ik het verkeerd. Dit is het boek dat ik altijd *van plan* was te schrijven. Toen ik met schrijven begon, heb ik zo'n soort boek geschreven, maar het was niet zo goed. Ik wist dat ik flink geld moest verdienen als ik wilde blijven schrijven, dus schreef ik datgene waarvan ik dacht dat de mensen het wilden lezen.'

'Dat is je goed gelukt.'

'Maar nu wil ik iets schrijven wat *ik* wil lezen. Ik houd van geschiedenis. En de vijftiende eeuw was in Frankrijk een woelige periode: het onafhankelijke hertogdom van Groot-Brittannië versus de Franse koning. Gezien de positie die haar man aan het hof had, kan het zijn dat Alix toegang had tot vertrouwelijke informatie. Zelfs als ze geen spionne was, kan ik haar verhaal dramatiseren. Haar dagboeken geven in ieder geval een glimp prijs van het leven zoals het toen geweest moet zijn.'

Wat kon ik zeggen?

'Ik zal de vaat voor je doen. Mijn eigen wc schoonmaken.' Er lag zelfs geen zweem van een lach op zijn gezicht. Deze man was bloedserieus.

'Ik heb geen hekel aan wc's schoonmaken, maar wel aan stofzuigen.'

'Dan doe ik dat voor je. Ik begin er direct mee. Waar staat de stofzuiger?'

Hij was al halverwege de trap voor ik hem terug kon roepen.

'Goed, je mag blijven. Maar ik heb wel ruimte nodig. En ik ga niet mijn schema omgooien omdat jij er bent. Ik heb een paar reisjes gepland.'

Hij sloeg zijn armen om mijn middel, draaide me om en kuste me op mijn wang. Daarna liet hij me weer los. 'Als je weg moet, logeer ik wel bij vrienden in Parijs.'

Nadat ik weer lucht kon krijgen en mijn hoofd niet langer duizelde door de geur van zijn aftershave, stemde ik in. 'Deal. De stofzuiger staat op de begane grond in de kleine kast rechts van de trap. Maar het eten is bijna klaar. Doe het morgen maar.'

Nu zat ik tot sint-juttemis aan hem vast en het was mijn eigen schuld. Een van mijn deugden is dat ik altijd de verantwoording voor mijn daden op me neem. Ik had het mezelf aangedaan. Ik moest echt hoognodig nee leren zeggen.

Twee dagen later kwam er een stroom aan postpakketten binnen. Het waren allemaal dozen met boeken die via een internetboekhandel waren besteld. Ook in de weken daarna bleven er een of twee pakketjes per week komen.

'Wat heb je gedaan, over elk onderwerp een boek besteld?' Ik rilde door de overgang van de warme keuken naar het koude gewelf van de hal. Mijn topje en koksbroek waren daar niet op berekend. Nadat ik had getekend voor ontvangst van wat voor mijn gevoel minstens de twintigste bestelling was, had ik Robert uit zijn kamer naar beneden geroepen. Ik vond het niet erg om voor hem te tekenen, maar ik had niet de kracht om een doos vol boeken de spiraaltrap op te sjouwen.

Robert keek op van de doos. 'Zoiets.' Hij rolde de mouwen van zijn zwarte trui op en richtte zijn aandacht toen weer op de boeken.

Ik keek over zijn schouder. *De geschiedenis van de Franse middeleeuwen. Vrouwen in de vijftiende eeuw. Atlas van de middeleeuwse wereld. De kerk en de staat in de middeleeuwen. De Honderdjarige Oorlog. De economie van middeleeuws Europa. De geschiedenis van klederdracht.*

Hij zou in ieder geval zeer belezen worden.

Robert tilde de doos op en liep er mee naar boven.

Ik volgde hem tot halverwege de trap om er zeker van te zijn dat hij niet struikelde. Misschien heb ik ook wel bewonderd hoe zijn spijkerbroek zat en is me de mooie glans van zijn zwarte Venetiaanse mocassins opgevallen. 'Wat ga je met al die boeken doen als je klaar bent met schrijven?'

'Aan jou geven.' Hij glimlachte me over zijn schouder toe en verdween de bocht om.

In de maand oktober was Robert vaker in het kasteel dan in september, maar er was geen moment dat hij geen boek in zijn handen had. Sévérine en ik kwamen hem op de meest vreemde plaatsen tegen.

Op een middag vond ik hem nonchalant uitgestrekt op mijn bed, met zijn rug naar de deur.

Ik had net in de tuin gewerkt en wilde een douche nemen. Het was maar goed dat ik mijn marineblauwe trui of mijn zwarte werkbroek nog niet half uitgetrokken had; ik was eraan gewend mijn kamer voor mezelf te hebben.

Ik liep op kousenvoeten naar hem toe en tikte hem op de schouder. 'Sorry, ik vind het vreselijk je weg te moeten sturen of in enig opzicht onbeschoft te lijken, maar wil je alsjeblieft weggaan?'

'Hmm?' Robert rolde zich om met zijn boek in zijn hand en keek over zijn leesbril naar me op. 'Wat zei je?'

'Wat doe je in mijn kamer?'

Hij plaatste zijn vinger in het boek, speelde met het koordje van zijn trui en keek met een verbijsterde blik om zich heen. Hij keerde het boek om en las de titel voor. '*Versterkte kastelen uit de middeleeuwen.*'

Hij keek naar mij, toen naar het boek, bladerde een paar bladzijden terug en keek weer naar mij. 'De openhaard en plafondconstructie bestuderen.' Hij stond op van mijn bed, stopte iets in de zak van zijn cognackleurige broek en slenterde al lezend weg.

Ik deed de deur achter hem op slot. Die man was een bedreiging voor beleefd gezelschap.

Behalve bij het diner.

Het was net alsof hij van 's morgens acht tot 's avonds zeven werkte, dan ineens overschakelde en de Robert werd die ik in augustus had leren kennen. Plezierig, alhoewel flirtend, gezelschap.

'Waar ben je opgegroeid, Freddie?'

'In Californië.'

'Echt waar? Ik ook.'

Dat wist ik al uit mijn speurtocht op het internet.

'Waar?'

'Vlak bij Hollywood.'

'Ik ook.'

Ik glimlachte. 'Ik woonde aan een andere kant dan jij. Aan de westkant.'

'Heb je daar je hele leven gewoond?'

'Tot ik oud genoeg was om er weg te gaan.'

'Je vond het daar niet leuk.'

'Niet bijzonder, nee. Jij wel?'

'Ik vond het heerlijk daar.'

Logisch.

'Ben je enig kind?'

Ik knikte.

'Ik heb een zus.'

Dat wist ik ook. Ze heette Laura en was mondhygiëniste.

'Wat deden je ouders voor werk?' ging hij verder.

'Mijn vader was een senator.'

'Hoe heette hij?'

'Howard.'

'Duke Howard? Dat meen je niet! Ik heb hem goed gekend. Ik vond het heel erg om te horen dat hij en je moeder overleden waren. Dat was in... in '98 toch?'

Ik knikte.

'Dat moet een moeilijk jaar voor je zijn geweest.'

Er sprongen verraderlijke tranen in mijn ogen. Ik kon het zelf niet geloven, want ik had nooit zo'n hechte relatie met mijn ouders gehad. Maar het in gesprek zijn met iemand die hen had gekend, opende de sluisdeur van mijn herinnering. Het was een troost geweest te weten dat ik ergens ter wereld bij iemand had gehoord. En iemand bij mij had gehoord.

'Ze gaven geweldige feesten.'

Het viel niet mee te glimlachen nu mijn kin begon te trillen.

'Ik heb nooit geweten dat ze een dochter hadden. Hoe komt het dat ik jou nooit heb ontmoet?'

Ik haalde mijn schouders op. 'Ik had het nooit zo op feestjes.'

'Maar als zij een feest gaven, wilde iedereen erbij zijn.'

Ik schoof mijn handen in de mouwen van mijn ijsblauwe trui en sloeg mijn armen om mijn middel. 'Ik zag er niet uit, Robert. Ik was een dikkerdje en zat onder de puisten. Mijn haar was vlassig en ik was erg introvert, tot in het extreme toe. Ik was niet het type dochter dat mijn vader kon gebruiken.' De vergelijking met de betoverende gasten van mijn ouders viel bepaald niet in mijn voordeel uit.

'Ik kan me nauwelijks voorstellen dat hij er zo over dacht.'

Ik haalde even mijn schouders op.

Hij leunde voorover en lichtte mijn kin met een vinger op. 'Freddie, je bent een schoonheid.'

In een poging zijn blik te ontwijken, sloot ik mijn ogen, maar ik voelde een traan over mijn wang rollen. Ik was niet bij machte hem tegen te houden en herleefde mijn jeugd in aanwezigheid van iemand die zelf een van die betoverende gasten was geweest, terwijl ik mijn tijd doorbracht in een kwelling van vernedering.

Robert liet mijn kin los, sloeg zijn arm om mijn schouders en trok me dicht naar zich toe.

Ik leunde met mijn hoofd tegen zijn borst en klemde me aan zijn wollen polo vast terwijl mijn woede een uitweg vond in mijn snikken. Ze kwamen diep uit mijn lijf en klonken afschuwelijk. Ik schaamde me wezenloos en vond het enorm vernederend, maar de pijn van al die jaren was zo heftig, dat ik er geen controle over had.

Robert streelde mijn haren terwijl zijn arm stevig tegen mijn rug aan lag.

Eindelijk bedaarde het snikken. Mijn handen verminderden hun greep en mijn armen vonden hun weg om zijn middel heen. Ik haalde diep adem, al ging dat nog wel erg beverig.

Robert was aan een stuk door mijn haar blijven strelen.

Ik bleef staan, met mijn wang tegen zijn borst, en luisterde naar zijn hartslag.

'Freddie, ik meende wat ik zei. Je bent echt een schoonheid.'

'Dank je, Robert.'

Ik vergaarde mijn laatste restje kracht en deed een stap naar achteren, terwijl ik probeerde mijn gezicht voor hem te verbergen. Ik wist hoe afschuwelijk ik eruit zag wanneer ik had gehuild. Dan is mijn gezicht opgezwollen en de ijsblauwe kleur van mijn ogen accentueert alleen maar hoe bloeddoorlopen ze zijn.

Robert hield me tegen.

Met een teder gebaar legde hij zijn handen om mijn kin en keerde mijn gezicht naar zich toe. Even dacht ik dat hij me ging kussen, maar toen veegde hij met zijn duimen de laatste tranen van mijn gezicht.

Daarna liet hij me los en bood aan om met de vaat te helpen.

Hij was een man naar mijn hart.

Die nacht lag ik een paar uur te woelen in mijn bed door herinneringen aan mijn jeugd, aan de verbanning uit het leven van mijn ouders, die ik mezelf had opgelegd. Misschien had Robert gelijk; misschien kwamen mijn gevoelens van minderwaardigheid uit mijn eigen koker, en niet uit die van mijn ouders.

Ik riep het beeld op van de tiener die ik was geweest en onderwierp die persoon aan een eerlijk onderzoek. De uitkomst klopte exact met wat ik tegen Robert had gezegd – maar betekende dit dat niemand met mij had willen praten? Dat ik niet interessant geweest zou zijn? Dat mijn ouders er niet trots op waren dat ik hun dochter was? Misschien was datgene wat ik als een afwijzing had opgevat, hun poging geweest om me te beschermen, om me te vrijwaren van situaties waarin ik me niet op mijn gemak voelde. Om mijn privacy te beschermen. Mijn anonimiteit.

In de slotanalyse zag ik dat mijn eigenwaarde het probleem was geweest. Ik had me niet kunnen voorstellen dat iemand het leuk zou vinden mij te kennen. En de gedachte aan een ontmoeting met onbekenden had me angst aangejaagd. Ik was zo met mezelf bezig geweest dat ik niet in staat was geweest om mijn blik op anderen te richten. Dat had ik pas tijdens mijn studententijd, en met Peters hulp, geleerd.

Hoewel ik me op feestjes nog steeds niet helemaal op mijn gemak voelde, en liever een boek ging lezen als ik de keuze had, beschouwde ik mezelf in ieder geval niet langer als een sociale paria.

Ik was een interessant persoon.

Ik was bereisd. Ik was een expert op mijn gebied. Ik was intelligent; ik kon me in elke conversatie handhaven. Ik was een voortreffelijke gastvrouw, ik gaf geweldige diners... tenminste, toen Peter nog leefde.

Ik had bereikbare doelen voor mijn toekomst en beschouwde mezelf als succesvol.

Ik was geen schoonheid, ook al zei Robert dat, maar zag er wel leuk uit. Ik zou nooit een model worden, maar dat wilde ik ook helemaal niet. Ik wist waar mijn aantrekkingskracht lag, in mijn ogen en mijn haar, en accentueerde die. Ik hield mijn gewicht op peil.

In feite leek mijn leven perfect. Maar waarom voelde het niet zo? Ik kon bijna voelen hoe God Zich aan de rand van mijn gedachten ophield, een beeld dat me schrik aanjoeg. Ik worstelde met Hem. Probeerde Hem weg te duwen. Waarom dook Hij op de meest onverwachte momenten weer op? Zou ik ooit in staat zijn Hem definitief uit mijn leven te weren?

Starend naar het plafond bevrijdde ik mijn gedachten van de teugels die hen in bedwang hadden gehouden, en gaf ze de vrije loop. Ik sloot mijn ogen, in de hoop dat de slaap zich over me zou ontfermen, maar Roberts bruine ogen achtervolgden me.

Wat als ik hem *wel* in het huis van mijn ouders had ontmoet?

Mijn gedachten waren een totaal onvoorziene richting opgegaan. Ik bleef maar denken aan zijn duimen die mijn tranen hadden weggeveegd. Aan die bruine ogen, die in de diepte van mijn ziel hadden gekeken. Hij was het type mens dat ik nooit had willen vertrouwen. Het type dat ik vanuit de veiligheid van mijn kamer had afgeluisterd, terwijl mijn ouders zich vermaakten. En toch..

En toch... was hij een vijfenveertigjarige met een heel leven vol met mensen, plaatsen en ervaringen die ik nooit had gekend en eerlijk gezegd ook nooit had willen kennen. In een helder moment besefte ik plotseling heel scherp dat ik verliefd was geworden op Robert.

Maar verliefdheden waren iets waar ik ervaring mee had. Ik wist dat wanneer ik de aantrekkingskracht negeerde en me niet op de bewuste persoon zou fixeren, de verliefdheid zou overgaan. Zeker wanneer er geen aanmoediging van zijn kant was. En die was er niet.

En zou ook niet komen.

Hij besteedde alleen maar aandacht aan me vanwege mijn positie. Als hij aardig tegen me was, was dat alleen omdat hij langer wilde blijven. Als hij met me flirtte, was dat alleen omdat hij met iedereen flirtte; ik kende dat type. En als hij al belangstelling had voor iemand in dit huis, was het beslist voor Sévérine.

En door die geruststellende gedachte lukte het me in slaap te vallen.

13

Op een middag liep ik tijdens mijn derde rondje om het kasteel Robert en Lucy tegen het lijf. Het was een van de zeldzame keren dat ik Robert zonder boek in zijn handen zag.

Toen ik vlak bij de tuin was, kwam Robert naar me toe en ging naast me lopen. Hij paste zijn tempo aan mij aan. 'Er is net voor je gebeld.'

Ik keek even opzij. Hij zag er geleerd uit in zijn chocoladebruine wijde corduroybroek en gebreid vest. 'Je hoeft de telefoon niet op te nemen.'

Hij haalde zijn schouders op. 'Ik was toch in de keuken.'

Wie weet wat hij daar aan het doen was. 'Wie was het?'

'Iemand die een kamer zocht.'

'Ik zal hem vanmiddag terugbellen. Waarschijnlijk zit ik vol.'

'Ik heb op je kalender gekeken en zag er geen reserveringen op staan, dus heb ik de boeking voor je aangenomen.'

Ik stond zo abrupt stil dat ik bijna voorover viel. 'Wat heb je gedaan?'

'Ik heb de reservering aangenomen. Twee stellen, twee kamers. Ik heb er zelfs erg in gehad naar hun creditcardnummers te vragen.' Hij leek enorm tevreden met zichzelf.

'Ten eerste, Robert, is het niet jouw taak om de telefoon voor me op te nemen. Dat doet Sévérine. Ten tweede, is het niet aan jou om reserveringen voor me aan te nemen.' Ik was in geen jaren zo kwaad geweest.

'Ik zag op je kalender dat je eerste gasten pas na de Kerst komen.'

'Omdat ik eerder niemand wil hebben. De meeste aanvragen worden door mij geweigerd.'

'Dat is geen goede manier om een bedrijf te runnen, Freddie.' Hoe luider ik antwoordde, hoe zachter Robert ging praten.

'Het is mijn bedrijf. Ik vind het prettig zo. Af en toe wil ik het rijk alleen hebben.'

Lucy had haar oren dicht tegen haar kop gedrukt en zat ineengedoken dicht tegen de grond.

'Vind je het niet een beetje vreemd om gasten te weigeren als je een hotel hebt?'

Zijn milde toon maakte me razend, maar ik wist niets terug te zeggen.

Hij knipte met zijn vingers naar Lucy, waarna ze opstond en verlangend naar het bos keek. Ze hadden net de bomen bereikt toen Robert stilstond en zich omdraaide. 'Trouwens, ik ben vergeten naar hun telefoonnummer te vragen. Dus je kunt ze niet afbellen. Sorry.'

Briesend van woede vervolgde ik mijn rondje. Het ergste van alles was nog dat mijn kuiten waren verkrampt toen ik met Robert had staan bekvechten. Zo'n vijf minuten lang deed ik strekoefeningen tegen de muur van het kasteel, maar het lukte het me niet meer om warm te worden, zelfs niet toen ik mijn dikke zwarte joggingvest tot aan mijn kin dicht ritste.

Ik haalde diep adem, hield hem tien tellen in en keek omhoog naar de staalgrijze wolken. Ik zag een zwerm ganzen naar het zuiden vliegen. Hun roep klonk in de lucht, weerkaatste in mijn oren, en herinnerde me eraan dat de herfst was aangebroken. Wat betekende dat de winter ook niet lang meer op zich zou laten wachten. De kou die in de lucht hing, zou alleen nog maar toenemen.

Ik sloeg mijn in handschoenen gestoken handen tegen elkaar om warm te worden en jogde naar de voordeur.

'Het spijt me, Freddie. Ik dacht dat ik je er een plezier mee deed, maar weet nu dat dit niet zo was. Het was niet mijn bedoeling om me met jouw zaken te bemoeien.'

Robert had in ieder geval voor de maaltijd zijn excuus aangeboden. Nu kon ik van het eten genieten. Ik waste mijn handen, veegde ze af aan mijn broek van keperstof en rolde de lange mouwen van mijn laguneblauwe trui weer naar beneden. Daarna serveerde ik hem een dikke plak *paté de lapin aux noisettes* voor ik antwoord gaf.

'Het spijt me dat ik tegen je schreeuwde.' Ik zette een bord neer voor mezelf, brak een knapperig stokbrood doormidden en overhandigde hem de helft. Daarna ging ik zitten. 'Na Peters dood was dit mijn toevluchtsoord. Dat is het nog steeds. Ik probeer mijn plaats in de wereld opnieuw te bepalen en wil dat in mijn eigen tempo doen.'

'Dat kan ik begrijpen. Ik ben daar zelf ook mee bezig. Me nu als christen opnieuw te definiëren. Deze plek is voor mij ook een soort toevluchtsoord.'

We aten een paar minuten in stilte verder en genoten van de konijnenpaté met hazelnoten. 'Ik neem weinig aanvragen voor reserveringen aan.' Ik vertelde hem niet hoe ik tot het aannemen van een reservering kwam, want zelfs ik vond dat een kinderachtig systeem.

'Daar is niets mis mee. Als je te veel gasten had, zou je mij geen persoonlijke aandacht kunnen geven.' Hij knipoogde naar me.

Ik maakte een lange neus naar hem.

'Wat was Peter voor iemand?'

'Blond. Blauwe ogen.'

'Ik bedoel, wat voor soort man was hij?'

'Geef me in ieder geval de kans om een begin te maken, Robert.'

'Wat wilde hij in het leven bereiken?'

‘Hij wilde hoofd van zijn diplomatieke vertegenwoordiging worden.’

‘Dat is alles?’

‘Alles? Robert, het hoofd van een diplomatieke vertegenwoordiging willen worden, is net zoiets als president willen worden. Er zijn maar weinig mensen die dat punt in hun carrière bereiken.’

‘Wat wilde jij in je leven bereiken?’

Waarom moest hij zo nieuwsgierig zijn? ‘Peters steun en toeverlaat zijn. Ik was een goede echtgenote.’

‘Ik zeg toch niet dat dat niet zo was.’

‘Hij zou het als hoofd uitstekend hebben gedaan. Hij was slim. Hij werkte hard. Mensen luisterden naar hem. Hij was een natuurlijke leider.’

‘Wat trok jou aan in hem?’

‘Hij wist wat hij in het leven wilde. En omdat hij wist welke richting hij op ging, hoefde ik daar niet over na te denken. Hij had alles gepland. Als je hem ontmoette, wist je dat alles goed zou komen. En hij wilde dat je er bij was wanneer het zo ver was.’

‘Waar zou je zijn als hij nog leefde?’

‘België? Zwitserland? Marokko? Ivoorkust? Ergens in Franssprekend Europa of Afrika. En daarna zouden we naar Washington D.C. zijn teruggegaan.’

‘Maar hoe zat het dan met jou?’

‘Wat bedoel je?’

‘Ik kan me jou gewoon niet voorstellen met zo’n soort levensstijl.’

‘Ik was er goed in. We hadden vaak gasten, ik genoot ervan. En ik ben een patriot; ik vond het een eer om als echtgenote van een diplomaat mijn land te mogen dienen. Als het leven zelf niet alles had omgegooid, zou ik dat nog steeds doen.’

Na het voorgerecht verdeelde ik de *pintade aux figues sèches,* parelhoen met gedroogde vijgen. Ik kookte graag met gedroogde vruchten. Ze gaven altijd een aardse smaak aan het eten. De parelhoen was voortreffelijk. Toen ik hem aansneed, viel het vlees van het bot. Ik serveerde daarbij macaroni, die ik op Franse wijze in boter had bereid en met bieslook had bestrooid. Ik bracht de borden naar de tafel en ging weer zitten.

'Zeg eens, ben je gelukkig hier?'

Verrast door zijn vraag keek ik naar hem op. 'Ik ben zeer tevreden. Ik vind het hier heerlijk.'

Hij nam een hapje van de *pintade* en kauwde even voor hij verder sprak. 'Dit kasteel past bij jou. Klassiek, maar gerieflijk. Traditioneel, maar toch verrassend. Verwelkomend, maar tegelijkertijd ook behoedzaam.'

'Dank je.' Ik scheurde een stukje van mijn halve stokbrood af. 'Denk ik.'

'Het was een compliment. Graag gedaan. Dit is heerlijk. Wat zit erin?'

De volgende paar minuten lichtte ik het recept voor hem toe, en besefte tijdens ons gesprek hoe goed het voelde om gezelschap te hebben. Iemand tegen wie je kon praten, en iemand om naar te luisteren. Alle eerdere irritaties van die dag waren verdwenen.

We genoten van onze pompoenmousse met gember en dronken daarna met kleine slokjes onze espresso op.

Het weekend daarna sloeg ik voor een fortuin aan prooien van plaatselijke jagers in: hert, patrijs, eend, konijn en eekhoorn. Het enige wat ik weigerde, was duif. Duiven hebben geen galblaas, en als ze niet uitmuntend worden klaargemaakt, kan hun vlees taai zijn. En erger nog, als het rauw is, is het vlees donker, bijna paars. Daartegenover houd ik wel van jonge duiven, van een paar weken oud, maar die kook ik niet. Want dat vind ik wreed. Maar verder probeer ik voor het merendeel de ethiek uit mijn keuken te weren.

Zondagavond hield ik me bezig met het schoonmaken van het vlees en verdeelde het in porties voor het de vriezer inging. Ik legde een mooie konijn opzij om *lapin au moutarde* te maken, en een paar eekhoorns en een haas voor een *terrine*.

Ik houd van de herfst. Het is mijn lievelingsseizoen.

Het volgende weekend arriveerden Roberts gasten. Ze waren nog vrij jong, maar ik kon zo zien dat ze uit de betere kringen kwamen. De Fransen zouden hen *branché* hebben genoemd. Stijlvol. Modieus. Ik weet zeker dat ze alleen maar naar het kasteel kwamen om erover te kunnen snoeven tegen al hun vrienden.

De twee mannen hadden duidelijk aan de École Polytechnique gestudeerd. Ze hadden hetzelfde arrogante sociale gedrag als enkele anderen die ik via connecties bij de ambassades kende en daar ook hadden gestudeerd. Als Frankrijks voornaamste polytechnische school, was het dé eliteschool van alle elitescholen die het land rijk was. Degenen die daar waren afgestudeerd, namen alleen mensen in dienst die ook daar hun papiertje hadden gehaald. Een École Polytechnique-diploma met lage cijfers was zelfs nog van meer waarde dan uitmuntende resultaten op elke andere hogeschool.

De vrouwen vond ik beslist geen technologische types. Ik dichtte hun eerder een ENA-diploma toe. De ENA, École Nationale d'Administration, was een Franse school die als enige andere in Frankrijk met de exclusiviteit van de École Polytechnique kon wedijveren en waar veel topbestuurders zijn opgeleid.

Ze waren allemaal vriendelijk, maar op een gereserveerde, oordelende manier.

Op het moment dat ik hen de stenen trap naar de voordeur op zag lopen, besloot ik alle menu's die ik voor hen had bedacht, te veranderen.

Want hoewel ik van koken houd, vind ik het afschuwelijk wanneer mensen mijn maaltijden bekritiseren. En wanneer ik klassieke Franse gerechten zou serveren, zou er beslist kritiek komen, op welk gerecht dan ook. Als ik eend zou serveren, zou ik die door een Saumur-Champigny wijn moeten laten vergezellen. Als ik *foie gras* serveerde, zou ik Sauternes moeten aanbieden.

Dus besloot ik gerechten te maken die ze waarschijnlijk nog nooit eerder hadden geproefd. Als ze niet wisten hoe het 'hoorde', zouden ze geen reden hebben om er iets vervelends over te zeggen. Tijdens hun eerste diner op het kasteel proefden ze de verrukking van gevulde avocado met garnalen en komijn, groene enchilada's, met ossenhaas gevulde tortilla's en groene salsasaus. Als nagerecht serveerde ik minivlaaitjes met kaneelsaus. De Chileense wijn die ik voor hen inschonk, zou vast veel protesten hebben losgemaakt als ze wisten dat de fles nog geen tien euro kostte.

Maar Sévérine gaf me niets dan complimenten van hen door.

De volgende ochtend maakte ik de heerlijkste beignets volgens New Orleans-recept, waarbij ik een royale portie poedersuiker over de overvolle borden strooide. Ik had met het frituren van de beignets gewacht tot Sévérine er was, want op die manier wist ik zeker dat ze gloeiend heet werden opgediend. Ik hield voldoende beslag achter om er nog een aantal te bakken voor Robert en mezelf. Het was jaren geleden dat ik ze voor het laatst had gemaakt.

De stelletjes bleven tot na de lunch in de eetzaal zitten praten en lachen, tot ze eindelijk in hun auto stapten en de laan uitreden voor hun middagavonturen.

Het diner dat ik die avond voor hen bereidde, bestond uit een garnalencocktail volgens Amerikaans recept, gevolgd door gebakken zalm met een cranberry-koriandersaus. Omdat het de volgende dag Halloween zou zijn, koos ik als nagerecht voor een pompoenkwarktaart, opgediend in een plas van gembercrème.

Als laatste ontbijt aten ze wankelende stapels pannenkoekjes met authentieke Vermont-ahornstroop.

Tegen de tijd dat ze wegreden, was ik uitgeput. Ik was van plan geweest om die dag het kasteel weer op orde te brengen, maar de nieuwe dageraad had een flinke storm meegebracht en het sombere weer had eerder tot lusteloosheid dan tot bedrijvigheid geïnspireerd. Gelukkig was de storm tegen het vallen van de avond weer geluwd en volgde er in zijn kielzog een weliswaar koude, maar heldere nacht.

Toen ik die avond vanuit de badkamer over het vloerkleed naar mijn bed liep, keek ik uit het raam en zag de nevelringen om de maan: vorst! En de vochtigheid die de storm had achtergelaten, zou de schade nog groter maken. Mijn tuin had bescherming nodig. Er stonden nog steeds tomaten en kruiden in die ik voor het koken wilde gebruiken. Snel schoot ik mijn badjas en slippers aan, stormde de trappen af en rende door de voordeur naar de garage. Ik stopte net lang genoeg om een arm vol doeken te kunnen pakken. Toen ik de tuin had bereikt, wikkelde ik de doeken om de planten heen. Net toen ik de laatste tomatenplant had ingepakt en was opgestaan om naar de rij met kruidenplanten te lopen, hoorde ik het geluid van voetstappen op het pad.

Ik bevroor. Nog nooit eerder was ik bang geweest op mijn eigen terrein.

'Freddie.'

Van opluchting zakte ik bijna door mijn benen. Het was Robert maar. 'Ja?'

'Lucy en ik zijn een rondje wezen lopen. Kan ik je helpen?'

'Ik probeer deze tegen de vorst te beschermen.' Ik gooide

een hand vol doeken naar hem toe en Lucy sprong op om ze te vangen. 'Die moeten om de bieslook.'

Hij bukte en ging onmiddellijk aan de slag.

We werkten in stilte tot alle planten beschermd waren. Hij gaf me zijn hand toen ik over de rijen stapte. Toen ik die weer losliet zodra ik mijn voet op het pad had gezet, werd ik me plotseling erg bewust van mijn dunne katoenen batisten hemdjurk. Als de maan niet zo vol was geweest, had ik me er niet zo druk om gemaakt, maar nu het maanlicht alles wat zij bescheen zo veel scherper uit liet komen, troostte ik me met de gedachte aan mijn badjas. Het middeleeuwse model van blauwgrijs fluweel met klokvormige mouwen sloot wel strak om mijn bovenlichaam, maar viel vanaf mijn middel losjes om me heen. Ik was veilig.

'Freddie.'

'Ja?'

'Kom eens hier.'

Waarom deed ik onwillekeurig plotseling een stap achteruit? De hele week was ik me al van zijn mond bewust. De hele maand was ik al door zijn ogen gefascineerd.

De stappen die ik terugdeed, zette hij vooruit. Helaas waren zijn stappen groter dan die van mij. En ik struikelde over de zoom van mijn badjas. Hij sloeg een arm om mijn middel en hield me overeind. 'Freddie. Je glanst in het maanlicht. Je lijkt wel een fee.' Hij raakte mijn haren aan en haalde er toen zacht zijn vingers doorheen. Het was zo lang geleden dat iemand dat had gedaan. Wat zou ik graag aan hem toegeven.

Ik bewoog mijn hoofd, waardoor zijn hand naar mijn wang gleed. De mouw van zijn schippersjas voelde ruw aan tegen mijn nek.

Hij trok me dichter naar zich toe. 'Je betovert me.' Zijn gezicht zweefde vlak boven het mijne. Hij wreef met zijn neus tegen mijn wang; zijn koude adem beroerde mijn wimpers.

Zijn woorden klonken zo zacht en teder dat het net leek of ze in mijn hoofd gefluisterd waren.

Mijn armen gingen uit eigen wil omhoog en sloten zich om zijn middel.

Hij nam mijn gezicht tussen zijn handen, week naar achteren en keek me aan. Daarna gleden zijn handen naar mijn hals, bracht hij mijn gezicht dicht naar zich toe en drukte een kus op mijn voorhoofd.

Mijn ogen vielen als vanzelf dicht.

Hij kuste mijn oogleden.

Ik zuchtte.

Hij kuste mijn neus.

Op dat moment begon Lucy als een razende te blaffen.

We lieten elkaar los en keken verbaasd naar de hond.

Ze had een gespannen, alerte houding en haar blik was strak op de bosrand gericht.

Ik wist wat er aan de hand moest zijn: er liep daar vast een van Alix' bewonderaars rond. Alix verknoeide alles.

Roberts ogen stonden vol spijt en, als dat mogelijk was, schaamte. 'Blijf hier.'

Ik wilde zeggen dat hij zich geen zorgen hoefde te maken, maar kon mijn stem niet vinden. Het was of ik op water had gedreven maar nu begon te zinken. Ik kon me niet herinneren wanneer mijn hoofd voor het laatst zo had getold.

Hij nam Lucy met zich mee en liep recht op het bos af. Ze liepen zo'n vijf minuten tussen de bomen door, maar natuurlijk vonden ze niets. Of niemand. Het maanlicht achter hem overgoot zijn lichaam met haar gloed toen hij uit het bos terugkeerde. Ik kon zijn gezicht niet zien, dat lag in de schaduw, maar voelde wel de intensiteit van zijn blik.

Even bleef ik staan, als vastgenageld aan het pad, maar draaide me toen om en vluchtte weg.

Toen ik vlakbij de achterdeur was, kwam ik Sévérine tegen. Doordat ze uit de duisternis van het bos kwam, zag ik haar pas toen ze om de hoek van het kasteel vandaan kwam. Haar gestalte was bijna spookachtig door het maanlicht, maar het was net of ze een lang voorwerp in haar handen had en dit achter haar rug verborgen hield. Mijn adem stokte even toen ik in haar glanzende ogen keek en daarna half struikelend wegrende, de deur opentrok en naar boven vluchtte. Er is geen ander woord voor, want toen ik mijn kamer bereikt had, deed ik direct de deur achter me op slot.

In het laatste moment van bewustzijn voor de slaap bezit van me nam, schoot er plotseling een gedachte door mijn hoofd: wat was Sévérine in het bos wezen doen?

14

Mijn veertiende jaar
Jaar achtendertig van de regering van Karel VII, koning van Frankrijk

Dag van Sainte Anne

Mijn heer is enkele maanden niet in mijn kamer geweest, maar afgelopen nacht kwam hij weer. Hij bracht me zoals gewoonlijk naar bed en liet de gordijnen eromheen zakken. Daarna hoorde ik hem een stoel dicht bij het vuur schuiven en begon hij te praten. Hij vertelde over Salaün, een simpele ziel, die in zijn eentje in de bossen rond Lesneven woonde. Hij werd door iedereen vermeden en sleet zijn leven als een kluizenaar, bedelde slechts om brood en herhaalde onophoudelijk het Ave Maria. Hij leefde in harmonie met de natuur en sliep buiten. Nooit viel hij iemand lastig. Op veertigjarige leeftijd werd hij ziek en vond men hem dood bij een fontein. Hij werd begraven en was snel vergeten tot er op een dag een lys, *een lelie, op zijn graf bloeide; lelies zijn het symbool van zuiverheid en onschuld. Ze openden zijn graf en ontdekten dat de lelie uit de mond van Salaün ontsproten was. Op de bladeren stond zelfs 'Ave Maria' in het goud geschreven. En zo kon het gebeuren dat het graf van een eenvoudige kluizenaar de Notre Dame du Folgoët werd.*

Ik vroeg mijn heer of de kluizenaar geen enkele vriend had gehad.

'Nee,' antwoordde mijn heer.

Maar als hij zo'n simpele, vriendelijke ziel was, zou er toch zeker iemand zijn geweest die hem als vriend wilde.

Mijn heer zei dat iedereen met een boog om hem heen liep.

Ik zei tegen hem dat ik dat nergens op vond slaan. Als hij een aardige man was, zou hij mensen om zich heen moeten hebben.

Mijn heer zei dat hij misschien gemeen was.

Bij deze woorden sloeg ik de dekens terug en trok ik het gordijn aan het voeteneind van het bed omhoog. Ik zei hem dat hij in dat geval niet vriendelijk genoemd zou worden.

Mijn heer keerde vanuit de stoel zijn gezicht naar me toe, maar stond toen op en ging voor me zitten, op de reling van het bed. Hij zei dat de kluizenaar misschien de mensen gewaarschuwd had weg te blijven.

Ik zei hem dat wanneer hij onophoudelijk het Ave Maria had herhaald, hij geen tijd had gehad om tegen anderen te praten.

Daarna antwoordde mijn heer dat de mensen die hij kende wel betere dingen te doen hadden dan het Ave Maria te herhalen.

Ik vind deze verhalen weinig zin hebben en vertelde hem dat ook.

Hij zei toen dat wanneer ik zijn verhalen niet wilde horen, er wel anderen waren die er graag naar zouden luisteren. Hij beval me weer in bed te gaan liggen, deed het gordijn op zijn plaats, maar hield halverwege op en vroeg me hoe oud ik was.

Ik vertelde het hem. Veertien jaar. Ik voel dat ik hem niet behaag en zei tegen hem dat hij me geen verhalen meer hoefde te vertellen. Ik had er ook nooit om gevraagd.

Hij antwoordde iets wat ik niet helemaal verstond. Het klonk als 'Je vraagt me helemaal nergens om.'

Twee dagen na Assomption

Agnès vertelde dat de kooplieden altijd Anne willen spreken.

Dit lijkt me normaal.

Agnès zei dat ze naar mij zouden moeten vragen. Ik ben de kasteelvrouwe. Ik zou moeten beslissen van wie we iets kopen.

Ik weet niets van koopwaren en handelaren. Het interesseert me ook niet. Anne heeft deze taak al vier jaar goed uitgevoerd en ik ben ervan overtuigd dat het nog steeds goed gaat.

Agnès hield me voor dat de taken van een echtgenote door God zijn voorgeschreven en dat ik naast al mijn studies dit misschien ook eens moest bestuderen.

Misschien doe ik dat wel.

Vijf dagen na Saint Augustin

Ik houd me vandaag bezig met het overschrijven van de uitgaven in de boeken. Ik had dit al drie maanden geleden moeten doen. En God, Die alles ziet, de dingen die ik niet wil doen en de dingen die ik achterwege laat, ziet dit ook. Morgen zie ik de priester, dan zal ik dit gaan biechten.

Dag van Saint Etienne

Mijn heer had me beloofd vanavond over Arthur, de koning van de Bretons, te vertellen. Maar hij begon met een verhaal over een koning met de naam Marc'h, dat 'paard' in het Bretons betekent. Deze koning had een paleis in Plomarc'h, bij Douarnenez. Koning Marc'h had het mooiste paard ter wereld. Hij liep net zo makkelijk over het water als op het land. En bergen leken voor hem hetzelfde als dalen. Het paard heette Morvarc'h en er was niets wat de koning liever deed dan met dit paard op jacht gaan.

Op een dag was de koning met zijn edellieden aan het jagen en zag de mooiste witte hinde die hij ooit had gezien. Later ging hij met zijn mannen terug om haar te vangen. Morvarc'h was het enige paard dat hard genoeg kon rennen om haar bij te houden, maar zelfs hij kon haar niet vangen. De jacht kwam tot een einde toen de hinde naar een rots was gerend die boven de zee uitstak.

De koning haalde een pijl uit zijn koker tevoorschijn en spande zijn boog. De hinde slaakte een jammerlijke kreet, waarop de koning zijn pijl afschoot. Op het moment dat de pijl de hinde geraakt zou hebben, draaide hij van richting en suisde op de koning af. De pijl raakte Morvarc'h in zijn borst. Het paard wierp zijn koning af en stortte van het klif de zee in.

Woedend trok de koning zijn dolk en naderde de hinde. Op dat moment klonk er een kreet van een vrouw en in plaats van de hinde stond er een prachtig meisje.

Om de koning te straffen omdat hij geprobeerd had haar te doden, gaf ze hem de manen en oren van een paard. Koning Marc'h trok zijn cape over zijn hoofd en keerde terug naar Plomarc'h. Hij liet een manshoge muur van gouden stenen om zijn troon optrekken en gaf het bevel dat niemand naar hem mocht kijken. Wie dat toch zou doen, zou sterven.

Hij liet een kapper komen om zijn manen te knippen, maar opdat niemand het geheim van de koning te weten zou komen, werd de tong van de kapper uitgesneden toen hij de laatste haren had geknipt. Het haar groeide echter door en na twee weken liet hij opnieuw de kapper halen, maar niemand kon hem vinden, want hij was uit angst voor de koning met zijn vrouw en kinderen uit het land vertrokken. De koning liet toen een andere kapper komen en toen deze klaar was, werd ook zijn tong eruit gesneden. Na twee weken liet hij de kapper halen, maar ook deze werd nergens meer gevonden, omdat hij, net als de eerste kapper, het land uit was gevlucht. Het duurde niet lang voor alle kappers het land ontvlucht waren, behalve een: Yeunig. Maar dit was de lievelingskapper van de koning, en bovendien degene die voor het gebeuren met de hinde altijd al de haren van de koning had geknipt. Daarom wilde de koning deze kapper niet zijn tong ontnemen, dus wachtte hij en wachtte hij. Maar het haar bleef groeien en al snel was het te zwaar om te dragen, waarop de koning uiteindelijk toch Yeunig liet halen.

Toen Yeunig de manen en de oren van de koning zag, vroeg hij hem: 'Waarom heeft u me niet eerder laten roepen? Ik heb de betoverde schaar; wat hiermee wordt geknipt, zal nooit meer groeien. Maar als ik uw haren knip, moet u beloven niet mijn tong uit te laten snijden.'

De koning beloofde dit, maar Yeunig mocht nooit tegen iemand vertellen dat de koning de manen en oren van een paard had. Yeunig beloofde plechtig dat hij hierover zou zwijgen. De haren van de koning werden geknipt en Yeunig verliet het paleis.

Maar alle mensen waren jaloers dat Yeunig het geheim van de koning kende, dus boden ze hem geld, vrouwen en macht in ruil voor de onthulling. Yeunig weigerde het allemaal, maar hij was wel bang dat hij zou ontploffen als hij de woorden niet één keer uit zou spreken.

Om te voorkomen dat iemand hem zou horen, ging hij naar het strand en groef een diep gat. Hij duwde zijn hoofd erin en riep: 'De koning heeft de manen en de oren van een paard!' Daarna bedekte hij het gat. Hij voelde zich enorm opgelucht: de woorden waren eruit en niemand had hem gehoord.

Maar vanuit het gat verrezen drie rietstengels.

Koning Marc'h besloot zijn zus aan de koning van Léon, Rivalen, uit te huwelijken. Maar er moest een groot festijn worden georganiseerd voor alle mensen van koninklijke bloede. En hoe moest koning Marc'h de gastheer zijn en toch onzichtbaar blijven? Yeunig adviseerde hem een hoed op zijn hoofd te dragen en iedereen te vertellen dat hij een maladie onder de leden had. De muzikanten arriveerden en tijdens het bespelen van hun instrumenten kregen ze enorme honger en dorst. Ze liepen het paleis in om te eten en te drinken wat ze konden vinden, maar dat was het eten dat voor de korrigans overgelaten was.

Op dat moment in het verhaal vroeg ik mijn heer wat korrigans zijn.

Mijn heer vertelde me dat dit kleine dwergachtige figuren zijn, die zich alleen 's nachts laten zien. Sommige zijn bevriend met de mensen en sommige zijn vijanden. De korrigans zijn verschillend van soort; sommige behoren aan de bossen of meren, andere aan de huizen.

Ik vroeg mijn heer verder te vertellen.

Toen de korrigans om middernacht kwamen om het paleis schoon te maken, ontdekten ze dat er geen eten of drinken voor hen was. Voor straf namen ze de binious, *rieten mondstukken, van de doedelzakken en al de bombardes, blaasinstrumenten voor Bretonse volksmuziek, van de muzikanten mee. Toen de muzikanten de volgende dag de* branle, *en ook de andere dansen moesten spelen, merkten ze dat ze geen mondstukken hadden. Ze zochten overal naar iets waar ze rieten van konden maken. Een kleine jongen vertelde hun toen dat hij drie rietstengels had zien groeien op het strand. Hij werd erheen gestuurd om de rietstengels te halen en gaf ze daarna aan de muzikanten. Ze maakten er rieten voor hun instrumenten van en begonnen te spelen. Maar de eerste noten waren geen muziek, maar woorden: 'De koning heeft de manen en de oren van een paard!'*

Iedereen vroeg aan koning Marc'h of dit waar was. Hij zette zijn hoed af en liet zien dat het klopte. Nu alle mensen zijn geheim kenden, kon de koning niet langer regeren en moest hij uit Bretagne verdwijnen.

Op dat punt van het verhaal kon ik mijn ogen niet langer meer openhouden. Toen ik de volgende morgen ontwaakte, was mijn heer al weg.

Dag van Saint Matthieu

Toen mijn heer me vanavond een bezoek bracht, vroeg ik hem de rest van het verhaal van koning Marc'h te vertellen.

Hij zei dat hij me dat al had verteld in de twee weken die voorbij waren gegaan.

Zijn antwoord verbaasde me, want hij had gezegd dat hij meer over koning Arthur van de Bretons zou vertellen toen hij met het verhaal van koning Marc'h begon.

Toen herinnerde mijn heer zich weer dat hij het verhaal niet had afgemaakt en vertelde hij verder.

Nadat koning Marc'h zijn koninkrijk had verlaten, was hij het Kanaal overgestoken en woonde bij zijn neef, koning Arthur van de Bretons. Arthur vroeg aan Merlijn of de vloek die op de koning lag, niet verbroken kon worden. Merlijn antwoordde dat hij dat niet kon, maar wel de vloek kon afzwakken. Hij gaf koning Marc'h een drankje waardoor de manen en de oren van het paard verdwenen zolang hij in Groot-Brittannië was. Als de koning ooit naar Bretagne zou terugkeren, zouden de manen en de oren weer verschijnen. Koning Marc'h nam het drankje aan en Arthur gaf hem het koninkrijk van Cornwall om te regeren.

Op een dag kreeg koning Marc'h het bericht dat zijn zwager, Rivalen, gedood was door een hertog, Morgan. Eveneens werd hem verteld dat zijn zus van verdriet gestorven was. Voor ze stierf, was ze van een zoon bevallen, maar niemand wist wat er van het kind geworden was.

Vele jaren later verscheen er een knappe jongen in Cornwall. Hij was een sterke strijder met alle vaardigheden van een ridder. Hij werd de lieveling van koning Marc'h. De jongen droeg alleen de naam Tristan en wist niet wie zijn familie was.

In die tijd was er een Bretonse edelman op zoek naar zijn geadopteerde zoon, die door piraten van hem was afgenomen. Hij hoorde over Tristan, die naar Cornwall was gegaan. Deze edelman kwam bij koning Marc'h en legde hem uit dat Tristan de zoon van Rivalen was. De edelman had hem verborgen gehouden voor hertog Morgan en ondertussen een ridder van hem gemaakt.

Omdat nu duidelijk was dat Tristan de neef van de koning was, besloot de koning om na zijn dood zijn koninkrijk aan Tristan na te laten.

De jaloerse edellieden vonden dat de koning moest trouwen en zelf een erfgenaam moest verwekken. Koning Marc'h wilde geen andere erfgenaam dan Tristan, maar werd wel moe van het geklaag van de edellieden. Toen hij op een dag een lange, goudblonde haar zag die een vogel had laten vallen, zei hij tegen de edellieden dat hij hun wens zou inwilligen zodra ze de eigenaresse van deze lange, mooie haar zouden vinden. Dan zou hij met haar trouwen.

De edellieden stemden ermee in maar de koning moest hun dan wel vertellen van wie de haar afkomstig was en in welk land ze de vrouw konden vinden.

De koning vertelde hun dat ze dit aan de vogel die de haar had laten vallen, moesten vragen.

Tristan wist echter van wie de haar afkomstig was. Voor hij naar Cornwall was gekomen, had hij in Ierland Morholt, de broer van de Ierse koning, gedood. Morholt was de oom van een meisje met de naam Isolde, de eigenaresse van de haar. De Ieren zouden hem zeker willen doden als ze hem zagen, maar vanwege zijn loyaliteit aan zijn oom, ging Tristan toch op zoek naar haar.

Toen hij Isolde had gevonden en haar had overtuigd met hem mee te gaan naar Cornwall, dronken ze per ongeluk een liefdesdrank, waardoor ze door een hartstocht verbonden werden, die geen van beiden kon bevatten en ook niet kon doven. De ontmoeting tussen Tristan en Isolde bracht veel ongeluk voor iedereen die ooit van hen gehouden had. Ze werden beiden verbannen en Tristan werd naar het koninkrijk van Arthur gezonden. De scheiding moest uiteindelijk de doodsklap voor de geliefden worden.

Op dat punt in het verhaal vroeg ik mijn heer wat er met koning Marc'h was gebeurd.

Mijn heer vertelde me dat hij vanwege het verraad van de twee personen waar hij het meest van hield, naar Bretagne terugkeerde, waar hij de manen en oren van een paard terugkreeg. Hij besteeg weer zijn troon, maar was nooit meer dezelfde koning als voorheen. Hij was voorbestemd om zich zowel in losbandigheid als in liefdadigheid te buiten te gaan.

'Dat,' zei mijn heer, 'is een ander verhaal, dat deze avond niet verteld zal worden.'

Vier dagen na Saint Dynys

Mijn heer begon met het geweldige verhaal van koning Arthur van de Bretons. Ik heb het verhaal al vele malen gehoord, maar het is niet beleefd om dat te zeggen, dus luisterde ik. Hier volgt het verhaal zoals hij het me heeft verteld.

Er wordt gezegd dat de grote koning hier, in Brocéliande, woonde. Hij was een zoon van koning Uther. Omdat zijn moeder niet de koningin was, gaf koning Uther zijn zoon aan een ridder die Arthur de vechtkunst bij moest brengen, zodat hij als volwassene een ridder kon zijn. Toen Arthur zestien was, stierf zijn biologische vader, koning Uther, zonder een erfgenaam achter te laten.

Na de dood van koning Uther vroegen de leiders van de clans Merlijn de tovenaar om een nieuwe koning. Merlijn antwoordde dat ze moesten wachten tot de hemel de aarde raakte, de doden weer tot leven kwamen en zij die geen stem hadden, konden spreken.

Op een dag stond er op een voorheen lege plek op het plein voor een cathédrale *een steen waarin een prachtig zwaard verzonken was. De steen was anders dan alle andere stenen van het land. Hij was zo groot dat geen enkele man hem van zijn plaats kreeg en er stonden tekens op die niemand kon lezen. Alle mensen kwamen de steen bekijken.*

Merlijn kwam als laatste, maar wist als eerste te zeggen wat er op de steen geschreven stond: Degene die in staat is het zwaard uit de steen te trekken, moet de nieuwe koning worden. *Merlijn herinnerde de mannen eraan dat noch geboorterecht noch rijkdom iets te maken hadden met de beslissing wie koning moest worden. Het was aan de steen om te besluiten aan wie het zwaard zich zou onderwerpen.*

Elk van de leiders stapte op de steen af en pakte het zwaard bij zijn heft, maar het lukte geen van hen om het uit de steen te trekken. Nadat alle leiders het hadden geprobeerd, mochten anderen het proberen. Veel mannen uit de stad waagden een poging, maar het lukte niemand van hen, zelfs de smid niet. Hierna lieten de leiders het hun zoons proberen. Toen het hen ook niet lukte, mochten de zoons van de mannen uit de stad een poging wagen. Toen zij er ook niet in slaagden, waren de knechten en hun zoons aan de beurt. Zelfs de jongsten onder hen, ook zij die nog niet eens konden lopen, kregen een kans. Ten slotte had iedereen het geprobeerd, maar tevergeefs. Het zwaard zat nog steeds in de steen.

Op dat moment zocht Arthur een zwaard voor de ridder die hem sinds zijn geboorte had opgevoed. Toen hij het plein op liep en het zwaard in de steen zag, vroeg hij of dat zwaard iemands eigendom was. Toen hij te horen kreeg dat het van niemand was, legde hij zijn hand op het zwaard en trok het uit de steen, waarop hij door Merlijn tot de koning van de Bretons werd benoemd.

De mensen in de stad waren erg blij, want ze kenden Arthur omdat hij onder hen had gewoond, maar de leiders waren niet blij. Ze zeiden tegen Merlijn dat Arthur het zwaard terug moest schuiven in de steen zodat iedereen nog een keer kon proberen het zwaard eruit te trekken. Opnieuw kreeg geen enkele leider dat voor elkaar. Ook de mannen uit de stad probeerden het opnieuw, maar ook nu weer tevergeefs, evenals de zoons van de leiders en de zoons van de mannen in de stad. Zelfs de knechten en hun zoons, ook de allerjongsten, zelf de baby's, kregen nog een kans. Maar opnieuw lukte het enkel Arthur om het zwaard uit de steen te halen.

Toch weigerden de leiders hem als hun koning te erkennen, tot Merlijn hun vertelde dat Arthur eigenlijk de zoon van koning Uther was. Hierna verzamelde Arthur een groot leger, dat niet uit de zoons van leiders bestond, maar uit de zoons van de mensen in de stad. Arthur leidde zijn leger met Kaledvoulc'h, zijn zwaard; Gweneb-Gourzhuc'her, zijn schild; en Rongomyant, zijn lans.

Mijn heer wilde nog verder vertellen, maar ik kon mijn ogen bijna niet meer open houden, dus bewaarde hij de rest van het verhaal voor een andere keer.

Ik droomde vannacht dat er iemand naast me stond en de hele nacht met zijn vingers door mijn haren streek.

Ik vind dit echt heel vreemd, want normaalgesproken herinner ik me nooit wat ik heb gedroomd.

Een dag voor Saint André

Anne vroeg me wat ik met Kerst wilde laten serveren. Ik ben niet op de hoogte van de gewoonten van de Bretons en ik kan me niet herinneren wat er vorig jaar is geserveerd. Ik weet niet waarom ze dit aan me vroeg, maar ik gaf haar toestemming te doen wat ze wilde.

Agnès zei dat ik meer belangstelling moet tonen voor de gang van zaken in het kasteel. Een goede echtgenote verzekert zich ervan dat de dingen volgens de verlangens van haar echtgenoot verlopen.

Ik antwoordde dat Anne weet wat mijn heer verlangt, omdat ze immers de laatste jaren ook het diner heeft samengesteld. Het is veel beter om haar het feest te laten organiseren dan dat ik het doe en mijn heer, de comte, *teleurstel.*

Een dag na Saint Hilaire

Mijn heer heeft het verhaal van drie maanden geleden afgemaakt: kort nadat Arthur koning van de Bretons werd, zei Merlijn de tovenaar tegen hem dat de Saksen gekomen waren om de grond van ridder Gogvran Gaor in bezit te nemen. Toen Arthur Gogvran Gaor ging helpen, stelde Merlijn voor dat Arthur als eerste aan zou vallen.

De lady van Gogvran Gaor en haar dochters sloegen vanuit de veiligheid van hun kasteel de strijd gade. Het gevecht duurde lang en was erg bloederig. Op een gegeven ogenblik werd Gogvran Gaor door de Saksen gevangengenomen. Toen Arthur dit zag, stortte hij zich middenin de strijd, overviel de Saksische heer en bevrijdde de ridder. Toen de Saksen dit zagen, verloren ze hun moraal, riepen hun mannen bijeen en trokken zich terug uit het gebied van Gogvran Gaor.

Zwaargewond en in levensgevaar werd Arthur door zijn leger naar het kasteel van Gogvran Gaor gedragen. Diens oudste dochter, Guinevere, gebood iedereen Arthur alleen te laten. Niemand dan zijzelf mocht hem verzorgen.

Mijn heer zei dat Guinevere Witte Geest betekent. Er wordt van haar gezegd dat ze zo mooi was, dat ze glansde in het maanlicht. Haar stap schijnt zo licht geweest te zijn dat niemand hem kon horen, en haar stem moet zo zacht als de roep van een vogel in de nacht zijn geweest. Ze was de vriendelijkste vrouw ter wereld. Haar aanraking was zo koel dat het Arthur leven gaf, als een bron in het midden van het bos.

Gogvran Gaor zei tegen Merlijn dat hij de man die hem van de dood had gered graag als schoonzoon wilde, ook al wist hij nog niet wie die man was geweest.

Toen vertelde Merlijn aan Gogvran Gaor dat hij gered was door Arthur, de koning van de Bretons en zoon van de grote koning Uther.

Het huwelijk vond de volgende maand al plaats en nog nooit was iedereen zo blij geweest.

Ik zei tegen mijn heer dat ik het edelmoedig vond van Gogvran Gaor om zijn oudste dochter aan Arthur te geven. Hij had hem ook gewoon als een dappere landman kunnen beschouwen en hem met goud en zilver kunnen belonen in plaats van met zijn dochter.

Mijn heer antwoordde dat mannen soms dochters of zussen verkiezen boven rijkdom.

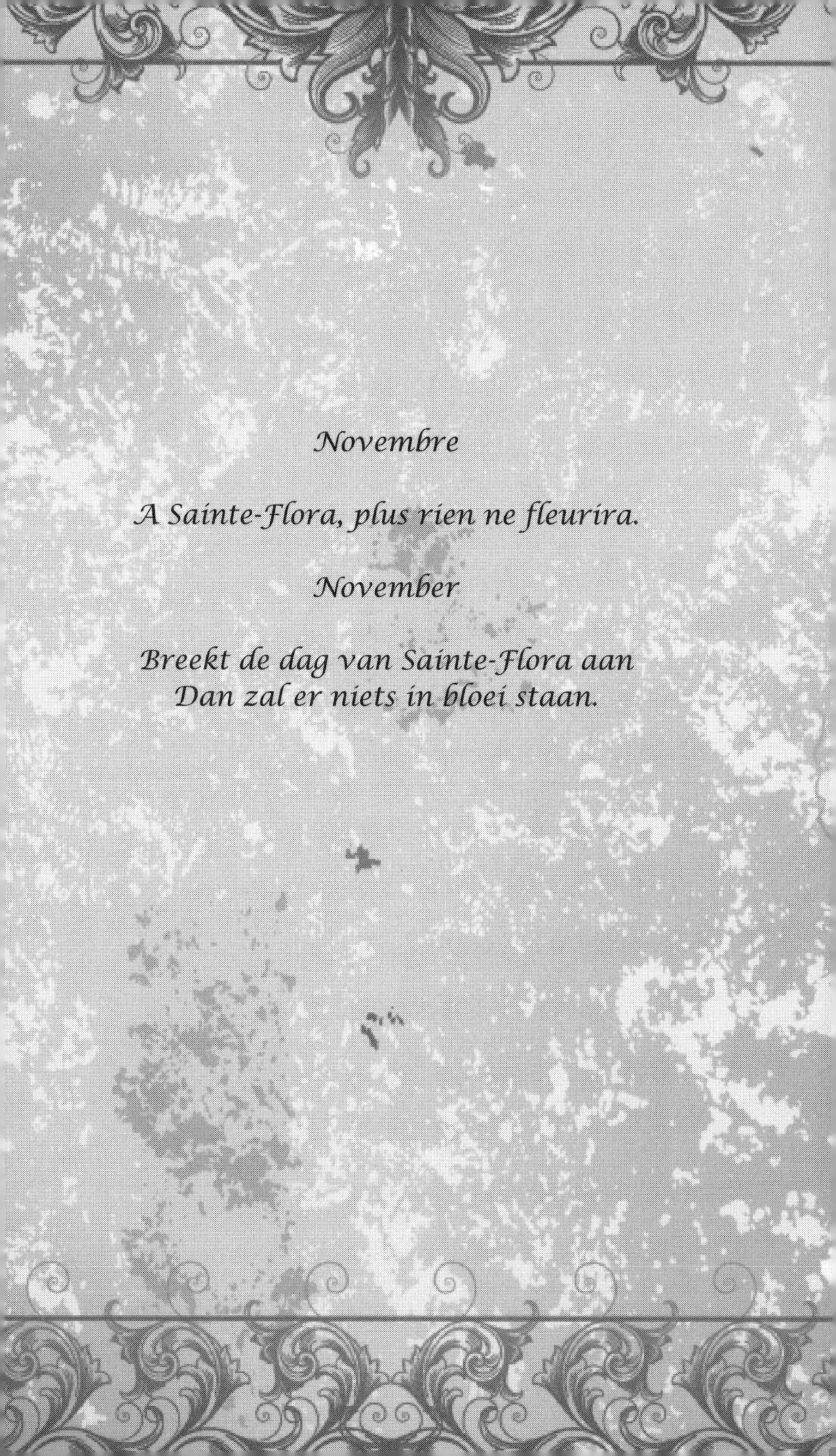

Novembre

A Sainte-Flora, plus rien ne fleurira.

November

Breekt de dag van Sainte-Flora aan
Dan zal er niets in bloei staan.

15

De eerste twee dagen van november waren koud en helder. De kale bomen staken scherp af tegen de lucht en het dunne laagje ijs op het dode gras accentueerde de hardheid van de grond. Het weer leende zich uitstekend voor *Toussaint*, Allerheiligen, de dag waarop de heiligen en martelaren werden herdacht, en voor *Fête des morts*, Allerzielen, de dag waarop werd teruggedacht aan de mensen die overleden waren.

Ik hield niet van deze dagen, want ik had geen idee wat ik dan moest doen, vooral vandaag, op Allerzielen, niet.

Mijn herinneringen aan Peter waren privé. Ik had gerouwd. Ik had alle fasen van mijn verdriet doorlopen. Hij zou altijd deel van me blijven, want de persoon die ik ben, heb ik voor een groot deel aan hem te danken.

Ik wist niet wat ik op Allerzielen moest doen, want Peter ligt begraven in een familiegraf in Massachusetts. Ik had hier geen graf om te bezoeken, geen plaats om bloemen neer te leggen. Maar ik voelde me schuldig als ik helemaal niets ter herinnering aan hem deed. In de voorgaande jaren had ik ter nagedachtenis aan hem zijn lievelingsgerecht gekookt: soep van schelpdieren met zuurdesembrood.

Het enige probleem dat dit ritueel opleverde was dat ik soep van schelpdieren helemaal niet lekker vond en veel liever gewoon brood at in plaats van zuurdesembrood. Het had gewoon mijn hart niet.

Ik trok mijn geruite broek en mouwloos T-shirt aan en sjokte de trap af naar de keuken. Ik schakelde over op de automatische piloot, bakte brood en dronk mijn ochtendespresso zonder er van te genieten.

Wat zou Peter hebben gedaan als de situatie andersom was geweest?

Ik probeerde me hem voor te stellen, een beeld te maken van waar hij zou zijn als hij nog geleefd had in plaats van ik. Hij zou zich zeker niet de hele dag aan trieste gedachten hebben overgegeven. Waarschijnlijk zou hij iets gedaan hebben wat ik erg graag deed. Mijn lievelingsgedicht lezen, een glas van mijn favoriete wijn drinken en een toost op me uitbrengen. Of iets dergelijks.

Dus waarom voelde ik me verplicht om schelpdierensoep te maken die ik toch niet op zou eten?

Ik stond op van mijn stoel, pakte een fles Bushmill's, Peters lievelingswhisky, en een whiskyglas en stampte de trap op.

Ik gooide de deur van mijn kamer open en liep naar Peters foto, die op mijn nachtkastje stond.

Na een scheut whisky in het glas geschonken te hebben, hief ik het glas ter nagedachtenis. Toen ik het glas achteroversloeg, viel er een zonnestraal over zijn foto. Het was goed wat ik had gedaan.

Tevreden ging ik weer richting keuken, waarbij ik op de trap Robert en Lucy tegenkwam.

'Nu al een slechte dag?' vroeg Robert met een blik op de fles Bushmill's in mijn hand.

'Het is vandaag *La Fête des Morts*.'

'O.' Robert ging er verder niet op in. Tenminste, niet bij mij. Die avond hoorde ik hem er aan Sévérine vragen over stellen.

'Heb je wel eens van *La Fête des Morts* gehoord?'

'Jazeker. Dat is ieder jaar op 2 november. In Frankrijk is dit de dag waarop de doden worden herdacht. We bezoeken het kerkhof als we er niet te ver vandaan wonen, maken de graven schoon en leggen bloemen neer. Chrysanten.'

Ik ging vroeg naar bed.

Nadat ik het licht had uitgedaan, hoorde ik een zacht klopje op de deur. Ik droeg een zijden hemdje en pas bij de deur dacht ik eraan dat ik mijn badjas aan had moeten trekken.

Ik opende de deur en schermde mijn lichaam er mee af.

Het was Robert. Hij droeg een zijden pyjama en verplaatste zijn gewicht van de ene op de andere blote voet. Hij leek net een jongetje van tien jaar oud.

'Sorry dat ik zo'n flauwe opmerking over de whisky maakte.'

'Het geeft niet. Je wist het niet.'

'Nee, maar nu wel.'

'Ik nam een whisky ter nagedachtenis van Peter. Eentje maar. Bushmill's was zijn lievelingsmerk.'

'Ik wilde je alleen maar laten weten dat het me speet.' Hij draaide zich om en wilde weglopen, maar ik kwam achter de deur vandaan en legde een hand op zijn arm.

'Dank je wel.'

Hij legde een hand over de mijne en gaf er een kneepje in. Hij schraapte zijn keel alsof hij iets wilde zeggen.

Ik wachtte.

Zijn blik die de mijne zocht, maakte me ervan bewust hoe weinig ik aanhad.

'Welterusten.'

'Welterusten, Freddie.'

We zagen Robert minder vaak met zijn neus in de boeken, in plaats daarvan was hij vragen gaan stellen. Heel veel vragen. Hij was niet langer op zoek naar feiten, maar meer naar meningen. De onderwerpen doorliepen het hele scala van politiek tot gender. En hij stelde beslist niet de makkelijkste vragen.

Terwijl ik op een bewolkte, stormachtige middag de tuin voor de winter klaarmaakte, kwam hij naar me toe. De windvlagen kregen steeds de slippen van mijn grijze wollen blouse met schots patroon te pakken en probeerden hem over mijn hoofd te laten waaien. Dankzij mijn zwarte wollen coltrui, lange broek en gebreide wollen muts, hield ik de bijtende wind van mijn lijf. Maar de wolken dreven steeds sneller door de staalgrijze lucht en ik haastte me, want ik had het gevoel dat de eerste winterstorm zich zou doen gelden.

'Freddie, stel dat jij in de middeleeuwen op dertienjarige leeftijd was getrouwd. Wat zou jij dan meegenomen hebben toen je uit huis ging?'

'Op dertienjarige leeftijd? Dat vraagt om een grote verbeelding.' En dan heb ik het nog niet eens over dat denkwerk. Iets waar ik echt geen tijd voor had. Mijn wollen muts jeukte. Ik probeerde door de wol heen te krabben, met als enig resultaat dat ik modder op mijn voorhoofd smeerde.

Hij hurkte naast me neer, waarbij hij totaal geen acht sloeg op zijn kasjmieren trui, geplooide pantalon en mocassins die minstens vijfhonderd dollar moeten hebben gekost. Hij trok nonchalant een zakdoek uit zijn broekzak, legde een vinger onder mijn kin om mijn gezicht naar zich toe te keren en veegde de modder weg. Daarna begon hij me te helpen met het uittrekken van het beetje onkruid dat na de vorst nog overgebleven was. Ik had kunnen weten dat hij echt zo'n type was die altijd een zakdoek bij zich heeft.

'Ik meen het, Freddie. Wat zou jij meenemen?'

'Mijn lievelingsspullen.'

'Maar wat *zijn* de lievelingsspullen van een dertienjarig meisje?'

Ik dacht terug aan mijn eerste tienerjaren en de doos met schatten die ik onder mijn bed bewaarde.

'Jojo's, knutselwerkjes, gedroogde bloemen, een insectenverzameling.' Ik zweeg even om een bijzonder koppige wortel uit de grond te trekken. 'Papieren aankleedpoppen, plastic sieraden uit de kauwgomballenautomaat. Lievelingsboeken. Briefjes van vrienden.' Het begon te regenen. De wind was nog meer in kracht toegenomen. Nog drie rijen te gaan. Ik zou het niet af kunnen maken. 'Tijd om naar binnen te gaan.'

Robert hielp me overeind en pakte mijn emmer met tuingereedschap op. 'Zal ik deze voor je naar de garage brengen?'

Het begon steeds harder te regenen.

'Nee. Zet maar gewoon in de keuken, dan kan ik morgen verder.'

Op een holletje gingen we via de achterdeur naar binnen. Robert hielp me de deur dicht te duwen en deed hem op slot.

'Het gaat de hele nacht stormen,' merkte ik op terwijl ik de muts van mijn hoofd trok en hem in mijn zak propte.

'Denk je?'

'Ik weet het zeker.' In de drie jaar die ik nu in Bretagne had gewoond, was ik gewend geraakt aan het ritme van het weer. Alsof de koude wind mij zelfs binnen nog in zijn greep had, begon ik te klappertanden. 'Espresso?' vroeg ik terwijl ik de kortste weg naar het apparaat nam.

'Graag. Een goed middel om de kou te verdrijven.'

Opgepept door de cafeïne begon ik als vanzelf te praten en merkte al snel dat ik niet meer kon stoppen. Voor ik de tegenwoordigheid van geest had om mijn woorden aan censuur te onderwerpen, hoorde ik mezelf vertellen over de dag dat Peter stierf.

'Ik was altijd zenuwachtig als ik wist dat hij ergens in de lucht zat. En ik was ook altijd zenuwachtig als ik wist dat hij op karwei was. Dat was dan ook het gekke: hij hoefde die dag niet te vliegen en hij was niet op karwei. Ik had altijd gedacht dat ik het zou weten als hem iets zou overkomen. Dat ik het zou voelen. Maar ik voelde niets. Ik dacht dat ze een grapje maakten toen ze het me vertelden. Ik kon gewoon niet geloven dat hij deze wereld had verlaten zonder dat ik me daarvan bewust was geweest. Daar was ik nog het meest van streek door. Dat plus het feit dat ik geen idee heb of ik nog wel in een hemel geloof, en zelfs als ik dat wel zou doen, niet weet of hij daar zou zijn.'

'Hij was geen gelovige?'

'Niet dat ik weet. En ik kende hem erg goed.' Als Robert echt met me wilde praten over mijn aanhoudende onenigheid met God, leek me dit het juiste moment daarvoor. 'Ik weet gewoon niet of ik deel uit wil maken van een geloof in zo'n God als deze.'

'Wat deed je na Peters dood?'

'Ik ben naar een therapeut in Parijs geweest en dat hielp.' De Fransen zijn verheven humanisten en het humanisme is nobel. Er wordt vooral gekeken naar het potentieel van een mens en relatief weinig naar zonde en schuld. 'Maar het grootste deel van de tijd bracht ik door in de keuken. Ik bereidde geweldige vijfgangenmenu's. Voor mezelf. Pas in het tweede jaar, toen ik hierheen ben verhuisd, heb ik Peters dood echt verwerkt. Dit kasteel was mijn therapie. Ik nam steeds één vertrek tegelijk onderhanden en het werk dat ik zelf niet kon doen, besteedde ik uit. Tegen de tijd dat het klaar was, had ik het verdriet verwerkt.'

'Mis je hem?'

'Natuurlijk.' Ik had er genoeg van om over Peter te praten. Ik trok mijn dikke wollen vest uit en legde hem op het keukeneiland. 'Waarom wilde je schrijver worden?'

'Dat weet ik eigenlijk niet. Ik heb gewoon altijd geweten dat ik de capaciteit had om een boek te schrijven en op een gegeven moment bereikte ik het punt waarop ik iets wist om over te schrijven.'

'Ik heb altijd gehoord dat je moet schrijven over dingen waar je verstand van hebt. Is dat zo?'

'In zeker opzicht wel. Ik schrijf over internationale spionage, politiek en samenzweringen. Persoonlijk weet ik niets van zo'n levensstijl. Maar ik weet wel wat verraad met je doet. Ik weet wat loyaliteit inhoudt en wat dit kost. Ik weet wat liefde is en welk offer ze vereist.'

Ik betrapte mezelf erop dat ik mijn blik nauwelijks van hem los kon maken en me tijdens het praten dicht naar hem toegebogen had. Ik knipperde met mijn ogen en ging weer rechtop zitten.

'Als ik alleen maar strikt opschreef wat ik wist, zou het altijd autobiografisch zijn.'

'Jouw leven moet zo anders zijn.'

'Dan van wie? Van jou? We hebben heel wat overeenkomsten, denk ik zo. Ik duik onder als ik schrijf en jij gedraagt je als een kluizenaar.'

'Dat doe ik niet.'

'Jawel, Freddie, dat doe je wel. Waarom weiger je anders gasten? Waarom woon je anders ruim dertig kilometer van de dichtstbijzijnde plaats vandaan?'

'Ik moet alleen kunnen zijn.'

'Ik dus ook. Als ik schrijf. Maar daarna kom ik altijd weer aan de oppervlakte. Je moet weer in contact met de wereld komen.'

'Ik ga ieder jaar in januari naar Italië.'

'Bij wie ga je dan op bezoek?'

'Ik bezoek het Forum en het Colosseum. En ik ga naar Capri.'

'Om wie te bezoeken? Je bezoekt historische plekken als je reist; je woont in een bos dat bol staat van oude mythische tekens. Je probeert zelfs God, de gever van het leven, de genezer van gebroken harten, van je af te duwen. Je hele leven is één lange verbondenheid met de dood. Het is tijd om door te gaan, Freddie. Laat Peter los.'

'Dit is belachelijk. Peter is er al vier jaar niet meer.'

'En nu is het tijd om verder te gaan.'

Daar zat ik echt op te wachten: een amateurpsycholoog. Ik weigerde verder te luisteren, draaide Robert mijn rug toe en concentreerde me op het afwassen van onze koffiekopjes. Na een tijdje ging hij weg.

Ik had zin om te vloeken, maar de invloed van een jeugd vol preken en zondagsschoollessen was sterker.

Telkens als ik deze herfst aan Peter had gedacht, was het Robert geweest die hem in mijn gedachten had gebracht.

Toen ik een taartbodem voor het dessert maakte, was ik bang dat ik gewelddadiger met het deeg omging dan zou moeten. Ik gooide het uiteindelijk maar weg en begon opnieuw. Het zou veel te taai geworden zijn.

Terwijl ik de volgende ochtend in de keuken aan het werk was, dacht ik na over Roberts woorden. Hoewel het meeste onzin was, had hij wel een punt gehad wat het doorgaan betrof. Ik was doorgegaan.

In mijn hoofd.

Maar ik droeg nog steeds mijn trouwring. Ik keek ernaar in het heldere ochtendlicht dat door de ramen schemerde. Het was een platina ring met een eenvoudige diamant. Peter had hem zelf uitgezocht en ik had hem altijd heel erg mooi gevonden. Maar misschien was het tijd.

Ik deed hem af, alleen om te weten hoe dat zou voelen.

Mijn linkerringvinger voelde naakt tijdens het kneden en vormen van de stokbroden en brioches. Toen ik naar boven ging om Robert zijn ontbijt te brengen, voelde ik me kwetsbaar. De ring had me zo lang bescherming geboden, dat ik daaraan gewend was geraakt.

Robert zat aan de tafel, met zijn geelbruine ochtendjas over zijn zijden pyjama geslagen. Hij keek op van zijn computer en tuurde me over de rand van zijn brillenglazen aan.

Ik overhandigde hem het blad en lepelde daarna met mijn linkerhand een suikerklontje uit de schaal. Met een plons viel hij in de koffie.

Het was enkel een test, gewoon om te zien of hij het zou merken.

Hij nam het kopje van me aan, keek ernaar, maar zag het niet echt.

Maar toen ik me omdraaide om weg te gaan, pakte hij mijn hand en hield me tegen.

'Ik kan je straks wel helpen.' Hij probeerde me iets met zijn ogen te zeggen en ik kon niet van hem wegkijken.

'Waarmee?' Ik slikte.

'Met het zoeken van je ring.'

Mijn hand trilde en de vlammen sloegen me uit. 'Hij is niet kwijt.' Ik rukte mijn hand los en verliet de kamer.

Op de terugweg naar de keuken haalde ik de ring uit mijn broekzak en schoof hem weer aan mijn vinger. Het leek veiliger om hem om te houden.

Die middag probeerde ik tijdens het maken van de flensjes voor de avondmaaltijd erachter te komen wat er nu zo aantrekkelijk aan Robert was. Ik heb altijd gevonden dat zelfmisleiding aan lafaards was voorbehouden, dus kon ik niet ontkennen dat hij aantrekkelijk was en dat ik me tot hem aangetrokken voelde. Maar daarmee zeg ik niet dat ik hem vertrouwde. Ik vertrouwde hem voor geen cent.

Dat wilde ik ook niet.

Terwijl ik een paar klontjes boter in de pan liet glijden, het beslag op het metalen oppervlak uitschonk en met een vork uitspreidde, moest ik eerlijk zijn tegenover mezelf. Robert was aantrekkelijk.

Zijn ogen waren hypnotiserend.

Maar mijn gevoelens voor hem waren niet enkel gebaseerd op zijn uiterlijk. Ze hadden iets te maken met zijn lach. Die begon in zijn borst als een 'hm' en ketste in zijn binnenste af tot het in een grinnik uitbarstte.

Ik vond het heerlijk om hem aan het lachen te maken.

Het was ook een genot om hem te zien glimlachen. De glimlach begon om zijn mond en soms, als ik geluk had, begonnen zijn ogen te glinsteren en verschenen er lachrimpeltjes omheen. Dit waren de stille lachjes.

Op tal van manieren deed Robert een aanslag op je gezonde verstand. Zijn ogen, zijn lach, zijn glimlach. De manier waarop hij zich gedroeg. Zijn dure kleren die hem de man maakten.

Ik schoof een spatel onder het laatste flensje en wipte hem bovenop de stapel.

Ik had hem in ieder geval geïdentificeerd. Ik wist tenminste wie mijn tegenstander was.

Het probleem was dat ik, ondanks alles, Robert graag mocht. En misschien was hij echt veranderd. Misschien was hij niet meer de losbol die hij was geweest. Het was een uitdaging om niet verliefd op hem zijn. Ik kon op mijn vingers natellen dat dit nog niet mee zou vallen, want bovenaan de lijst met zijn pluspunten stond dat Robert goed kon luisteren. En welke vrouw kon een man weerstaan die naar haar wilde luisteren?

Ik troostte me met de gedachte dat ik de eerste horde in de strijd al had genomen; ik had de omvang van mijn vijand in kaart gebracht.

16

Toen Sévérine de volgende dag haar blad met avondeten kwam halen, schoot me te binnen dat ik haar nog steeds een vraag wilde stellen. 'Is dit het jaar van jouw *Catherinette*?'

'*Oui.*' Het was de eerste keer dat ik haar zag blozen. Haar wangen kleurden zelfs zo rood dat ze met de kleur van het sjaaltje om haar nek konden wedijveren.

'Wat is een *Catherinette*?' Robert keek Sévérine belangstellend aan.

'O, niets bijzonders.' Sévérine wuifde elegant naar Robert, alsof ze op die manier zijn vraag kon wegslaan.

'Wat is het, Freddie?' Hij speelde met de kraag van zijn trui zoals hij altijd deed als hij ergens nieuwsgierig naar was.

'Dit jaar wordt Sévérine vijfentwintig. En omdat ze vrijgezel is, vieren we Sainte-Catherine, waarbij ze deze heilige om een echtgenoot vraagt.'

Sévérine temperde Roberts lach. 'Het wordt tegenwoordig niet meer zo veel gedaan.'

'Natuurlijk wel!' Ik had vrienden in Parijs die dit ook hebben gevierd. 'Vooral de vijfentwintig kussen.'

'De wat?' Robert begon zich iets in zijn hoofd te halen. Dat kon ik zo zien.

'Dat is een oud gebruik. Een heel erg *vieux jeu*.' Sévérine had haar handen in de achterzakken van haar strakke indigoblauwe spijkerbroek geduwd.

'Laten we hem samen met jou vieren. Dat wordt leuk.' Er twinkelde iets gevaarlijks in Roberts ogen.

Sévérine keek van Robert naar mij; ik kon duidelijk merken

dat ze ons niet helemaal vertrouwde.

'Echt waar, het wordt leuk.' Ik overhandigde haar het dienblad. 'Zeg me je lievelingsgerecht maar en ik maak het voor je.'

'*Foie gras, homard, et croque-em-bouche.*'

Ik trok een wenkbrauw op. Ganzenleverpastei, zeekreeft en een piramide van heel kleine soesjes gevuld met room en omhuld met karamel en gesponnen suiker. Omdat ik op een feestje had aangedrongen, zette ze me aan het werk.

Maar ze verdiende een feestje. Vooral omdat ze niemand anders had om het mee te vieren.

Robert wachtte haar bij de trap op. 'Ik wilde je iets vragen over de graal.'

Ze stond zo plotseling stil dat ze haar greep op het blad verloor. Het kletterde op de grond. 'Frédérique! Het spijt me.'

'Het geeft niet. Zit er niet over in.' Er was niets gebroken en het meeste eten stond nog overeind. Ik pakte een nieuw bord en schikte haar maaltijd opnieuw.

'Je hebt een vraag over de graal, Robert? Wat heeft dat met Alix te maken?'

Hij haalde zijn schouders op. 'Dat weet ik niet. Waarschijnlijk niets. Ik zit zo maar wat te denken.'

'Ik ben enkel een deskundige op het gebied van Alix.'

'Maar je hebt ongetwijfeld de legendes gelezen toen je de geschiedenis van de middeleeuwen bestudeerde.'

'*Oui, oui, oui.* Natuurlijk. In de context van de tijd waarin Alix leefde.'

'Maar klopt het dat hij door Josef van Arimatea vanuit Israël naar hier is meegenomen? Naar Bretagne?'

'Dat is één versie van het verhaal. Er zijn er nog veel meer.'

'Zoals?'

Ze blies haar wangen bol. 'Er is er eentje waarin het helemaal niet over een kelk of een beker gaat, namelijk de Keltische versie. Daarin is de graal een ketel.'

'Bedoel je een kookpot?'

'Precies.'

'En daar was Arthur naar op zoek?'

'Samen met zijn ridders. Maar het was meer dan een zoektocht. Het was een obsessie van al die ridders. Maar alleen Galahad slaagde erin om hem te vinden. Omdat hij de meest zuivere van lichaam en geest was. Maar uiteindelijk werd het zijn dood.'

'Het is dus gevaarlijk?'

'Obsessies zijn altijd gevaarlijk. En deze haalde de beste ridders bij de Ronde Tafel vandaan.'

'En liet hem onverdedigd achter?'

'*Non*. Het ging niet zover dat het moraal afnam.'

'Bedoel je het moreel?'

'Nee. Het moraal. Het karakter van het koninkrijk. Maar vergeet niet: het is alleen maar een mooi sprookje, Robert.'

'Misschien. Maar mensen zoeken de graal nog steeds, nietwaar?'

'Ik zit ergens mee.' Robert keek me doordringend aan.

Dus ging ik op zijn opmerking in. Ik had mezelf tien minuten gegeven om het eten op tafel te zetten, maar het vlees had meer tijd nodig dan ik had verwacht. 'Waarmee?'

'Het is te koud in mijn kamer.'

Zoek dan een ander hotel. Heb ik mooi weer het rijk alleen. 'Kastelen werden vroeger in het algemeen voor verdedigingsdoelen gebouwd, en niet voor de warmte. Heb je al geprobeerd om wat dikkere kleren aan te trekken?'

'Ik meen het. Ik kan niet typen.'

Ik draaide mijn hoofd om en wierp een blik over mijn schouder. Het moet gezegd worden dat hij zich wel tegen de kou had gekleed. Hij droeg een leren broek en een dikke crèmekleurige schipperstrui. 'Heb je geprobeerd...?'

'Een haardvuur helpt niet. Als ik het rookkanaal openzet, trekt het alleen maar.'

Ik had geen tijd voor zijn geklaag. Ik probeerde of het vlees nu al gaar was. Bijna. 'Heb je zelf een oplossing in gedachten?'

'Kan ik hier beneden werken?'

De pan schoot uit mijn handen en landde met een klap op het fornuis. Gelukkig was hij niet op de grond gevallen. 'Hier?'

'Hier is het warm. Je hebt een stopcontact. Ik kan daar gaan zitten.' Hij wees naar mijn bureau. *Mijn* bureau. Hij was mijn huis binnengedrongen, had zich in mijn hoofd genesteld en had mijn hart gestolen. Nu wilde hij ook nog mijn bureau.

Er zijn grenzen.

'Robert, je kunt niet aan mijn bureau gaan zitten. Je kunt een tafel elders uit het huis halen en hier neerzetten, maar je mag niet aan mijn bureau gaan zitten.'

'Geweldig. Ik ga het meteen doen.' Ik kon me eindelijk even omdraaien en tegen hem praten, maar het enige wat ik zag was zijn rug terwijl hij naar boven liep.

Toen ik de volgende ochtend voor dag en dauw naar de keuken liep, zag ik dat Robert al hard aan het werk was. Hij zat in zijn zijden pyjama en ochtendjas aan de tafel die hij achter in de keuken had neergezet.

Lucy hief haar kop op toen ze me zag, zuchtte en liet hem weer op haar poten zakken.

'Is ze al uit geweest?'

'Ja.'

'Wanneer?'

'Om...' Hij zweeg even om op zijn horloge te kijken. 'Een uur geleden.'

'Zit je hier al sinds vier uur?'

'Ja.'

Hij had zich nog niet van zijn computer afgewend sinds ik de keuken binnen was gekomen.

'Espresso?'

'Nee, heb ik al op.'

O? Nou, fijn voor je.

Nadat ik mijn espresso had gemaakt, ging ik verder met de dagelijkse gang van zaken, rolde het deeg uit en vormde croissants. Om kwart over zes haalde ik ze uit de oven.

Ik zette Roberts standaardontbijt op een blad: een espresso, twee croissants en een potje *confiture.*

'Dank je.' Hij keek lang genoeg van de computer op om me een snelle glimlach te schenken. 'Ze praten tegen me, Freddie. Ik moet blijven typen.'

Twee weken later stond ik om half zes 's ochtends brood te bakken, maar Robert en Lucy waren nergens te bekennen. Het leek zelfs alsof ze die ochtend helemaal nog niet beneden waren geweest.

Nadat de zes stokbroden gevormd en gebakken waren, nam ik een pauze en een espresso. Terwijl mijn oog op de kalender boven mijn bureau viel, trof het me hoe snel november voorbij was gegaan. Het was al de vierentwintigste, Sainte-Flora, wat ik een vreemde naam voor deze datum vond. Als je besluit een dag naar een persoon met de naam Flora te vernoemen, waarom kies je dan niet voor een lentedag?

Plotseling liep er een rilling over mijn rug. Ik besloot naar boven te lopen en een trui te halen. Ik nam de centrale trap, omdat deze dichter bij mijn kamer uit kwam.

Toen ik weer terug liep, ging Roberts deur open. Iets in mij deed me mijn adem inhouden en me in de duisternis terugtrekken. Ik zag Sévérine uit zijn kamer glippen, gekleed in een zwart kanten niemendalletje, en de trap naar haar eigen kamer nemen.

Het voelde of er iemand met een moker op mijn hart geslagen had. O, wat was ik dom geweest. Ik stommelde de trap weer op naar mijn kamer en sprong onder de douche. Ik bleef net zolang onder de waterstraal staan tot het trillen was opgehouden.

Het kostte niet veel moeite te besluiten om aan Sévérine te melden dat ik ziek was. Ze wist genoeg van koken om de dagelijkse maaltijden bij elkaar te schrapen. Ik klopte op haar deur, riep dat ik ziek was en rende weer naar mijn eigen kamer voor ze de kans kreeg te antwoorden. Ik stapte in bed, met natte haren en al, en trok het donzen dekbed over mijn hoofd. Ik deed net of ik niets hoorde toen ze naar mijn kamer kwam en op de deur klopte.

Ik had het al die tijd geweten.

Robert was precies het type man dat ik niet vertrouwde. Mannen zijn zwak; daar heeft mijn moeder me altijd voor gewaarschuwd. Ze had gelijk.

Je suis bête. Wat een onnozel wicht was ik toch.

Tegen het einde van de dag bekroop me het idee om me de hele week ziek te melden. Ik merkte dat ik erg filosofisch werd. Het was niet zozeer dat ik het me aantrok dat Sévérine zijn minnares was; ik was vernederd omdat ik mezelf had toegestaan hem te vertrouwen.

In feite was ik zelfs blij dat ze elkaar gevonden hadden. Het was duidelijk dat Sévérine een vaderfiguur in haar leven nodig had. En Robert was precies geschikt voor die rol. Hij was oud genoeg. Hij was vijfenveertig.

En dat was het einde van mijn verliefdheid.

De volgende ochtend wilde ik eigenlijk in bed blijven, maar toen herinnerde ik me welke datum het was: 25 november, Sainte-Catherine. De dag van Sévérines *Catherinette.*

Wat een perfecte timing.

Een douche hielp nauwelijks om in de stemming te komen. Ik trok mijn dagelijkse kokskleding aan en haalde de kast overhoop om de hoed met strikjes onder de kin te vinden, die ik voor Sévérine had gekocht. Het was traditie dat een *Catherinette* er eentje kreeg... en normaalgesproken was zo'n hoed verschrikkelijk opgesmukt. Het exemplaar dat ik had gekocht, vormde daar geen uitzondering op.

Ik bond mijn haar in een paardenstaart, stapte in mijn schoenen en sjokte naar de keuken. Gelukkig was Robert er niet. Ik legde een paar brioches in de oven en maakte toen een schema voor de voorbereidingen van het diner.

Het enige wat ik voor de *foie gras* hoefde te doen, was een paar brioches roosteren en *gelée* bereiden. Dat was makkelijk.

De zeekreeft wilde ik pas op het laatste moment koken, hoewel de tagliatelle die ik erbij wilde serveren, wel iets meer voorbereiding nodig zou hebben.

De *croque-em-bouche*, het pronkstuk van de maaltijd, zou de meeste tijd kosten, dus besloot ik er direct na de lunch mee te beginnen.

Ik had nog geen enkel teken van Robert vernomen en hoewel ik bepaald niet stond te popelen om hem te zien, zette ik zijn ontbijtspullen op een blad en bracht het naar zijn kamer.

Toen ik de kamer binnen liep, keek hij met een glimlach op van het dichtknopen van zijn overhemd. Het leek erop dat hij net onder de douche vandaan was. 'Freddie, het boek schiet nu echt op! Wist je dat er een driehoeksverhouding in voorkomt?'

Tot gisteren niet.

Robert kraamde van alles uit over de graaf en zijn nicht en Alix, maar ik had geen belangstelling voor die arme Alix en haar driehoeksverhouding. Driehoeken leken niet langer zo symmetrisch.

'Voel je je weer wat beter?'

'Ja, veel beter. Ik ben zelfs plannen aan het maken voor een reisje naar Italië.' Ik zette het blad op een stoel, draaide me om en wilde weer vertrekken.

'Mag ik mee?'

Ik draaide me weer om en keek hem aan. 'Nee, jij zult bij je vrienden in Parijs op bezoek moeten.'

'Wat doet Sévérine als je weg bent?'

'Wat ze maar wil.' Ik kon bijna horen wat er in zijn geraffineerde gedachten omging. Mooie christen was hij. Ik was in de val gelopen. Ik kon niet in mijn eigen huis blijven, omdat ik het niet aankon hen samen te zien. Maar als ik wegging, wist ik niet of ik de gedachte kon verdragen dat zij hier samen waren, terwijl ik op een of ander beschaduwd terras in Sorrento aan een limoncello nipte.

Ik sloot mijn ogen. Wat zou het heerlijk zijn om op dit moment wat brooddeeg onder handen te hebben en me daarop af te reageren.

Robert kwam achter me staan en ik voelde zijn handen op mijn schouders toen hij ze begon te masseren. 'Je ziet er gespannen uit,' klonk zijn stem, dicht bij mijn oor.

Is het mogelijk dat je je aan de voeten van een man wilt werpen maar hem tegelijk het liefst iets zou willen aandoen?

Het diner was perfect gelukt. Ik zou normaalgesproken ook champagne hebben geschonken, maar Sévérine was de laatste tijd zo wispelturig, dat ik de avond niet wilde laten eindigen in een overdreven sentimentele huilbui van haar. En hoewel ik een informeel diner voor ogen had gehad, verschenen zowel Robert als Sévérine tot in de puntjes gekleed. Ze moesten op de een of andere manier iets met elkaar afgesproken hebben. Waarom zou Robert anders een smoking gedragen hebben en Sévérine een lange haute couture imitatie? Ik zou zelf nooit lichtgroen voor Sévérine gekozen hebben, maar de glans van de stof weerspiegelde in haar ogen en deed haar tanden nog witter lijken.

Mijn eigen outfit was traditioneler: ik droeg een erg mooie, gebleekte spijkerbroek en een eenvoudige, zelfs wat stijve, blauwe katoenen bloes. Ik had de mouwen omhoog gerold om er toch wat zwier aan te geven. Ik wilde eerst mijn haar los dragen tijdens het diner, maar toen ik bedacht dat Sévérine er altijd uitzag alsof ze uren met haar kapsel bezig was geweest, besloot ik mijn haar toch maar in een knot te laten.

Even overwoog ik om de hoed niet aan Sévérine te geven. Maar aan de andere kant, wat moest ik dan doen met dat afgrijselijke ding?

'Sévérine, ik heb een cadeau voor je.'

Zodra ze de hoedendoos zag, wist ze wat het was. 'Nee, Frédérique. Dat is niet nodig.'

O ja, dat is het wel.

'Robert, misschien kun jij de honneurs waarnemen terwijl ik de *foie gras* pak?'

'Natuurlijk.' Hij pakte de doos van me aan, deed het deksel open, haalde de hoed uit de doos en barstte in lachen uit.

Zelfs als ze het zou proberen, zou Sévérine geen lelijker gezicht hebben kunnen trekken als op dat moment.

'Is dit onderdeel van de traditie?' vroeg Robert onder het lachen door.

'Het is onderdeel van de traditie.'

Robert plantte de hoed op Sévérines hoofd en strikte ceremonieel de knalroze lintjes onder haar kin.

Ze trok een pruillip.

Ik keerde hun mijn rug toe en richtte mijn aandacht op het snijden van de *foie gras*. Toen ik me weer omdraaide, zat Sévérine aan een stuk door te giechelen en fluisterde Robert iets in haar oor.

Goed dan.

Op de een of andere manier verstreek de maaltijd. Ik kan me niet herinneren veel gezegd te hebben. Ik kan me zelfs niet herinneren hoe het eten smaakte, hoewel ik wel weet dat de *croque-em-bouche* er geweldig uitzag.

Toen Robert besloot dat Sévérine vijfentwintig kussen nodig had, excuseerde ik me en ging naar het toilet.

Toen ik terugkwam, was Robert de tafel aan het afruimen en maakte Sévérine de strik onder haar kin weer los. 'Dank je, Frédérique. Dat was erg aardig van je.'

'Graag gedaan.' Ik probeerde te glimlachen. Ik weet niet zeker of het ook lukte. Wat ik echt nodig had, was een poosje alleen in mijn keuken te zijn. 'Robert, Lucy ziet eruit alsof ze moet worden uitgelaten.'

Dat was echt zo. Ik loog niet.

'Als je geen hulp nodig hebt...'

'Nee. Ik red me wel. Gaan jij en Sévérine maar... nu ja, ga maar. Ik ruim wel op.'

Sévérine wachtte geen nieuwe zin meer af, maar liep regelrecht naar de trap en Robert liep met Lucy de achterdeur uit.

Het was het laatste wat ik die avond van hen zag.

17

Mijn vijftiende jaar
Jaar negenendertig van de regering van Karel VII, koning van Frankrijk

Paaszondag

Het is al drie maanden geleden dat mijn heer me heeft bezocht. Maar nadat hij me vanavond naar bed had gestuurd, vroeg hij, in plaats van de gordijnen dicht te trekken, of hij naast me op het bed mocht zitten in plaats van op de harde vloer. Ik kreeg een rode kleur, want nu ik erover nadacht, had ik dat zelf moeten aanbieden.

Ik moet leren een betere echtgenote te zijn. En ik weet ook hoe het moet, want ik heb de Heilige Schrift bestudeerd, zoals Agnès me had gevraagd. Nu moet ik het in de praktijk gaan brengen.

Hij zat een tijdje naast me, maar strekte zich toen uit in de lengte van het bed, met zijn hoofd aan het voeteneind. Hij leunde met zijn elleboog op het bed en liet zijn hoofd op zijn hand rusten terwijl hij me het volgende verhaal vertelde.

Er woonde in Bretagne een prins, met de naam Kulhwch, die verliefd was geworden op een dame, genaamd Olwen, de dochter van de reus Yspaddaden Penkawr. Olwens haar had precies dezelfde kleur als bezemkruid, vertelde mijn heer, net zoals bij mij. Haar ogen hadden de kleur van een duif, net als die van mij, en op haar wangen lag een strandkruidkleurige blos. De prins vroeg de reus om de hand van Olwen.

De reus stemde in, maar enkel onder de voorwaarde dat prins Kulhwch naar Ierland zou gaan, een koninkrijk aan de andere kant van de zee. Hij moest daar de graal voor hem halen, een grote ketel die op het huwelijksfeest gebruikt moest worden.

De graal had zo veel magie, dat hij nooit leeg raakte, ongeacht hoeveel mensen uit de ketel aten. Maar er kon geen eten van slechteriken in worden gekookt. En wanneer er dode ridders in de graal werden gegooid, waren ze de volgende dag weer levend, fitter dan ooit. Ze konden alleen niet meer praten.

De prins riep de hulp in van Arthur, koning van de Bretons. Omdat het een schande zou zijn deze roep om hulp te negeren, stuurde Arthur een boodschap naar Odgar mac Aedh, koning van Ierland, en vroeg hem om de graal.

Odgar droeg Diwrnach de Gael, de bewaker van de ketel, op om deze aan Arthur te geven.

Diwrnach deed God de belofte dat Arthur hem nooit zou krijgen.

Arthur verzamelde een groep ridders en zeilde met hen in zijn boot naar Ierland. Ze brachten een bezoek aan Diwrnach de Gael, die hun eten en onderdak aanbood. Arthur en de ridders gebruikten een maaltijd, sliepen daar en vroegen daarna Diwrnach om de ketel.

Diwrnach weigerde.

Lancelot du Lac nam Kaledvoulc'h, het zwaard van Arthur, en doodde Diwrnach de Gael. De graal werd aan Hywydd, de knecht van Arthur, in bewaring gegeven.

En hierna was het aan Hywydd om de bewaarder van de graal te zijn en het vuur onder de ketel aan te steken.

Ik vroeg mijn heer of ik net zo mooi was als Olwen.

Toen kwam hij overeind en ging naast me zitten. Hij pakte een haarlok, streelde hem en vertelde me dat ik nog veel mooier was.

Dit deed me genoegen.

Vier dagen voor Saint Barnabé

Een maand nadat mijn heer me een verhaal had verteld, kwam hij gisteravond weer naar me toe. Ik dacht terug aan Merlijn en vroeg mijn heer of deze tovenaar geen zoon of familie had.

Mijn heer vertelde dat Merlijn de zoon van een non en de duivel was. Dat hij geen familie had, maar de geliefde van de mooie Viviane was.

Het was Viviane die hem gevangen hield in negen lichtcirkels, onzichtbaar als lucht, maar sterker dan steen. Hij zwerft nog steeds door Brocéliande, hoewel hij zelden wordt gezien

Viviane ontmoette Merlijn bij de Fontaine de Barenton en betoverde hem bij de 'Bron van de eeuwige jeugd'. Ze gebruikte Merlijns eigen spreuken om hem weer jong te laten zijn.

Merlijn bouwde voor haar een kristallen fort op de bodem van het meer bij Concoret. Het water reflecteert bedrieglijk het Chateau de Comper. Mijn heer vertelde dat wanneer iemand in het meer springt en diep genoeg kan kijken, het fort van Viviane gezien kan worden.

Ik vroeg mijn heer me mee te nemen naar het meer en me te leren zwemmen.

Hij moest erg lachen om deze vraag en antwoordde toen dat meisjes niet zwemmen.

Ik antwoordde dat ik geen jong meisje was, maar een vrouw. En ook nog eens zijn echtgenote. Als hij kan zwemmen, weet ik zeker dat ik het ook kan leren. Ik heb twee armen en benen, net als hij.

Hij lachte nog harder, zijn hoofd schoot van zijn hand, op het bed.

Ik stapte uit bed, liep naar het voeteneind toe, waar hij lag, en tilde mijn nachtjapon op zodat hij kon zien wat voor stevige benen ik had.

Toen lachte hij niet meer.

Een dag voor Saint Jean-Baptiste

Mijn heer is voor twee weken naar Dinan vertrokken. Hij heeft Anne en mij achtergelaten. Ik heb geprobeerd Annes belangstelling voor boeken te wekken.

Ze zei dat ze hoofdpijn krijgt van lezen en haar ogen er moe van worden.

Ik vertelde haar over een Italiaanse uitvinding, waarbij glazen voor de ogen worden gehouden om beter te kunnen zien.

Ze dacht dat dit er vast lelijk uit moest zien, anders zou het wel mode zijn geworden, en dacht ook dat geen enkele man graag een vrouw zag die rode ogen van het lezen had.

Een dag voor Sainte Marie-Madeleine

Mijn heer heeft me een bezoek gebracht.

Ik vroeg hem om meer informatie over de ridders van Arthur en hoeveel er waren.

Mijn heer vertelde dat er driehonderdvijftig ridders waren. Wanneer ze feestvierden, zaten ze om een grote, ronde tafel, zodat niemand meer of minder dan de ander was. Het waren de sterkste en dapperste ridders van de wereld. Wanneer ze bij Arthur vandaan gingen om op avontuur te gaan, kwamen ze alleen bij hem terug wanneer ze veel overwinningen hadden behaald en veel roem hadden vergaard.

Toen Arthur ouder werd, begon hij bang te worden dat ze hun respect voor hem zouden gaan verliezen, omdat hij al heel veel jaren niet meer gevochten had. Hij besloot de ridders te laten zien dat hij nog steeds de sterkste en de dapperste was. Hij riep hen op tegen de Romeinen te gaan strijden.

Voor hij wegging, gaf hij zijn koninkrijk in bewaring bij zijn neef Mordred. Mordred was heer van Verre, waar het noch zomer noch winter was.

Toen Arthur de Romeinen naderde, kwam het leger hem tegemoet. De strijd duurde drie dagen. Aan het einde waren nog maar zeven ridders van Arthur in leven. De overigen van de driehonderdvijftig waren gedood. Maar toch lukte het Arthur de Romeinen terug te drijven. Op dat moment brachten boodschappers hem het nieuws dat Mordred Guinevere naar het rijk van Verre had ontvoerd, met haar was getrouwd en zichzelf tot koning van de twee Bretagnes had uitgeroepen.

Arthur liet de Romeinen achter en keerde terug naar Bretagne. Daar ontdekten hij en zijn ridders, dat Mordred een verbond gesloten had met de Saksen en een leger van vijftigduizend man aanvoerde. Er werd enorm gevochten en de zee kleurde rood van al het bloed.

De beslissende slag vond plaats in Camlann en was de bloedigste strijd die men ooit had meegemaakt. Er sneuvelde honderdduizend man. Van de zeven ridders die teruggekeerd waren van de strijd met de Romeinen, waren er nu nog maar drie in leven: Morvran ab Tegit, die zo lelijk was dat de mensen dachten dat hij de duivel was; Sanddey Bryd Angel, die zo mooi was, dat de mensen bang waren om hem aan te raken omdat ze dachten dat hij een engel was; en Glewlwyd Gavaelvawr, de ridder die als laatste Arthur in leven heeft gezien.

In het heetst van de strijd kwamen Arthur en Mordred tegenover elkaar te staan. Arthur drong met zijn lans, Rongomyant, de borst van Mordred binnen. Maar voor Mordred stierf, stak hij zijn zwaard in Arthurs zij.

Trouwe dienaren van Arthur droegen hem naar een kapel bij de zee.

Arthur vroeg of zijn dienaren hem wilden helpen de zee te bereiken. Toen trok hij zijn zwaard, nam er afscheid van en vroeg of iemand het in de zee wilde gooien.

De trouwe dienaren namen het zwaard aan en wierpen het in de zee. Op het moment waarop het zwaard het water raakte, verrees er een arm uit de zee die tot driemaal toe het zwaard ophief. Daarna werd het zwaard onder water getrokken.

Arthur nam afscheid van zijn trouwe dienaars en zei: 'Jullie kunnen niet verder met me mee, maar op een dag kom ik terug.'

De trouwe dienaren zeiden hun koning vaarwel, maar toen ze weggingen zagen ze vlak langs de kust een boot verschijnen, niet ver bij Arthur vandaan. In de boot zat de fee Morgan, de zus van Arthur, die, toen ze de koning zag, de boot verliet en hem aanraakte. Als genezen stond Arthur op en sprong in de boot.

De boot zeilde naar Avalon, waar Arthur nog steeds woont.

Ik vroeg mijn heer waarom ik nog niet eerder had gehoord over Morgan, Arthurs zus. Hij vertelde me dat de naam van Morgan met eerbied uitgesproken wordt. Ze is een genezeres, een profetes en een tovenares.

Het valt me op dat alle goede vrouwen mooi zijn, zoals Olwen en Guinevere.

Betekent dit dan dat Anne slecht is?

Dag van Saint Dominique

Ik zie dat de kooplieden bijna allemaal kinderen hebben. Het is mijn plicht als echtgenote mijn heer ook nazaten te schenken.

Ik vroeg Agnès hoe ik kinderen kan krijgen en ze antwoordde dat God soms langzaam werkt. Ze zei dat ik extra Ave Maria's moest bidden en dat God mijn gebeden zou verhoren. Ze zei er ook bij dat het zou helpen als mijn heer me vaker een bezoek bracht.

Dag van Saint Laurent

Ik heb besloten dat ik een mysteriespel in dichtvorm wil schrijven voor de Paasdienst van volgend jaar. Om te beginnen moet er een verhaal worden gekozen. Voor een mysteriespel is misschien iets van Bretagne, het leven van Saint Ivo of Saint Guénolé, een idee. Of iets meer stichtelijks: het leven van Jezus Christus. Als ik hard werk, en goed mijn best doe, lukt het me misschien wel duizend coupletten te schrijven.

Dag van Assomption

Ik heb mijn heer verteld wat ik wil proberen te maken: een mysteriespel met duizend verzen. Hij zei me dat de priester niet overtuigd is van het belang van mysteriespelen.

Maar ik hield mijn heer voor dat hij veel macht heeft, en waarom zou de priester niet naar de raad van een comte *luisteren?*

Mijn heer keek me aan, naar mijn idee op een schattende manier, en zei dat ik als een comtesse *begon te denken. Maar ook dat hij eerst het hele mysterie moest lezen voor hij zelfs maar een deel ervan bij de priester zou aanbevelen.*

Morgen begin ik eraan.

Dag na Assomption

Vandaag heb ik Saint Ivo voor mijn mysteriespel uitgekozen. Ik had eigenlijk het leven van Jezus Christus willen uitbeelden, maar toen realiseerde ik me dat de scène van de kruisiging net zo lang moet duren als het voor onze Heer, Christus, heeft geduurd. Als de priester niet overtuigd is van de waarde van een mysteriespel, dan is het misschien niet wijs om een spel te kiezen waar een hele dag vijftig boeren voor nodig zijn om het uit te beelden.

Nu moet ik mezelf verdiepen in het leven van Saint Ivo. Wie kan me beter het verhaal van deze heilige vertellen dan mijn heer? Hij kent zo veel verhalen, dat hij deze ongetwijfeld ook zal kennen.

Twee dagen na Assomption

Ik heb mijn heer gevraagd of hij vanavond naar mijn kamer wilde komen.

Hij antwoordde dat ik zeker moest weten of dit echt mijn verlangen was.

Ik antwoordde hem dat ik daar natuurlijk zeker van was.

Toen ik bij hem vandaan wilde lopen, bracht hij mijn hand naar zijn lippen en drukte er een kus op.

Toen hij kwam, zag hij me achter mijn schrijftafel zitten. Hij zei toen dat hij had gedacht naar de kamer van mijn hart te komen in plaats van naar de kamer van mijn hoofd.

Bij deze opmerking draaide ik me om en keek naar hem. Hij droeg een heel mooi bloedrood, fluwelen kostuum, wat me te warm leek voor het weer, maar het stond hem prachtig. Ik was bang dat ik hem van een of andere belangrijke afspraak had weggehouden. Ik bood hem mijn verontschuldigingen aan en vertelde waarom ik hem had gevraagd naar mijn kamer te komen: dat ik meer moest weten over het leven van Saint Ivo voor ik het mysteriespel kon schrijven.

Op dat moment was het net of alle lucht uit hem werd weggezogen. Met opeengeklemde kaken nam hij de buitenste houppelande van zijn schouders, hing hem om mijn stoel, ging op bed liggen en stak van wal.

Saint Ivo, patroonheilige van Bretagne, en ook advocaat van de armen, werd geboren in Kermartin, nabij Tréguier. Hij was de zoon van een edelman. Als jonge man vertrok hij naar Parijs om de kerkelijke wetten te bestuderen. Daarna ging hij naar Orléans om de wetten van de staat te bestuderen. Al die tijd dronk hij geen wijn, at geen vlees, en leefde vaak alleen op brood en water. Hij droeg regelmatig een haren hemd en sliep minder dan hij zou willen.

Eenmaal terug in Bretagne, werd hij kerkelijk rechter, eerst in Rennes en later in zijn eigen stad Tréguier. Daar zocht hij recht voor hen die dat niet konden vinden. Hij stond bekend als een eerlijke advocaat. Hij weigerde steekpenningen. Hij probeerde buiten het gerechtshof zaken af te wikkelen zodat de boeren niet hoefden te betalen. En als ze moesten betalen, gaf Saint Ivo zelf het geld aan hen. Hij verdedigde de armen en zocht hen op in de gevangenis. Hij verzette zich tegen oneerlijke belastingen en gaf veel van zijn verdiensten aan de armen. Zelfs degenen die hij moest veroordelen, kwamen later bij hem terug en bedankten hem voor zijn oordeel.

Daarna werd hij priester om in Lovannec te preken. Daar bouwde hij op eigen kosten een ziekenhuis en zorgde zelf voor de zieken die arm waren. Hij gaf zijn eigen kleren weg aan mensen die zelf geen kleren hadden, en zijn bed aan hen die op de grond moesten slapen. Wanneer er geoogst werd, gaf hij de hele opbrengst van zijn land aan anderen.

De wonderen van Saint Ivo waren vele volgens mijn heer. Maar deze voltrokken zich niet tijdens zijn leven, maar na zijn dood. Een van die wonderen betrof een zieke man die in een put viel, Saint Ivo aanriep voor hulp en noch verdronk, noch weggezogen werd.

Een man die veroordeeld was tot de galg, beloofde plechtig aan Saint Ivo dat hij diens graf zou bezoeken als hij gered werd van de dood. De man werd opgehangen, maar bleef in leven. Tot drie keer toe hingen ze de man op, zonder dat de dood intrad.

Een man die over een brug reed, viel met zijn zwarte paard in de rivier, op zo'n diepe plek dat ze niet op de bodem konden staan. Terwijl ze in het water spartelden, schoot de leren tas met belangrijke documenten los van het paard en zonk. Hun verdrinkingsdood leek onvermijdelijk, maar de man riep Saint Ivo aan voor hulp, waarop het paard vanuit het water het land op sprong. De man zag hoe ook zijn tas boven kwam drijven. Toen de man de tas uit het water haalde en hem opende, ontdekte hij dat de papieren niet eens nat geworden waren.

Op een dag werden een ridder en vijftien andere mensen, toen ze met een boot naar het eiland Teven onderweg waren, overvallen door een storm waarbij acht roeispanen braken en hun boot vol water liep. In hun angst om te verdrinken, baden ze tot Saint Ivo om hulp. Hun boot, nog steeds vol water, werd naar het vasteland geduwd, precies naar de plaats waar ze vertrokken waren.

Toen zweeg mijn heer en ik vroeg hem of dit alles was.

Hij antwoordde dat het minstens drie dagen zou kosten om alle wonderen te vertellen.

Dus begon ik deze vier vast op te schrijven. Het meest prijzenswaardige vind ik niet de wonderen en ook niet het feit dat Saint Ivo zijn werk als advocaat neerlegde om de armen bij te staan, maar dat hij vanaf het begin eerlijk de wet naleefde.

Terwijl ik nog aan het schrijven was, was mijn heer in slaap gevallen. Ik moest hem porren en prikken om hem wakker te krijgen, maar nu hij weg is, kan ik misschien mijn schrijfwerk afmaken.

18

Vier dagen voor Saint Etienne

Ik verbaas me over de inspanning die het schrijven van een mysteriespel kost. Omdat ik gewend was aan het vertalen van teksten en het schrijven in mijn dagboek, had ik niet verwacht dat verzen schrijven zo moeilijk zou zijn. Ik heb er nog maar tien. Ik kom er negenhonderdnegentig te kort. Ik kan natuurlijk stoppen met het schrijven en gaan lezen. Niemand zou weten wat ik niet heb gedaan. Maar toen hield ik mezelf voor dat ik mijn heer heb verteld wat ik wilde gaan doen. Ik moet deze taak dus tot een goed einde brengen. En op tijd klaar zijn, zodat de boeren de gelegenheid hebben om hun verzen te leren.

Twee dagen na Saint Michel

Vandaag het ik niets anders gedaan dan geschreven en toch maar twintig verzen aan het magere totaal weten toe te voegen.

Vier dagen na Saint Dynys

Mijn heer heeft me vanavond een bezoek gebracht. Hij trof me aan achter mijn schrijftafel. Ik ben nu bij vers honderd, maar dat is niet genoeg. Mijn heer vroeg me wat ik aan het schrijven was.

Ik herinnerde hem aan mijn mysteriespel.

Hij vroeg me of ik de verzen aan hem wilde voorlezen.

Ik beefde van spanning hoe hij ze zou vinden; ik vind ze zelf maar pover. Maar hij zou ze met Pasen toch ook te horen krijgen.

Hij onderbrak me tijdens het vijfde vers en vroeg wie mij had verteld dat Saint Ivo een haren hemd had gedragen.

Ik herinnerde hem eraan dat hij dit had verteld. Nog geen twee maanden geleden.

Hij gaf me opdracht verder te lezen, maar onderbrak me tijdens het veertiende vers en vroeg hoe ik erbij kwam dat de personen die Saint Ivo had veroordeeld hem later kwamen bedanken.

Opnieuw herinnerde ik hem eraan dat hij me dit zelf had verteld.

Hij droeg me op verder te lezen, maar onderbrak me tijdens het zeventiende vers om op te merken dat het niet zeker is dat er maar drie keer is geprobeerd de man op te hangen die ter dood veroordeeld was.

Ik vroeg hem of hij me het verhaal dan onjuist had verteld.

Hij antwoordde dat verhalen veranderen. Het maakt geen verschil of men drie keer of twaalf keer geprobeerd heeft de man aan de galg te doden. Hij legde uit dat ik probeerde een legende in geschiedenis te veranderen en dat je om een mysteriespel te schrijven het mysterie aan moet houden en niet de waarheid.

Dus vroeg ik hem of er ooit wel echt een Saint Ivo had bestaan.

Hij antwoordde dat dit zeker het geval was. Maar misschien was het paard van de man die de rivier overstak, niet zwart maar wit. Misschien waren er zes roeispanen gebroken in plaats van acht. Maar het gaat niet om de details van het wonder, het gaat erom dat het wonder zich heeft voorgedaan en er getuigen van waren.

Terwijl ik naar mijn verzen keek, bedacht ik dat ik wel een uur lang naar een goed rijmwoord voor zwart had gezocht. En ook een hele dag had zitten broeden op de zinnen: 'de mannen roeiden uit alle macht, maar de spanen braken - alle acht, waardoor de boot niet langer te besturen was, ach, het einde van hun leven naderde alras.' Ik keek op van mijn papieren en zag dat mijn heer niet meer op mijn bed lag, maar achter me was gaan staan.

Hij zei dat ik te ernstig was geworden. Dat het plezier van een verhaal in het navertellen ligt, in de klank van de woorden, niet in de details. Hij vertelde me dat ik het verhaal moest aanpassen aan het vers, en niet het vers aan het verhaal.

Dat leek me bedrog, maar hij vroeg me het een week te proberen en daarna te vergelijken met de resultaten van nu.

Ik stemde in.

Twee dagen na Saint Malo

Mijn heer heeft me vanavond weer een bezoek gebracht. Hij vroeg me hoeveel verzen ik had geschreven.

'Vierhonderdnegenenzeventig,' zei ik, nu de waarheid er toch niet toe doet. Hij keek erg vergenoegd, maar ik vertelde hem dat dit inclusief de eerste honderd verzen is, die ik herschreven heb.

Ik vroeg hem of ik bij het navertellen van het verhaal dat hij me had verteld, koning Arthur honderd ridders om zijn ronde tafel kon geven in plaats van de genoemde driehonderdvijftig.

Hij antwoordde dat de koning vandaag misschien zelfs maar twaalf ridders had.

Ik vroeg hem of er deze dag in het navertellen van het verhaal over Arthurs strijd tegen de Saksen, misschien zestigduizend Saksen konden zijn in plaats van vijftigduizend.

Hij antwoordde dat het er vandaag zelfs wel honderdduizend konden zijn.

Ik vroeg hem of Guinevere, in het navertellen van het verhaal dat ze koning Arthur genas, ook lelijk kon zijn in plaats van mooi.

Maar toen zei hij dat sommige elementen van een verhaal nooit veranderd mogen worden. En dat Guinevere altijd mooi moet zijn. Dat een schoonheid als die van haar en die van mij een vast gegeven moet blijven, ongeacht wie het verhaal verder vertelt.

Kerst

We zijn vanavond naar de mis geweest. Anne was bang onderweg en zei dat ze de deur niet open had gelaten.

Ik legde haar uit dat dit niets gaf, dat het enkel bijgeloof is. Evenals de geesten, de dieren die praten en de bloemen die om middernacht bloeien.

Ik kon zien dat ze me niet geloofde, maar angstig bleef.

Dag van het nieuwe jaar

Behalve Kerst is de hele maand in een mist aan me voorbijge-

gaan. Ik moet gegeten hebben, want ik ben niet flauwgevallen; ik moet geslapen hebben, want ik lijd niet aan slapeloosheid, maar ik herinner me alleen dat ik niets anders deed dan schrijven en nog eens schrijven. Vandaag heb ik het mysteriespel afgerond. Ik denk dat er een paar prachtige verzen bij zitten, maar er zitten ook echt saaie verzen bij. En ik denk dat als Saint Ivo het zou horen, hij niet eens het onderwerp van het mysteriespel zou herkennen. Ik geef het aan mijn heer en hij zal besluiten of het aan de priester gegeven moet worden.

Een dag na Driekoningen

Mijn heer heeft me vanavond een bezoek gebracht en had het mysteriespel bij zich. Hij vertelde me een verhaal over ik-weet-niet-meer-wie en ik-weet-niet-meer-wat. Ik kon me niet concentreren op de woorden van het verhaal. Ik wilde alleen maar weten wat mijn heer van het mysteriespel dacht.

Toen vroeg hij me welke dingen ik van zijn verhaal kon navertellen.

Ik vertelde hem dat ik het niet voor hem kon navertellen nu ik wist dat hij toch niet het ware verhaal had verteld, en dat het in werkelijkheid wel eens heel anders gebeurd zou kunnen zijn.

Hierna stond hij op van het bed, met mijn mysteriespel in zijn hand, maar ik rende naar zijn kant en smeekte hem te blijven en me te vertellen wat hij van het mysteriespel dacht.

Hij zei dat hij het erg goed vond en dat ik alles welbeschouwd misschien toch een echte Breton van mezelf wist te maken.

Ik vroeg hem of hij het aan de priester zou laten lezen.

Hij antwoordde dat hij dat zou doen. Als ik met hem meeging.

We spraken af morgen te gaan.

Twee dagen na Driekoningen

Vandaag ben ik met mijn heer naar de priester gegaan om het mysteriespel te geven.

Mijn heer legde hem uit dat ik het had geschreven in de hoop dat het spel met Pasen opgevoerd kon worden.

De priester heeft beloofd het te lezen.

Vier dagen voor Sainte Agnès

Vandaag ben ik met mijn heer naar de priester gegaan om te vragen wat hij van het mysteriespel vond.

Het lag in wanorde op zijn schrijftafel, de vellen zaten helemaal onder de spetters van het kaarsenvet.

Hij liet zich eerst kleinerend over de verzen uit; ze zouden te modern zijn en het leven van Saint Ivo zou als een romance zijn geportretteerd.

Mijn heer herinnerde hem eraan dat een mysteriespel een vorm van drama is en het af en toe wat overdadig moet zijn om zo de emoties uit te drukken.

De priester merkte toen op dat het spel te lang is, dat de boeren zouden slapen voor het einde van het mysterie in zicht was.

Mijn heer antwoordde toen dat in veel dorpen het hele leven van Christus wordt nagespeeld, wat meer dan een dag in beslag neemt, en daar nooit klachten over zijn.

Uiteindelijk zei de priester dat hij geen werk van een vrouw kon aannemen. Dat mysteries van de geest beter door mannen uitgewerkt konden worden.

Ik zag de kaak van mijn heer verstrakken en was bang voor wat hij zou gaan zeggen, maar hij zei juist helemaal niets, en hield alleen zijn handen op voor de vellen.

De priester raapte ze bijeen en overhandigde ze aan mijn heer.

Bij ons vertrek zei mijn heer tegen hem dat het hem speet dat het mysteriespel niet aanvaard was, omdat hij, mijn heer, het zelf had geschreven. Dat hij bang geweest was dat de verzen niet goed waren en ik ermee had ingestemd te zeggen dat ik ze geschreven had.

Toen de priester dit hoorde, pakte hij de vellen weer uit handen van mijn heer, drukte ze tegen zijn borst en roemde de lieflijkheid. De perfectie. De vorm.

Mijn heer legde een hand op mijn arm om me tegen te houden te vertrekken tot de priester had ingestemd vijftig personen te kiezen die het spel met Pasen konden opvoeren.

Op de terugweg vroeg mijn heer mij vergiffenis dat hij gezegd dat hij het mysteriespel geschreven had.

Ik antwoordde dat ik begreep waarom hij dat had gedaan en bedankte hem. Want als hij niet had gezegd dat hij de verzen had geschreven, zou het mysteriespel nooit zijn gehoord of gezien. Door niemand.

Hij herinnerde me eraan dat in alle gevallen niet de mens maar God de eer van zo'n werk toekomt.

Dit weet ik, en dit was ook mijn bedoeling, maar het maakt de belediging er niet minder om.

Décembre

Après Noël, brise nouvelle.

December

Als de kerstdagen zijn verstreken,
voel je een nieuwe bries opsteken.

19

Robert begon over de inhoud van Alix' dagboeken tegen mij. Ik had ze zelf nog niet gelezen, maar blijkbaar was Alix, als Sévérines vertaling klopte, de eerste drie jaar van haar huwelijk behoorlijk verwaarloosd als echtgenote.

'Ze werd niet slecht behandeld,' Robert legde zijn vork met *joue de lotte* vis neer en boog naar me toe om het punt te benadrukken, 'maar wel verwaarloosd. Haar man heeft het huwelijk zelfs niet geconsummeerd.'

Ik toverde op mijn gezicht de gepaste blik van ontzetting die Robert leek te verwachten. Persoonlijk stond ik helemaal aan de kant van Alix' echtgenoot. Ze trouwden toen zij dertien en hij dertig was.

Terwijl ik me probeerde te concentreren op wat Robert zei, werden mijn gedachten van de barbaarsheid van de middeleeuwen losgerukt. Ik betrapte mezelf erop dat ik naar de lichte slag in zijn haar zat te kijken en me afvroeg of Sévérine het fijn vond om met haar vingers door zijn haar te strijken.

'En toen begon haar lichaam zich te ontwikkelen.'

Mannen! Het draaide altijd om het uiterlijk bij hen. Natuurlijk had de echtgenoot van Alix geen belangstelling voor haar gehad. In ieder geval niet voor ze rondere vormen en de aantrekkelijkheid van een volwassene kreeg. Mannen zijn zwijnen. Ik keek naar de lage hals van mijn hyacintblauwe bloes en zorgde ervoor dat hij niet te veel inkijk gaf.

Toen ik weer opkeek, ontdekte ik dat Roberts blik naar hetzelfde punt was gedwaald.

Hij had het fatsoen om schuldig te kijken en nam nog een slok wijn.

Terwijl ik mijn best deed om me niet beschaamd te voelen door zijn overtreding, dacht ik over zijn woorden na. 'Dus ze kreeg vrouwelijke vormen. Zoals de meeste meisjes. Wat was de aanleiding dat hij dit opmerkte?'

'Ze werd voor zijn nicht aangezien. Een oudere man, een graaf, probeerde haar te versieren. Later op die avond realiseerde haar man zich dat geen van de gasten haar als zijn vrouw behandelde; het was zijn nicht Anne die op die manier behandeld werd. Hij werd boos en herinnerde de gasten eraan dat Alix zijn echtgenote was. Zijn dame.'

'Waarom zou hij daar boos om zijn geworden? Als hij geen aandacht aan haar besteedde, waarom zou het hem dan iets kunnen schelen dat anderen dat ook niet deden? Dat zou je totaal niet verwachten. Je kunt hem toch moeilijk als een jaloerse echtgenoot portretteren.'

'Hij was niet jaloers. Hij maakte Alix tot een speler. In de middeleeuwen bestonden er zeer uiteenlopende opvattingen over de liefde. Bovendien waren er vreemde gedragsregels voor geliefden bepaald.' Zonder te haperen noemde hij er een aantal op. Hij had echt een fenomenaal geheugen. 'Regels als: hij, die niet jaloers is, is niet verliefd. Een man kan zijn hart niet aan twee vrouwen tegelijk schenken. Niemand mag zonder reden van een geliefde worden beroofd. Liefde is niet hebzuchtig. Een nieuwe liefde jaagt de oude weg. Wanneer de liefde eenmaal afgenomen en verdwenen is, kan ze niet terugkeren. Jaloezie doet de liefde groeien. Gekweld door de liefde, eet en slaapt de minnaar nauwelijks. De volmaakte minnaar houdt alleen van dat wat zijn geliefde behaagt. Het kleinste beetje argwaan stookt de minnaar op om het ergste van zijn geliefde te denken. Liefde is onvermijdelijk overspelig. En vooral: de dame van het kasteel hoort door de ridders als de volmaakte vrouw geadoreerd te worden.’

‘Dus door Alix zijn dame te noemen, verplaatste Awen de aandacht van zijn ridders van Anne naar zijn vrouw.’

‘Precies.’

‘Maar deed hij dat omdat hij Annes aandacht voor zichzelf wilde of omdat hij op Alix gesteld begon te raken?’

‘Hij begon haar in ieder geval te respecteren. Misschien besefte hij gewoon dat Alix recht had op de aandacht van de ridders.’

Een van de regels die hij net had opgenoemd, had mijn aandacht getrokken. ‘Waarom werd er verondersteld dat liefde overspelig was?’

‘Dat was het niet altijd. Niet in de lagere klassen. Plattelandsvrouwen hadden veel meer vrijheid om te trouwen met wie ze wilden. Maar de vrouwen uit de betere kringen werden als bezit beschouwd. Er werd over hen onderhandeld en ze werden uitgehuwelijkt. Hun hart werd buiten beschouwing gelaten. Een huwelijk was gericht op bezittingen, liefde op het hart… en trouw van het hart werd nooit als onderdeel van een huwelijkscontract beschouwd.’

‘Handig. En Alix schreef zelf dat ze een vrouw geworden was?’

Robert knikte. ‘En gezien de daden van haar man, begon hij het eindelijk op te merken. Mijn probleem is alleen dat ik maar niet kan geloven dat ze echt niet wist van wat er tussen Anne en Awen gaande was.’

‘Hoe had ze dat moeten weten?’

‘Kom op, Freddie, die twee brachten zo veel tijd met elkaar door! Dat schreef Alix zelf. Hoe kon ze het niet weten?’

Ik haalde mijn schouders op. ‘Wie moest het haar vertellen?’

‘Agnès.’

‘Haar kamenierster moest haar vertellen dat haar man haar bedriegt? Dat lijkt me niet.’

'Het is niet normaal om zo naïef te zijn. Bovendien, een huwelijk wordt pas echt legaal als het geconsummeerd is. Alleen al vanwege het feit dat dit niet was gebeurd, had Alix haar huwelijk nietig kunnen laten verklaren.'

Daar dacht ik even over na. 'Nou, uit wat je me hebt verteld, kan ik niet anders dan de conclusie trekken dat haar vader haar niet over alle facetten van het leven heeft ingelicht. Waarschijnlijk nam hij aan dat zijn vrouw dat zou doen. Maar je zei dat Alix niet zo'n nauwe band had met haar stiefmoeder. Die stiefmoeder nam dus waarschijnlijk aan dat Agnès Alix zou voorlichten, maar in die tijd was je er nooit zeker van of het brengen van deze boodschap je in dank zou worden afgenomen. Bovendien zou het vernederend zijn als Agnès het haar vertelde. De enige mogelijke persoon die Alix had kunnen voorlichten, was haar echtgenoot. En hij hield zijn mond.'

'Alsof het zo'n groot geheim is.'

'Wel voor een dertienjarig meisje uit de hogere klasse in de middeleeuwen.'

'Ze was zestien op dat moment.'

'Mannen experimenteren meer. Ik was nog maagd toen ik met Peter trouwde en...'

'Was je maagd?'

'Ja.'

'Je bedoelt dat jullie nog geen gemeenschap met elkaar hadden gehad? Zelfs niet toen jullie verloofd waren?'

'Dat is toch de definitie van een maagd, of niet?'

'Zelfs niet...'

'Nee.'

Zijn vingers speelden met de kraag van zijn polotrui. 'Waarom niet?'

'Weet je, Robert, een ongetrouwde vrouw hoort nog maagd te zijn. Bovendien, ik ben niet een van jouw actrices of modellen.'

Hij moest gezien hebben hoe ik me ergerde, want hij liet het onderwerp rusten, al keek hij me wel even vanonder zijn wenkbrauwen veelbetekenend aan.

Ik negeerde hem en ging verder met mijn argumentatie. 'Dus, ja, het is goed mogelijk dat Alix van toeten noch blazen wist.'

Na afgeruimd te hebben, haalde ik de *crème caramels* uit de koelkast. Het nagerecht was een custardvla, een typisch gerecht dat een Franse oma in de jaren vijftig geserveerd zou kunnen hebben. Het stelde weinig voor, maar soms hunker ik naar eenvoudig voedsel van eigen bodem.

Ik zette een schaaltje voor Robert neer en ook een voor mezelf, en draaide me om naar het espressoapparaat.

'Dus Peter is de enige man met wie je ooit intiem bent geweest?'

Ik draaide me naar hem om, met een hand in mijn zij. 'En sinds wanneer gaat jou dat iets aan?' Ja. Peter was de enige man met wie ik ooit intiem was geweest.

'Sorry. Ik wilde niet nieuwsgierig zijn. Het is alleen zo interessant.' Daar gingen zijn vingers weer, naar de kraag van zijn trui.

'Bedoel je niet ouderwets?'

'Nee, ik bedoel interessant. Ik heb nog nooit iemand zoals jij ontmoet.'

'Expositiestuk drie – een maagd in haar natuurlijke omgeving.'

'Steek de draak niet met jezelf.'

'Robert, genoeg nu.'

'Goed. Prima.' Hij hief zijn handen op in overgave, pakte zijn lepel op en zette hem in het nagerecht.

De volgende ochtend bracht ik Robert zijn ontbijt, op de manier zoals ik meestal doe. Ik liet een klontje suiker in zijn espresso vallen en overhandigde hem het kopje. Hij nam het aan, zette het neer en legde een hand op mijn arm.

'Freddie, heb ik iets gedaan waardoor je boos op me bent?'

Hij had geen idee. Als hij zijn espresso niet veilig aan de andere kant van de tafel had neergezet, zou ik het kopje over zijn hoofd hebben leeggegoten.

Het viel niet mee te glimlachen. 'Waarom vraag je dat?'

'Je bent de laatste tijd... ik weet het niet, je bent gewoon jezelf niet. Ik mis de tijd die we samen doorbrachten. Ik mis jou.'

Vind je het zelf niet een beetje raar dat je dit zegt, terwijl je met Sévérine de nacht doorbrengt? 'Ik heb andere dingen aan mijn hoofd gehad.'

'Weet je het zeker? Als er iets is...?'

Nou, nu je het zegt, kun je misschien met je handen van Sévérine afblijven? Het probleem is echter dat ik nooit zeg wat ik denk. 'Nee, er is niets.'

Dat weekend kregen we gasten. Vrienden van Robert, onder het motto: *Help Freddie uit haar winterdip.* Toen ze in een limousine aan kwamen en ik de chauffeur hen zag helpen met het uitstappen, moeten mijn ogen uit mijn kassen zijn gepuild.

Robert was al halverwege de deur en had zijn hand groetend naar hen opgestoken, toen ik hem bij zijn overhemd greep en hem naar me toe trok.

'Je had me wel eens mogen waarschuwen.'

'Waarvoor?'

Als blikken konden doden, zou Robert direct op dat moment zijn neergevallen en door vieren zijn gedeeld.

'Voor het buigen en knippen dat ik zal moeten doen. Ik zou nee hebben gezegd.'

'Dan zou je de mogelijkheid hebben misgelopen om een

paar zeer charmante mensen te leren kennen.' Roberts ogen schoten van mij naar het stel dat nu de trappen op kwam. Hij stak groetend een hand naar hen op.

'Jij bent een Amerikaan. Jouw ongemanierde gedrag wordt je wel vergeven,' fluisterde ik. 'Ik moet hier wonen. Weet je ook maar iets van het geldende protocol voor de ontvangst van iemand van koninklijke bloede?'

Robert rolde met zijn ogen, negeerde mijn bezwaren, en stak zijn hand uit naar de gasten die nu de voordeur hadden bereikt.

Terwijl ze op de Europese wijze elkaar ter begroeting kusten, vloog ik naar de keuken en bladerde snel door mijn etiquetteboek.

Even later dook Robert achter me op. Hij trok het boek uit mijn handen, sloeg het dicht en zette het terug op de boekenplank. 'Luister. Het stelt niets voor. Ze verwachten echt geen "Uwe Hoogheid". Ze zijn gewoon een weekendje uit.'

Ik probeerde snel het boek weer te pakken, maar hij was me te vlug af en blokkeerde de weg. Hij legde zijn handen om mijn bovenarmen. 'Behandel hen dit weekend gewoon als Carl en Fran.'

'Toen je hun reservering boekte, zei je dat het Carlos en Maria waren.'

Hij liet me los en gooide zijn handen in de lucht. 'Vergeef me. Vorige maand was het Maria. Deze maand is het Francesca. Volgende maand zal het weer iemand anders zijn. Het doet er niet toe. Hij is hier alleen maar omdat ik hem heb verteld dat hij hier geen lijfwacht nodig heeft en dat ze niet met het grote publiek in aanraking komen. Dus zorg ervoor dat ik geen spijt krijg van mijn aanbeveling.'

'Ik ga me niet anders gedragen.'

'Prima.'

'Ik ga ook niet het menu veranderen.'

'Goed.'

'Ik ga niet buigen of iemands hand kussen. Dat is niet democratisch.'

Robert nam niet eens de moeite om te antwoorden. Hij duwde me gewoon opzij en liep naar de trap.

Carl en Fran bleken zeer aangename gasten te zijn. Dit kwam vooral omdat ik de bediening aan Sévérine overliet. Zoals de meeste Franse vrouwen die ik heb ontmoet, leek ze intuïtief te weten hoe ze met mensen uit alle mogelijke klassen om moest gaan.

'Wist je dat zij de *Princesse de Kohn-Bavarie* is?' vroeg ze terwijl ze wachtte tot ik een dienblad met ontbijt had klaargemaakt.

'Ik had geen idee.'

'En hij is een kroonprins.'

'Dat wist ik.'

Ik keek over het keukeneiland heen en zag Sévérine op een stoel met een glimlach om haar lippen in het ledige zitten te staren. Ze beleefde vast opnieuw die kindersprookjes die haar vader haar had verteld.

O-o. Carlos was een prachtexemplaar van de menselijke soort, maar beslist niet het soort dat zomaar te verkrijgen was. Ik bukte en pakte een snijplank uit een kast. Ik legde hem voor Sévérine neer, gaf haar een mes en een bergje champignons en droeg haar op die te hakken.

'Nu?'

'Nu.'

'Maar dan worden ze bruin.'

'Dat maakt niet uit. Ze zijn voor een saus die ik vandaag ga maken.'

Ze slaakte een protesterende zucht, maar pakte toch het mes op en begon te hakken. Ze fleurde op toen ze even later Lucy de trap af hoorde komen. Waar Lucy was, kon Robert niet ver vandaan zijn.

'Mag ik een espresso?' vroeg hij me toen hij in de keuken stond.

'Help jezelf.' Ik had die ochtend geen tijd om hem persoonlijk te bedienen. En mocht hij op het idee komen om te gaan klagen, dan zou ik hem eraan herinneren dat het verblijf van Carl en Fran aan hem te danken was.

'Ook eentje?'

'Nee, dank je.'

'Sévérine?'

'*Non, merci.*'

Sévérine klonk verdacht dromerig. Ik had haar nog nooit eerder zo gezien en het had de potentie om een smet op mijn reputatie als hotelhouder te werpen. Ze mocht de hele dag met mijn gasten flirten, zolang het maar beroepsmatig was. Maar verliefd worden? Natuurlijk was niet iedereen van adellijke bloede zo'n mispunt als haar vader. Maar dan nog...

'Robert, vertel Sévérine alsjeblieft wat voor rat jouw vriendje Carl is.'

'Rat?'

'Losbol. Don Juan.'

'Hij wisselt regelmatig van vriendin, maar in zijn kringen is dat niet ongebruikelijk.' Robert keek me verbaasd aan.

'Iedere maand een nieuwe vriendin? Je zou denken dat hij alle geschikte kandidaten onderhand wel heeft gehad.'

'Hij is een kroonprins, Frédérique.' Sévérine had net zo'n blik als Robert. 'Dat is normaal.'

'Normaal? Ik vind het juist abnormaal.'

'Dat mag je denken, en je zult vast niet de enige zijn die dat vindt, maar naar zijn idee heeft hij alleen maar plezier. Op een gegeven moment zal papa zich laten gelden en hem met een of andere geschikte vrouw laten trouwen. Afgezien van zijn moraal, is het een prima vent. Zelfs erg slim.'

'En op een dag zal hij koning zijn.' Sévérine legde haar mes neer en schoof de snijplank zo wild opzij dat er een paar champignons op de grond tuimelden.

Lucy gromde naar Sévérine en maakte een snuivend geluid voor ze besloot dat ze haar energie niet waard was.

O nee. Sévérine had die blik weer in haar ogen.

Ik probeerde haar af te leiden. 'Wat voor soort koning?'

'Dat maakt niet uit. Er zijn veel soorten koningen geweest. Ze hebben allemaal hun bijdrage aan de geschiedenis geleverd. Het enige wat er toe doet, is dat hij koning is. En dat hij een koningin zal gaan kiezen.'

Ik rolde met mijn ogen en keek naar Robert voor bijval. Hij zag toch zeker ook wel dat Sévérine dringend met beide benen op de grond terug moest komen?

'Nu ja, je kunt wel stellen dat hij druk aan het zoeken is.' Robert dronk zijn kopje leeg en liep met soepele stappen met Lucy naar buiten. Lekkere hulp was hij.

'Niet iedereen kan Arthur en Guinevere zijn.'

De ogen die in de mijne keken, glinsterden. 'En waarom denk je dat ik zo hard op zoek ben naar...' Ze deed haar schort af, legde het opgevouwen op het werkblad en liep de keuken uit. En zo was ik weer alleen. Ik vroeg me af waarom onbeschoft gedrag van iemand van koninklijken bloede door de vingers werd gezien en waar Sévérine zo hard naar op zoek was. Liefde? Aanvaarding? Wat kon het anders zijn? Alix' dagboeken waren al gevonden.

Sévérine serveerde die avond het diner. Ik gaf Carl en Fran eerst een *pinot gris* en een zalmmousse, geserveerd met dragonsaus, gevolgd door varkensvlees met kiwi en uiensaus, en limoen-roomtaart als dessert.

Robert, Sévérine en ik aten gestoofd rundvlees. Er zijn momenten dat ik het nodig heb het voedsel te eten waarmee ik ben opgegroeid. Dit was zo'n moment.

Voor Roberts kieskeurige smaakpapillen had ik bij ons stokbrood ook een royale selectie kaas geserveerd.

'Heerlijk, Freddie. Wat is het dessert?'

'Wat zou je doen voor een echte brownie?'

'Bijna alles wat je maar van me wilt.' Hij sloeg een hand voor zijn mond. 'Zei ik dat? Sorry.' Hij leek echt erg berouwvol. 'Soms zeg ik iets zonder eerst na te denken. Maar ik doe mijn best om er op te letten.'

'Rustig maar, Robert. We moeten allemaal leren dat we er niet zomaar van alles kunnen uitflappen.'

Het was niet helemaal bezijden de waarheid, want ik had me moeten inhouden om niet te zeggen hoe onweerstaanbaar hij er in zijn handgebreide Noorse trui uitzag. Ik gaf hem een dampende brownie, met een grote schep vanille-ijs er boven op.

We genoten van de heerlijke combinatie van ijs en chocola en praatten een tijdje over de vordering van het boek. Toen krabbelde Lucy overeind. We wisten beiden dat dit inhield dat ze uitgelaten moet worden.

20

Begin die nacht werd ik wakker van geschreeuw.

Het zweefde via de trap naar boven en was net te doordringend om er doorheen te kunnen slapen.

Moeizaam stapte ik uit bed, trok mijn badjas aan en schoof mijn voeten in mijn pantoffels. Tegen de tijd dat ik de tweede verdieping bereikte, had Robert zijn hoofd om het hoekje van zijn deur gestoken.

Hij strekte zijn arm en hield me tegen toen ik langs hem heen liep. Hij droeg zijn kenmerkende zijden pyjama. Zijn haar piekte alle kanten op, alsof hij een tijdje zijn voorhoofd tegen de palm van zijn hand had laten rusten.

'Wat moet ik doen?'

'Niets.'

'Niets? Hoe kun je dat nu zeggen? Hij kan haar wel slaan.'

Robert schudde zijn hoofd en trok me zijn kamer in. 'Hij slaat haar niet. Hoor je enige angst in haar stem?'

Ik luisterde even met schuin geheven hoofd. 'Nee.'

'Een ruzietje tussen twee geliefden.'

Terwijl ik de kamer rondkeek, besefte ik dat hij waarschijnlijk nog had zitten werken. Als ik van de ruzie wakker was geworden, was hij waarschijnlijk ook uit zijn concentratie gehaald.

Ik liet me in de extra stoel bij zijn bureau zakken. 'Is hij altijd zo?'

Robert haalde zijn schouders op. 'Hij zit vol temperament.' Hij keek op zijn horloge. 'Waarschijnlijk is het over een kwartiertje voorbij.' Hij zakte onderuit in zijn stoel voor het bureau, waardoor het leek alsof het een verlengstuk van zijn lichaam was.

We keken elkaar aan.

Het enige wat ik werkelijk wilde, was slapen. Ik schopte mijn pantoffels uit, trok mijn benen onder me en schoof mijn handen in de mouwen van mijn badjas. 'Waarom houden mensen relaties als deze in stand?'

'Sommigen hebben dat nodig. Als iemand tegen je schreeuwt, wordt er in elk geval aandacht aan je besteed... en vergeet niet de verzoening die erop volgt. Sommige mensen vinden dat romantisch.'

Het leek alsof hij daar anders over dacht. Dan waren we het daar in ieder geval over eens.

Er sloeg een deur dicht.

'Heb je ooit zo'n relatie gehad?' Het late tijdstip moest mijn tong losser hebben gemaakt.

'Het heeft nooit lang genoeg geduurd om zo diep te zinken. Ik heb me altijd verlaten op de beleefdere vormen van communicatie.'

'Brieven? Faxen?'

'E-mails.' Hij glimlachte en schoof zijn stoel naar achteren. Hij legde zijn handen achter zijn hoofd en sloot zijn ogen. Hij zag er moe uit en zijn stoppelbaardje maakte zijn gezicht wat vaal.

'Echt waar?'

'Echt waar. Je weet vast dat ik geen geweldige staat van dienst heb op het gebied van relaties.'

Ik perste mijn lippen op elkaar om niet iets te zeggen waar ik later spijt van zou krijgen.

'Ik weet niet goed waarom. Het pakte gewoon nooit goed uit.'

Op dat moment beet ik zo hard op mijn tong dat het me verbaasde dat ik geen bloed proefde. Het was duidelijk niet de tijd om te praten, het was de tijd om te luisteren.

'Ik heb nooit het gevoel gehad dat iemand mij wilde om wie ik was. Er waren er die me wilden omdat het hun voordeel opleverde. Er waren er die ik wilde omdat het me goed uitkwam samen met hen gezien te worden. Ik heb relaties gehad waarin we beiden een dubbele agenda hadden en de ander gewoon gebruikten.'

Hij opende zijn ogen. Zijn blik was leeg. Wezenloos. Hij leek er wel honderd jaar ouder door.

Mijn hart ging naar hem uit.

'Dit leidt er toe dat iemand cynisch wordt.'

Er werd een verdieping lager op een deur geklopt.

Roberts mondhoek krulde iets op. 'Zie je? Ze wil er weer in.'

'Ze kan niet ouder zijn dan eenentwintig.'

'Negentien.'

'Zo jong nog.'

'Vannacht zijn ze samen. Morgen rijden ze naar Parijs terug en volgende week gaan ze ieder weer naar hun eigen huis. Eenmaal weer thuis zal hij vergeten haar te bellen. Dus belt zij hem. Hij zal haar een weekend op een of andere exotische plek beloven. Daarna zal hij het afzeggen; onvoorziene omstandigheden. En zij zal nog steeds op een telefoontje zitten wachten als ze in de krant over zijn nieuwste verovering leest.'

'Maar ze is zo onschuldig.'

'Dat is het probleem met onschuld; wanneer die eenmaal is geplukt, is er niets meer van over.'

We luisterden even naar de stilte en voelden dat het kasteel zijn nachtelijke rust hervond.

Ik rekte me uit en stond op om te vertrekken.

'Jij bent erin geslaagd die van jou te behouden, Freddie.'

Ik draaide me naar hem om en zag dat hij naar me keek alsof ik een zeldzaam antiek voorwerp was.

'Mijn wat?'

'Je onschuld.'

'Ik ben getrouwd geweest.' Zo bleu was ik heus niet meer.

'Daar heb ik het niet over.' Hij kwam naast me staan en legde zijn hand onder mijn kin. 'Ik heb het over je ziel. En vertel me niet dat je geen ziel hebt en dat je niet in God gelooft, want dat doe je wel. Als je niet in Hem geloofde, zou je je niet zo hard tegen Hem verzetten. Maar je bent niet afgestompt. Ik weet nog steeds niet of je echt veel liefde hebt ontvangen, maar ik kan wel zien dat je veel liefde hebt gegeven.'

Hij kuste me op mijn voorhoofd en bracht me naar de hal.

Toen ik met Peter was, had ik me wel geliefd gevoeld. Achteraf gezien had ik veel meer gegeven dan ik terug had ontvangen. Niet dat liefde zelfzuchtig is, maar de persoon die ik nu ben, zou een betere behandeling van hem hebben verlangd.

Midden in mijn pas stond ik halverwege de trap stil.

Hoe had Robert dat geweten?

En wat bedoelde hij toen hij zei dat ik in God geloofde?

Innig verstrengeld verlieten Carl en Fran de volgende ochtend het kasteel. De chauffeur werkte hen de limousine in en reed in een hoog tempo de oprijlaan af. Onwillekeurig voelde ik medelijden met haar toen ik de auto nakeek.

Het leek me het niet waard.

De week daarna richtten mijn gedachten zich op de Kerst. Niet vrijwillig, want ik had het sinds Peters dood niet meer gevierd. Er was niemand geweest om cadeautjes voor te kopen of cadeautjes van te krijgen. Ook was er niemand om voor te koken of versieringen aan te brengen. Ik wist zelfs niet eens precies waar ik mijn kerstversieringen had opgeborgen. Eigenlijk was het Robert die erover begon.

'Wat zijn de plannen voor het kerstfeest? Is Sévérine er dan ook?' Hij had in de keuken zitten schrijven terwijl ik aan het werk was, maar had zijn stoel naar achteren geschoven en was opgestaan om zich uit te rekken. Hij droeg een okergeel overhemd en een olijfkleurige broek. Een maand eerder zou ik misschien nog hebben gedacht dat hij er goed uitzag, maar nu, in december, was ik immuun voor zijn charmes.

'Ik ben er vrij zeker van dat het op de vijfentwintigste valt, net als vorig jaar, Robert.' Ik knarsetandde voor ik zijn tweede vraag beantwoordde. 'Sévérine is weg met Kerst, maar zal met de jaarwisseling terug zijn.' Waarom had hij het gewoon niet aan haarzelf gevraagd als hij het zo graag wilde weten?"

Hij bukte om Lucy's buik te kriebelen. 'Doe je niets met Kerst?'

'Wat valt er te doen?' Ik keerde me om van de groenten die ik stond te snijden en maakte de mouwen van mijn rode spijkerblouse los, zodat ik ze op kon stropen. Door het nauwsluitende model van de blouse, kon ik hem zonder problemen los op mijn spijkerbroek dragen onder het koken.

'Ik weet het niet. Een boom omhakken. Kerstliedjes zingen. Naar de kerk gaan. Eierpunch drinken.'

'Wat doe jij meestal met Kerst?'

Hij glimlachte. 'Niet zo veel. Uit eten gaan. Met Lucy wandelen. Ik hoop dit jaar ergens naar de kerk te kunnen.'

'Ik ben van plan om met Kerst thuis te blijven, dus zal ik zeker koken.' Ik schudde wat pistachenootjes in een schaaltje en zette het op het keukeneiland.

Robert kwam me gezelschap houden toen ik op een stoel ging zitten.

'Even serieus.'

'Ik ben serieus. Als je een boom in je kamer wilt en ik mijn kerstversieringen kan vinden, mag je ze hebben.'

'We zouden iets moeten doen.'

'Zoals ik al zei, ik zal de maaltijd verzorgen, maar voor de rest is het aan jou.' Ik nam een pistachenootje en maakte met de nagel van mijn duim de schil open. Wat mij betrof, werd er alleen nog maar voor peuters en kleuters Kerst gevierd. Ik herinnerde me de buitensporige feesten die mijn ouders met Kerst gaven, evenals de voorbereidingen die al in oktober begonnen, en had beslist niet de behoefte hun voorbeeld te volgen.

'Hoe zou je het vinden als ik de hele boel op me neem?'

'De hele boel?'

'Versieringen, kerstdiner. Alles.'

Verrast trok ik een wenkbrauw op en pelde nog een pistachenootje om tijd te winnen om over zijn voorstel na te denken. Op zich had ik niets tegen het kerstfeest in het algemeen. Het was de energie, de tijd, de druk van de traditie waardoor ik het liefst deed of het feest niet bestond.

'Freddie?'

'Ook het diner?'

'Ook het diner.'

'Afgesproken.'

De volgende ochtend moest ik al boeten voor mijn beoordelingsfout. Om de haverklap kwam Robert de keuken in om ergens om te vragen: een bijl, een hamer, spijkers, schroeven, ijzerdraad, een draadschaar.

'Heb je een...?'

Tu danse sur mon dernier nerf! Ik gaf een ruk aan het boord van mijn witte topje en roerde daarna krachtig in de soep. Die man werkte op mijn zenuwen! 'Robert, alles wat ik op het gebied van gereedschap bezit, ligt in de garage. Heb je daar al gekeken?'

'Nee.'

'Zoek daar dan eerst.' Ik legde de soeplepel op het aanrecht en draaide me om zodat ik hem aan kon kijken.

Hij haalde voorzichtig een hand door zijn haar, waarbij hij

er iets uithaalde wat op een paar dennenboomnaalden leek. Er lagen er ook nog een paar op de schouders van zijn donkerrode trui. Hij fronste zijn wenkbrauwen, tuurde over de glazen van zijn leesbril heen en liet de naalden op de grond vallen. Hij maakte zijn blik los van de vloer en keek me aan. 'Ik wilde alleen maar vragen of je me even kunt helpen.'

Toegegeven, op dat moment voelde ik me dwaas. Ik trok mijn zwarte vestje aan en liep met hem mee naar boven.

Hij voerde me mee, langs de centrale trap, door de ontvangsthal naar de eetzaal.

Met verbazing keek ik om me heen.

Hij had grote dennenboomtakken aan de oude ijzeren kandelaar gehangen, rode geweven linten langs de ankerkettingen bevestigd en de gloeilampen vervangen door kaarsen. Ik moest toegeven dat het er goed uitzag. Evenals de guirlande van hulst en klimop die naar het midden van de tafel slingerden en de vele ivoorkleurige kaarsen in allerlei maten die hij op de schouw boven de haard had gezet.

Terwijl ik zijn werk in ogenschouw nam, bleef hij naast me staan. Zijn bruine ogen bedelden om goedkeuring.

'Erg mooi, Robert.' Ondanks dat ik hem het merendeel van de tijd liever zag gaan dan komen, kon ik niet ontkennen dat hij een geweldige prestatie had geleverd in zijn poging een kerstsfeer aan te brengen.

'Waar zijn de kerstversieringen, denk je?'

'Die kunnen overal zijn. In de garage, de kelder...'

Hij stak een hand uit. 'Laten we gaan zoeken.'

'Robert, ik heb werk te doen.'

'De lunch kan wachten.'

Hij had makkelijk praten. Hij was niet degene die zich zorgen maakte over het aanbranden van de soep.

Hij had mijn hand al gepakt en trok me mee naar de ontvangsthal.

Ik rukte me los en zette mijn voeten stevig neer om niet opnieuw meegetrokken te worden. 'Waar heb je ze voor nodig?'

'Ik ga een boom omhakken...'

De lach ontsnapte aan mijn lippen voor ik hem kon tegenhouden. Ik kon me niet voorstellen dat hij een bijl kon hanteren, laat staan dat hij in zijn eentje een boom uit het bos zou slepen.

'... en hem optuigen.'

'Ik moet even bij de soep kijken. Waarom ga je niet alvast naar de kelder? Ik kom zo.' Ik wees naar de gewelfde ingang aan de rechterkant van de ontvangsthal en zag Robert al de trap afdalen voor ik snel naar de keuken liep.

Gelukkig was de soep nog niet overgekookt. Ik haalde de pan van het vuur, sneed een citroen doormidden en perste die uit boven het fruit dat ik al eerder had gesneden, om te voorkomen dat het bruin zou kleuren.

Snel schoof ik de ongewenste stukjes en uiteinden in de afvalbak en maakte de snijplank en het mesje schoon. Daarna knoopte ik mijn vestje opnieuw dicht, schudde mijn haar los en liep naar de kelder om Robert te helpen met zoeken.

De kelder was niet echt goed verlicht, dus duurde het even voor ik me realiseerde wat hij in zijn handen had.

Ik werd ziedend toen ik besefte dat hij naar mijn trouwfoto's stond te kijken.

Blijkbaar was de woede op mijn gezicht te lezen, want hij sloeg onmiddellijk het album dicht. 'Ik was gewoon op zoek naar de versieringen.'

Ik graaide het album uit zijn handen, stopte het weer in de doos met de sticker *Huwelijk* erop en zette die terug op een van de voorraadplanken aan de keldermuur.

'Het spijt me, Freddie.' Hij was achter me gaan staan en legde zijn handen op mijn schouders, waarbij hij toevallig precies op een knoop recht onder mijn linkerschouderblad drukte.

Ik kromp ineen, dook onder zijn handen vandaan en draaide me naar hem toe. 'Je hebt het recht niet in mijn privéspullen te snuffelen.'

'Je hebt me zelf hierheen gestuurd.'

'Ja, voor kerstversieringen, die waarschijnlijk in de doos met *Kerstspullen* zitten.' Ik gaf een mep tegen de doos toen hij naar voren liep om hem van de plank te pakken. 'Wat geeft jou het recht je neus in mijn zaken te steken?'

'Eigenlijk niets. Ik was gewoon geïnteresseerd.' Zonder enige wroeging knielde hij neer naast de doos en begon er doorheen te spitten.

'En, heb je alles gezien wat je wilde?'

'Nee.' Hij keek op. Zijn ogen stonden ernstig.

'Wat wil je van me?'

'Blijkbaar iets wat je niet wilt geven.'

Niet zoals Sévérine.

Zijn ogen schoten terug naar de doos. 'Ik was nieuwsgierig. Je praat zo weinig over Peter. Ik wilde gewoon zien wat voor iemand hij was.'

'En is dat gelukt?'

'Ja. Maar toen zag ik de foto's en wilde ik weten hoe jij was. Je leek gelukkig...'

'Ik was gelukkig. Het was mijn trouwdag!'

'Maar je lijkt daar niet op de Freddie die ik ken. Je bent veranderd.'

'Natuurlijk ben ik dat, Robert. Iedereen verandert.' Het was dan misschien niet aan mijn antwoord te merken, maar ik wist wat hij bedoelde. Ik zag er toen anders uit. Ik was het prototype van de diplomatenechtgenote geweest. Ik droeg mijn haar in een klassiek model, was bescheiden opgemaakt en droeg gepaste kleding. Een heel ander persoon dan de wildharige, cynische, graag-of-in-het-geheel-niet Freddie die hij had ontmoet. Maar ik mocht die nieuwe Freddie wel.

'Maar ik vind je juist leuk zoals je nu bent, Freddie. Ik wist niet wie die ander was.'

Het was hem weer gelukt; hij had weer de spijker op zijn kop geslagen. Dat *was* het probleem met die andere persoon. Mijn vorige ik. Zij *wist* niet wie ze was.

Hij haalde zijn schouders op. 'Daarom was ik dus nieuwsgierig, maar het spijt me dat ik je privacy heb geschonden.'

Hoe kon ik boos op hem blijven? Ik sloeg mijn armen om me heen en deed toch mijn best hem dreigend aan te kijken. 'Het is je vergeven.'

Hij kwam overeind en tilde de doos op. 'Dit zijn alle versieringen.'

'Fijn.' Ik liep voor hem uit de trap op, wachtte tot hij in de hal was, draaide het licht uit en sloot de deur achter hem.

Robert zette de doos op de tafel in de hal.

'Waar ga je de boom neerzetten?' Ik kon me geen enkele plek in het kasteel indenken waar de gemiddelde kerstboom niet in het niet zou vallen.

'Dat weet ik nog niet.'

Ik liep langs hem heen en begon aan de afdaling naar de keuken.

'Hoe zit het met de maretakken?'

Ik bleef op de derde tree staan. 'Als je in een boom wilt klimmen en er wat van vindt, ga je gang, zou ik zo zeggen.'

'Groeit het *in* bomen?'

'Ja. Het is een parasiet.' Net als liefde.

21

Robert moest mijn advies hebben opgevolgd, want tegen de tijd dat het avond werd, hingen er overal in het kasteel maretakken. Op de begane grond bungelde er een boven elke gewelfde deuropening. Ik zag ze hangen toen ik mijn kamer uit kwam om het diner te serveren.

Het was een feestelijk gezicht, maar toch ging er een schok door me heen toen ik ze zag. Feestdagen deden pijn. Want feestdagen waren ook gedenkdagen die ieder jaar terugkwamen, en waarop je terugdacht aan de voorbije jaren, hoe je ze vierde en met wie. Voor iemand als ik waren feestdagen een moment in de tijd waarop je gedwongen werd om het leven dat je gewend was geweest, te verenigen met het leven dat je nu leefde.

Kerst met Peter was knus geweest. Kerstfeest *à deux*. Ons kerstfeest voor twee had bestaan uit tradities die we allebei belangrijk vonden. Dat betekende chocoladetruffels in plaats van koekjes, jazzmuziek in plaats van kerstliedjes; films als *La vita è bella* of *Amélie* in plaats van *It's a wonderful life*. Soms zelfs exotische vakanties in Marokko of op de Canarische Eilanden. Onze Kerst had sfeer gehad, maar geen religie. Terugkijkend op die jaren, realiseerde ik me dat ik het wonder van het kerstfeest en de bezinning op het bovenaardse had gemist, evenals het mediteren over het heilige moment waarop God Zijn hand had uitgestrekt en de aarde had aangeraakt.

Peter zag Kerst als een kans de collectieve schuld af te lossen die mensen in onze cultuur gedurende het jaar hadden opgebouwd. Als mensen echt zo vriendelijk waren als ze zich met Kerst voordeden, dan zouden volgens hem de voedselbanken en gaarkeukens het hele jaar door gelijkmatig worden bevoorraad en voorzien. Als mensen de eerst elf maanden van het jaar geen contact hadden onderhouden met hun vrienden, gebruikten ze de twaalfde maand om dit goed te maken, en maakten de postbedrijven overuren om de kerstkaarten op tijd bezorgd te krijgen. Als bedrijven hun personeel geen eerlijk loon hadden betaald, keerden ze met Kerst een bonus uit en maakten zichzelf zo tot helden in plaats van gierigaards. Arme man. Hij was niet zo bot geweest als zijn retoriek hem liet klinken.

Peter en ik hadden over het religieuze erfgoed van Kerst gepraat. Ik had hem gevraagd of hij, enkel ter wille van de gedachtewisseling, wilde uitleggen wat er zo verkeerd was aan het verlangen van de mensen om met de hemel te communiceren. En, ter wille van die gedachtewisseling, kregen we een heftige discussie over de exclusiviteit van het christendom en de tolerantie van andere religies. Maar de discussie kwam tot een einde toen hij me eraan herinnerde dat hij niet alleen op geen enkele god vertrouwde, maar überhaupt niet geloofde dat er een god bestond. Nooit eerder was ik gedwongen geweest om na te denken over de enorme afstand die er lag tussen in iets of in niets geloven. Als ik met een hindoe of moslim getrouwd was geweest, zouden we in ieder geval allebei het leven benaderd hebben met het idee dat er een of ander hoger doel van het geheel was.

Er was een enorm verschil in onze houding naar anderen. Wanneer Peter een donatie aan een non-profitorganisatie overwoog, wilde hij eerst inzicht in hun financieel rapport. Ik was veel spontaner. Als ik op tv een glimp van een verslag over een ramp had gezien, gaf ik zo veel als ik kon missen. Wanneer ik op straat werd aangehouden door een paar oud-studenten die stemmen wierven voor rechten in de derdewereldlanden, ging ik direct overstag. Ik stelde me altijd voor hoe het geweest zou zijn in omgekeerde situatie; dan was ik de persoon geweest die baat had bij de vriendelijkheid van vreemden. Peter kon dat nooit begrijpen; hij geloofde niet in genade. Ik wel. De mensen aan wie hij iets gaf, moesten zijn hulp verdienen, terwijl ik soms iets gaf aan mensen die mijn hulp helemaal niet verdienden.

Het idee van een Schepper die zich uitstrekt naar Zijn kinderen, had voor Peter geen enkele conceptuele betekenis, riep geen gevoelens op, en was nooit de bezieling voor welk besluit dan ook. Wat er ook over mijn ouders gezegd kan worden, ze hebben me in ieder geval kennis laten maken met dat idee. Want ondanks de mogelijkheid dat het geen enkele eeuwigheidswaarde had, maakte het toch een groot verschil voor de menselijke geest. In mijn wereld draaide het om liefde. Tot op de dag van vandaag kan ik niet met zekerheid zeggen waar het bij Peter om draaide.

Misschien dat geloof samenhing met ambitie. Misschien dat hij door zijn rechtlijnig denken niet kon omgaan met de afwijkende gedachten die geloof bij hem opgeroepen moet hebben. Maar als dat zo was, zou ik teleurgesteld in hem zijn geweest. Ik had altijd gedacht dat hij moedig was. En intelligent. Maar nu had ik besloten dat een proclamatie van een atheïst geen van beide is. Het is een bange afwijzing van alles wat kleur, leven en zin aan de wereld toevoegt.

Waarmee ik niet wilde zeggen dat ik zelf vrede met God had gesloten of besloten had weer bij Hem aan boord te gaan.

Als Robert me al op een of andere manier aantrok, behalve dan door zijn uiterlijk en ondanks zijn relatie met Sévérine, kwam dat door zijn bewering dat hij christen was geworden. Het intrigeerde me dat een man als hij, in zijn positie, met macht, invloed en geld, zich tot het geloof had gewend. Dat zei toch wel iets over hem.

Natuurlijk alleen maar als het waar was.

Afijn, zo was ik dus van kerstvieringen met een hele groep naar een kerstfeest voor twee personen gegaan en had ik de viering uiteindelijk helemaal geschrapt. Maar nu zou ik moeten nadenken over de rol die ik het kerstfeest in mijn leven liet spelen. Want het was duidelijk dat ik het niet langer kon negeren. In ieder geval niet met Robert in huis.

Ik had mijn koksoutfit verwisseld voor een bruine suède broek, cognackleurige leren pumps en een marineblauwe blouse met lange mouwen, die ik zelf bijzonder flatterend vond. Om een of andere onduidelijke reden besteedde ik die morgen meer aandacht aan mijn uiterlijk. Ik haalde de badkamer overhoop, op zoek naar rouge, die ik niet kon vinden, omdat ik zelden make-up droeg. Ik rolde met mijn ogen naar mijn spiegelbeeld en gaf de zoektocht op.

In de keuken zat Robert als een maniak te typen. Hij lag vast achter op zijn schema, nu hij zich door de kerstversieringen had laten afleiden. Terwijl ik de tafel dekte en wat in de keuken rommelde, dacht ik geen moment meer aan de maretak.

'Kom je eten?'

'Hm?'

'Eten?'

Robert draaide zich om en keek me aan.

'Heb je trek?' drong ik aan.

'O. Zeker.'

Hij ontkurkte de wijn en schonk de glazen vol terwijl ik de gemarineerde prei over drie borden verdeelde. Het bord van Sévérine liet ik op het aanrecht staan, de andere twee nam ik mee naar het keukeneiland.

'Brood?'

'Graag.'

Ik sneed een stuk voor Robert af, maar maakte toen de

vergissing hem in de ogen te kijken. Hij keek me zo intens aan dat mijn gezicht begon te gloeien. Elke rouge om mijn wangen een kleur te geven, zou overbodig zijn geweest.

Ik voelde hoe Roberts hand zich om mijn pols sloot, het was alsof er een stroomstoot door mijn lichaam ging. Het moest de magnetische aantrekkingskracht van die bruine ogen zijn die mijn lichaam over het keukeneiland heen naar hem toe deed buigen.

Nog nooit eerder had ik moeite met slikken gehad, maar op dat moment wel. Ik streek met mijn tong over mijn lippen in een poging ze minder droog te maken.

Het trok alleen maar extra aandacht.

Ik sloeg mijn ogen neer en toen ik weer opkeek, had Robert zich tot bijna halverwege het blad naar me toegebogen. Hij was zo dichtbij dat ik zijn adem tegen mijn haar kon voelen.

'Maretak.'

'Wat?' Ik ontving zulke luide boodschappen van zijn ogen dat ik niet kon horen wat hij zei. Maar dat weerhield me er niet van om gefascineerd te zijn door de manier waarop zijn lippen dat ene woord hadden gevormd. Ik maakte met moeite mijn ogen los van zijn mond en probeerde me te concentreren op wat hij had gezegd.

'Maretak.' Het leek alsof zijn ogen zich nauwelijks van mijn lippen konden losmaken, maar uiteindelijk richtte hij ze op een plek in de lucht boven onze hoofden.

Ik keek omhoog en terwijl ik dat deed, verplaatste ik mijn gewicht naar het achterste gedeelte van de hak van mijn rechterschoen. Het was voldoende om met mijn voet weg te schieten, naar voren te glijden en achterover op de grond te vallen. Ik eindigde in een perfecte hoek om de maretak te zien, die hij heel slim aan het midden van het ijzeren rek had bevestigd.

'Freddie?'

Ik zag Roberts hoofd over de rand van het blad heen buigen.

'Niets aan de hand.' Al zou ik me natuurlijk beter hebben gevoeld als de grond zich had geopend en me helemaal had opgeslokt.

'Laat me...' Ik hoorde hem zijn stoel naar achteren schuiven en om het keukeneiland heen lopen.

'Het gaat wel.' De scherpte in mijn stem moest hem hebben tegengehouden.

'Weet je het zeker?'

'Ja.' Nu wist ik weer waarom ik deze schoenen een tijdje niet gedragen had: ik gleed er op de meest onmogelijke momenten mee uit. Terwijl ik daar lag, begon ik kwaad te worden. Niet alleen omdat mijn achterwerk zeer deed, maar ook omdat Robert, dat heilig boontje, dacht dat hij me aan het lijntje kon houden terwijl hij ik-weet-niet-wat met Sévérine uitspookte. Dat zou niet gebeuren.

Het moment dat ik overeind krabbelde, was een afschuwelijk moment, maar verder slaagde ik erin om elegant te gaan staan, met mijn rug naar Robert toe.

'Heb...'

Ik hief mijn hand op om elk commentaar te weren. Nadat ik een blik op het fornuis, de gootsteen en het blad had geworpen en besefte dat er niets gedaan hoefde te worden – dat de prei, de wijn, en het brood op ons stonden te wachten – haalde ik diep adem en draaide me om.

Robert nam een slokje van zijn wijn.

Het was me duidelijk dat ik een persoonlijkheidsstoornis begon te ontwikkelen. De helft van de tijd wilde ik deze man wurgen. De andere helft wilde ik me in zijn armen werpen. Er welde een enorm verlangen naar Peter in me op. Onze relatie was zo evenwichtig geweest, zo volwassen. Ik kon de complicaties met Robert niet gebruiken. Ik hield me streng voor dat ik me alleen maar lichamelijk tot hem aangetrokken voelde. Meer niet. Er was niets aan hem dat ik bewonderde; zijn karakter deugde voor geen meter. Gesteund door mijn eigen propaganda, was ik in staat om hem weer aan te kijken. '*Bon appétit.*'

22

Vier dagen na Saint Matthias

We zijn onderweg naar Dinan. Mijn heer moet daar zaken doen en Anne en ik mochten mee. Het gerucht gaat dat de hertog van Bretagne misschien deze keer in de stad zal zijn.

Agnès zei tegen me dat Anne een echtgenoot moet vinden voor ze daar te oud voor is geworden. Ik zal erover nadenken.

We hebben dicht bij Val sans Retour overnacht en vandaag zijn we bij de Temple de Mars gestopt. Sommige mensen noemen dit de Tour de Courseul en er wordt beweerd dat dit het oudste gebouw van Bretagne is.

Er kwam een storm opzetten, waardoor we genoodzaakt waren om te gaan schuilen in een nabije parochiekerk. Ik las de grafstenen voor aan Anne. De oudste steen die ik vond, leek wel Romeins. Bovenaan de steen stond: Gewijd aan de Manes. En eronder: Hier rust Silicia Namigidde, die haar geboorteland Afrika verliet vanwege een bewonderenswaardige genegenheid voor haar zoon en hem naar Bretagne volgde. Ze werd 65 jaar. Cneius Flavius Jannaris, haar zoon, richtte deze grafsteen op.

Ik vroeg me af hoe het zou zijn om vijfenzestig jaar te leven. Ik neem aan dat dit fijn is wanneer je vlak bij degene woont van wie je houdt. Je vaderland verlaten voor een zoon. Zou ik hetzelfde durven? Ik heb het voor mijn man gedaan, maar zou ik het ook voor een zoon doen?

Mijn heer installeerde eerst mij in mijn kamer, daarna Anne. Ik heb hen niet meer gezien tot mijn heer me kwam halen voor het diner.

Een dag voor Vastenavond

We zijn vandaag in Dinan aangekomen. We reden door de vallée *van de rivier de Rance en bereikten de stad via een nieuwe brug die uit vier bogen is opgebouwd.*

Het is een indrukwekkende stad met sterke muren, een stad die rijk is door de handel. We reden binnen door de Porte du Guichet, die geflankeerd wordt door twee torens en dikke houten deuren heeft. Hij zag eruit alsof hij elke aanval zou kunnen weerstaan. Vlak daarbij was de slottoren, waar we de komende dagen zullen verblijven.

Er zijn hier veel vreemde gebouwen, gemaakt van steen en pleisterkalk, gescheiden door lange balken. Het lijkt een rare manier van bouwen en lang niet zo sterk als steen. Misschien is het een mode die in de komende jaren weer voorbij zal gaan.

Mijn neus wordt geplaagd door de afschuwelijke stank in deze stad. Omdat de wind altijd door deze straten blaast, worden we bij tijden overweldigd door de geur van vishandelaars en looiers. Ik ben blij dat Agnès me opgedragen had een zakje specerijen mee op reis te nemen. De foelie vult mijn neus en laat geen ruimte voor de stank van de leerbereiding.

Ik heb pijn in mijn oren van het lawaai in de stad. Thuis wordt er alleen maar zachtjes gesproken en worden er enkel liederen van blijdschap gezongen. Hier schreeuwen mannen op straat en roepen mensen vanuit hun raam. De paarden en karren maken ook veel lawaai.

Tot mijn eigen verbazing verlang ik naar het kasteel.

Vastenavond

Mijn heer heeft me voorgesteld aan de hertog van Bretagne, Francois II, wat op zich niet zo heel bijzonder is, omdat ik de koning van Frankrijk al heb ontmoet. Maar deze duc *heeft veel macht en ik herinnerde mezelf aan de positie van mijn vader, dus maakte ik een diepe reverence en sprak met hem over aangename dingen.*

Aswoensdag

Mijn heer kwam vanavond naar me toe om me een verhaal te vertellen, maar voor hij begon, vroeg ik hem waar er misschien een echtgenoot voor Anne gevonden kan worden.

Hij vroeg me waarom dat nodig was.

Ik legde hem uit dat Anne al oud is en dat er volgend jaar misschien nog maar een paar mannen belangstelling voor haar hebben. En omdat hij de mensen hier aan het hof kent, kan hij wellicht navraag doen.

Hij vroeg me of Anne me niet aanstond.

Ik ontkende dit direct en zei dat wanneer Anne er niet was, ik geen vriendin zou hebben. Dat ik het liefst had dat ze altijd bij ons bleef, maar dat dit te veel van haar gevraagd zou zijn, omdat ze een goede echtgenote zou wezen.

Hij droeg me op hierover met Anne te spreken om na te gaan hoe ze hier zelf over denkt.

Daarna begon mijn heer aan het verhaal. Er was eens een koning die Gradlon heette. Hij was erg rijk en bezat een oorlogsvloot. Er kwam een tijd waarop zijn zeelieden moe werden van het vechten in koude, vreemde landen. Ze verlieten koning Gradlon, namen de boten en keerden terug naar Bretagne.

De koning was erg droevig, maar voelde een troostende aanwezigheid. Hij keek op en zag een vrouw met rood haar, als een vos. Het was Malgven, koningin van het Noorden. Ze heerste over de landen waar het altijd winter was. Ze vertelde de koning dat haar echtgenoot erg oud was en dat wanneer Gradlon haar zou helpen hem te doden, zij met hem terug zou keren naar Bretagne.

Ze doodden de echtgenoot van Malgven, namen een kist met goud, en sprongen op haar paard Morvarc'h. Het paard baande zich een weg over de golven van de zee, galoppeerde door de nacht en bracht hen bij een van de boten van de koning. Ze leefden een vol jaar op de zee.

Ik onderbrak mijn heer om te vragen hoe het paard Morvarc'h in dezelfde tijd in twee verhalen kon voorkomen. Ik herinnerde hem eraan dat Morvarc'h ook het paard was van koning Marc'h, en gedood was door de hinde waarop de koning had gejaagd.

Mijn heer antwoordde dat Morvarc'h het magische paard is van de zee en dat hij zowel op water als op land kan galopperen. Daarna wilde hij verder gaan met het verhaal.

Maar ik zei tegen hem dat zelfs wanneer Morvarc'h op het water galoppeert, dit nog niet betekent dat hij het paard van iedere koning kan zijn.

Mijn heer antwoordde dat zulke dingen wellicht in Touraine niet zouden kunnen, maar hier in Bretagne wel mogelijk waren. Toen ging hij verder met het verhaal.

Malgven beviel van een dochtertje dat ze Dahut noemde, en werd ziek en stierf.

Koning Gradlon keerde terug naar Bretagne, samen met zijn kind. Het meisje groeide op en werd nog mooier dan haar moeder. Het enige genoegen van de koning was zijn dochter, maar het enige genoegen van Dahut was de zee.

Op een dag wist Dahut haar vader over te halen een stad bij de zee voor haar te bouwen. Duizenden bouwlieden gingen aan de slag. De stad werd de mooiste ter wereld. Om te voorkomen dat de golven van de zee konden binnendringen, maakte men een hoge wal, die door een koperen deur werd afgesloten. Koning Gradlon bewaakte de sleutel van die deur. De stad kreeg de naam Ys.

Als snel stond Ys bekend om haar grote feesten en uit alle hoeken van de wereld kwamen zeelieden om deel te nemen aan de pretmakerij. Maar Dahut verveelde zich tijdens deze feesten.

Nu gebeurde het dat Dahut iedere dag uit al de mannen een favoriet koos en een zwart masker op zijn gezicht plaatste. Die man bleef de hele nacht bij haar. Maar op het moment dat de zon opging, werd het masker aangespannen, waardoor de man geen lucht meer kreeg en stikte. Een man te paard haalde het lichaam bij Dahut op en gooide het in de zee.

Op een dag arriveerde er een ridder in Ys. Hij was gekleed in het rood. Hoewel Dahut naar hem glimlachte en hem aansprak, gaf hij geen reactie. Toen de avond aanbrak, had ze hem eindelijk zo ver dat hij tegen haar sprak. Ze koos hem als haar favoriet en nam hem mee naar haar kamer, maar hij wilde het masker niet op.

Er kwam een storm vanuit de zee opzetten. De wind beukte tegen de muren van de stad. De ridder vroeg Dahut of er een mogelijkheid bestond om de deur van de wal te openen. Dahut legde hem uit dat haar vader de ketting met de sleutel altijd om zijn nek droeg. De ridder opperde dat ze zonder problemen de sleutel zou kunnen pakken als haar vader, koning Gradlon, sliep. Dahut deed wat de ridder had voorgesteld.

Onmiddellijk spoelde er een golf over het kasteel en werd koning Gradlon wakker. Dahut besefte dat de zee over de dijk was gekomen en het paard Morvarc'h de enige uitweg tot ontsnapping bood.

De koning en Dahut bestegen het paard, maar de zee was te woest en het paard begon te zinken. Dahut riep de koning om hulp. Op dat moment begon het te bliksemen en riep een stem naar koning Gradlon dat hij Dahut in de zee moest gooien.

De stem was van Saint Guénolé. Hij vertelde de koning dat Dahut gestraft werd voor de zonden die ze Ys had laten plegen. Saint Guénolé herhaalde dat de koning zijn dochter in de zee moest werpen. De golven hadden zich al bijna boven het paard Morvach'h gesloten, dus duwde de koning zijn dochter in de zee.

Onmiddellijk rees het paard omhoog en galoppeerde het over de golven naar het land. Hij bracht de koning naar Quimper, de stad van zeven heuvelen.

Alle inwoners van Ys waren verdronken. Er wordt gezegd dat je vanaf de kust bij kalme zee nog steeds de klokken van de verdwenen stad kunt horen luiden. Mijn heer vertelde dat Lutèce gevormd is op een eiland in het midden van de rivier de Seine. Het wordt Parijs genoemd, omdat Par Ys in het Bretons 'Gelijk aan Ys' betekent. Men zegt dat wanneer Parijs verzwolgen wordt door water, de stad Ys uit de zee zal herrijzen.

Ik zei tegen mijn heer dat het beter is om een zuiver leven te leiden dan in zo'n mooie, maar verdorven stad te wonen.

Ik vertelde hem ook mijn geheim, dat ik iedere dag Ave Maria's opzeg, opdat ik een sterke zoon voor hem mag baren. Ik zei hem dat wanneer hij 's avonds vaker zou komen, God dat zou zien en een kind zou sturen.

Hij keek me aan en kuste me toen op mijn wang.

Ik vraag me af wat Dahut de hele nacht met al haar favorieten deed. Zou het mogelijk zijn dat ieder van hen haar een ander verhaal heeft verteld? Mijn heer zei dat zijn verhalen al heel erg oud zijn. Misschien zijn het dezelfde als die aan Dahut zijn verteld.

Een dag na Aswoensdag

Vanmorgen vroeg ik aan Anne of ze geen echtgenoot wil.

Ze begon te huilen en smeekte me haar niet weg te sturen.

Ik begon ook te huilen en zei dat ik alleen maar wilde weten of ze gelukkig was. Ik beloofde dat ik haar nooit weg zou sturen. Alleen als ze zelf een echtgenoot wenste.

Ik nam me voor om mijn vader te schrijven en hem te vragen of er iemand in onze familie is die bij Anne past. Ik zal zijn antwoord bewaren tot de tijd dat Anne wil trouwen.

Twee dagen na Aswoensdag

We bezochten La Cohue, de winkels waar we stoffen en franjes gingen kopen voor Annes nieuwe jurken.

Agnès zei dat ik op zijn minst net zo veel jurken als Anne moest hebben, en dan nog één meer.

Ik antwoordde dat er niets mis is met de jurken die ik heb. Het is pas drie jaar geleden dat ik naar Bretagne ben gekomen en toen waren al mijn jurken nog nieuw.

Agnès vond dat wanneer Anne nieuwe jurken kreeg, ik ook nieuwe moest.

Ik zei haar dat wanneer ze dit dan zo graag wilde, zij de stoffen maar moest kopen. En ook dat ik het fijn zou vinden om een hoed te hebben die beter past.

Ik verliet de kleermaker en ging naar de boekhandelaar.

Vanavond liet Agnès me zien welke stoffen ze voor me had uitgezocht. Ik vond ze mooi. Sommige zijn van prachtige zijde, een lap heeft de kleur van turkoois, met prachtige gouden draden erdoorheen geweven. Een andere stof heeft de kleur van Engels gras.

Ze heeft ook een fluwelen groene lap gekocht, die me aan de lente doet denken, en een andere fluwelen lap in de kleur van lavendel. En de laatste lap is van fijne wol, in de kleur van een rijpe perzik. Ze heeft ook een paar stukken sabelbont gevonden. Daar ben ik blij mee, want die zijn zeldzaam geworden. Verder heeft ze eekhoorn- en vossenbont gekocht, een paar goudkleurige linten en prachtige kant uit Brugge.

Morgen vertrekken we uit Dinan.

Drie dagen na Saint Grégoire

Mijn heer heeft me een geschenk gegeven: een kist vol met boeken! Ze hebben een fortuin gekost. Dat weet ik omdat ik de aankoop heb genoteerd in het boek waarin de uitgaven worden bijgehouden. Ik zal zeker een jaar met deze boeken zoet zijn. Wat een voorrecht!

Anne heeft een parelsnoer van hem gekregen. Het staat haar prachtig.

Agnès schudde haar hoofd toen ze het zag en zei later tegen me dat een man beter parels aan een echtgenote kan geven dan aan een nicht.

Ik zei tegen haar dat ze het juist fijn zou moeten vinden dat mijn heer weet dat ik veel liever boeken dan juwelen heb.

Paaszondag

Vandaag werd het mysteriespel opgevoerd. De spelers deden het goed, met uitzondering van één man, die een paar verzen door elkaar had gehaald. Ik had verwacht dat ik zou wensen dat iedereen wist dat ik het had geschreven, maar uiteindelijk deed dat er helemaal niet toe. Het was veel belangrijker om de gezichten van het publiek te zien, terwijl men het spel volgde. Te beseffen dat het hun niets uitmaakte wie het geschreven had, alleen maar dat het geschreven was. Het maakte niet uit welke kleur een paard had, of hoeveel roeispanen er gebroken waren tijdens de storm, alleen dat God een wonder had laten gebeuren.

Maar mijn heer zei dat hij erg trots was op zijn kleine comtesse, *dat ze zo'n schitterend werk had geschreven.*

En omdat hij de enige is die dit weet, is het misschien ook het enige wat er toe hoort te doen.

Zes dagen voor Hemelvaartsdag

Agnès is kwaad. Vandaag arriveerden de nieuwe jurken die ze voor me had laten maken uit de stoffen die ze in Dinan had gekocht. De kleuren bevallen me wel, maar Agnès vindt de modellen niet mooi. Ze zei dat het niet de modernste modellen waren, zoals Anne ze had laten maken.

De moderne modellen hebben een iets andere hals en rok. De onderrokken van Anne hebben broderie bloemen en ranken. Anne zei dat mijn jurken anders zijn, omdat ik nog erg jong ben.

Ik maak me er niet druk om, want het kan me niets schelen.

Maar Agnès wil niet bedaren. Ze beweert dat Anne mij kwaadgezind is.

Dat kan ik niet geloven.

Twee dagen voor Saint Jean-Baptiste

Mijn lichaam heeft andere vormen gekregen.

Agnès zegt dat ik het mooiste meisje ben dat ze ooit heeft gezien.

Mijn haar hangt nog steeds tot mijn middel. Het krult en is nog steeds blond. Mijn ogen zijn nog steeds grijs, maar mijn jukbeenderen steken meer uit. Mijn kin is puntiger geworden. Mijn borstomvang is breder terwijl mijn taille juist smaller is geworden.

Ik wilde nog steeds dat ik net zo'n roze teint als Anne had.

Mijn huid is bleek.

Maar in ieder geval wel gaaf.

Nu ja, ik kan nog altijd in mijn wangen knijpen als ik meer kleur nodig heb.

Negen dagen voor Sainte Marie-Madeleine

Wat betreft mijn heer: zijn knechten respecteren hem. Dat merk ik aan de manier waarop ze naast hem staan, altijd bereid zijn om te doen wat hij hun opdraagt, te reageren op wat hij hun vraagt. En waarom ook niet? Hij is slim. Dat heb ik gezien toen hij een schaakpartij speelde.

Hij is sterk. Dat heb ik gezien toen hij aan een balspel deelnam.

Hij gaat verstandig om met geld; want er wordt voor alles en iedereen in huis gezorgd en zijn uitgavenpatroon is noch van een gierigaard, noch van een verkwister.

Hij heeft ook temperament, hoewel hij dat zelden laat zien. Hij beheerst het door zijn vierkante kaken op elkaar te klemmen, maar het verraadt zich door een schittering in zijn donkerbruine ogen. Ik ben blij dat hij nog nooit harde woorden tegen mij gesproken heeft, want woorden als deze, kiest hij zeer zorgvuldig uit zodat ze in het hart snijden en net zulke wonden achterlaten als een mes.

De dienstmeisjes van Anne kijken naar hem. Maar daar kan ik hem de schuld niet van geven, want hij is lang, hij steekt een hoofd boven zijn knechten uit, en heeft de gratie van een lynx. En de moed van een bulldog.

Hij is goedgebouwd en heeft veel aanzien.

Drie dagen na Sainte Anne

We hebben vernomen dat koning Karel VII gestorven is. God hebbe zijn ziel. Hij overleed op de dag van Sainte Marie-Madeleine aan een langdurige ziekte. Drie jaar geleden hoorden we voor het eerst van zijn problemen.

Lodewijk, zijn zoon, zal koning worden.

Mijn vader zal daar niet blij mee zijn.

Lodewijk heeft zijn vader veel problemen bezorgd. Hij mag al jarenlang niet meer in Frankrijk wonen. Maar nu zal hij toch uit het noorden, uit de Lage Landen, moeten komen om de troon te bestijgen.

Ik merk dat ik blij ben dat ik in Bretagne woon, want wie zal zeggen wat deze nieuwe koning van Frankrijk zal maken.

Lang leve de koning.

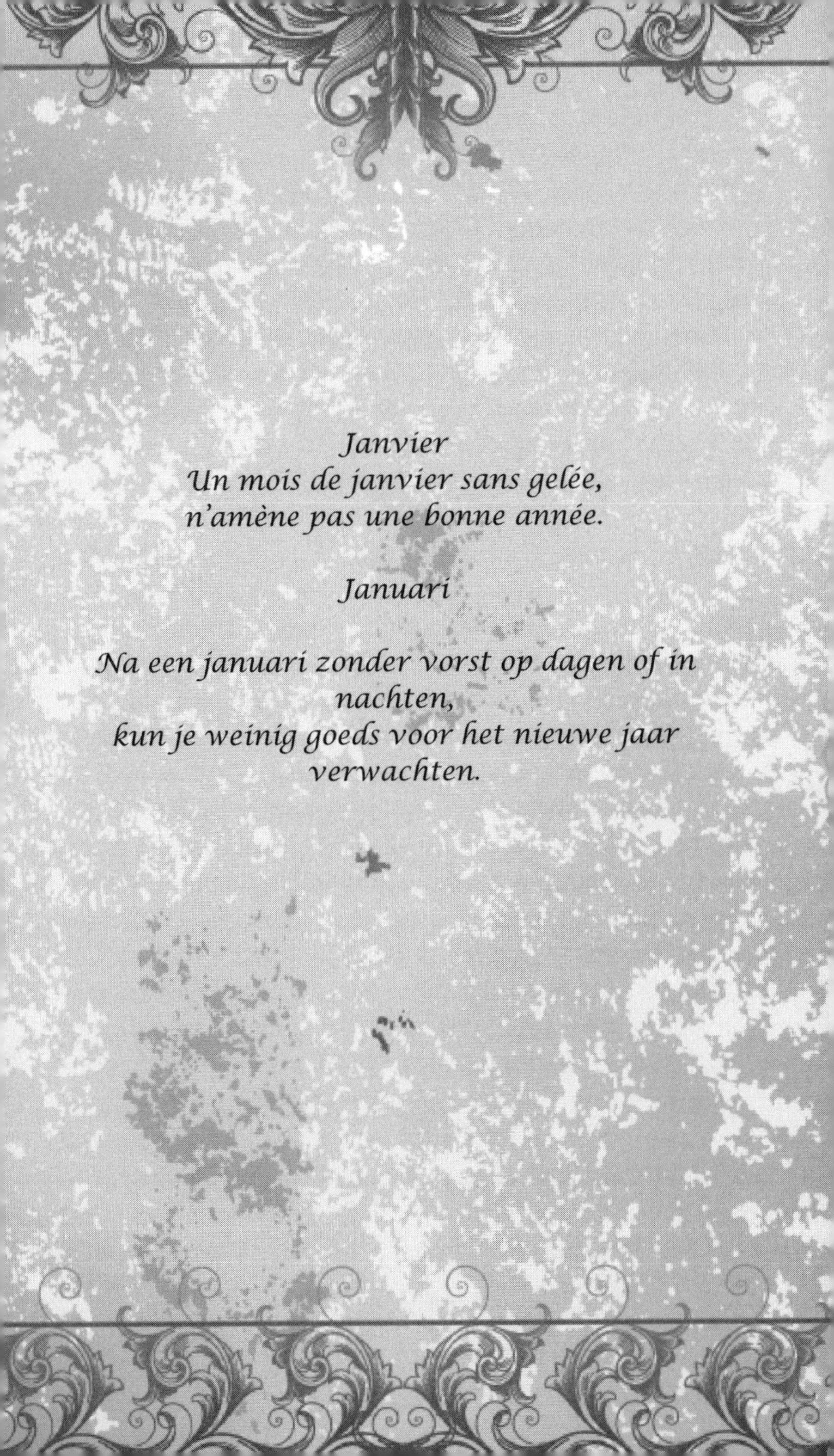

Janvier
Un mois de janvier sans gelée,
n'amène pas une bonne année.

Januari

Na een januari zonder vorst op dagen of in nachten,
kun je weinig goeds voor het nieuwe jaar verwachten.

23

Robert had zich vol overgave op de kerstvoorbereidingen gestort. Hij had het hele bos door gestruind en een boom gezien die hij perse wilde hebben. Helaas had hij niet voorzien wat voor moeite het kostte om de drie meter hoge boom naar het kasteel te vervoeren. Uiteindelijk sleepte hij hem het bos uit, door het gras, de modder en het grind naar het kasteel en de trappen op.

Ik huilde bijna toen ik zag wat voor moddersporen en naalden hij achterliet.

Hij besloot de boom in mijn kamer te zetten en tuigde hem samen met Sévérine op, terwijl ik druk aan het koken was. Het zou leuk zijn geweest, ware het niet dat de boom door de plotselinge overgang naar de warmte van het kasteel al zijn naalden liet vallen. Door de droogte begon ze ook haar sappen te verliezen, die regelrecht op de stenen vloer drupten. Het maakte mijn kerstgevoel er bepaald niet beter op. Toch moest ik lachen toen ik de kale boom vol met luxe kerstversieringen zag. Gemakshalve vergat ik maar even de kosten die het reinigen van de karpetten met zich mee zou brengen. Ook scheelde het dat Robert zijn excuses voor de ravage op de trappen aanbood en Sévérine de ergste bende op ging ruimen voor ze vertrok.

Kerstavond maakte Robert het weer helemaal goed met het zevengangen diner dat hij bij Fauchon, dé delicatessenzaak van Parijs, voor ons samen had besteld. Het smaakte allemaal verrukkelijk. Van de *foie gras* tot de drie soorten chocolade *bûche de Noël* geserveerd met Maury wijn. En hij overtrof werkelijk zichzelf met de kaasgang die hij had uitgezocht: acht soorten kazen, variërend van een milde geitenkaas tot een krachtige Roquefort. Hij had het geheel gecompleteerd met de juiste wijnen.

Na het diner reden we naar het dichtstbijzijnde dorp en woonden de nachtmis bij. Ik zou niet met hem zijn meegegaan als hij er niet zo op had gestaan om ergens naar de kerk te gaan. We konden er allebei geen woord van verstaan, maar de liturgie was zo vertrouwd, dat het leek alsof eigenlijk niemand gekomen was om hem te horen, maar hem te ervaren. Om op de heiligste avond van het jaar een stenen plattelandskerkje, verlicht door brandende kaarsen, binnen te gaan. Om een priester deze dierbare zinnen met zo'n ernstige stem te horen voordragen dat de woorden geen woorden bleven, maar zich in een onbetaalbare zegening ontvouwden. Om te zien hoe de wierook over de parochianen uitwaaierde. Om deel uit te maken van een ritueel dat zo oud is dat het, meer dan waar dan ook, een glimp liet zien van een kleine stal in Bethlehem en verbinding maakte met gelovigen uit het verleden en het heden. Ik kon voelen hoe ik me ontspande. En toen het voelde alsof God op de bank naast me was gaan zitten, had ik niet het hart Hem te vertellen dat Hij weg moest gaan.

Het ontzag op Roberts gezicht aan het einde van de mis nam elke twijfel weg die ik over het bijwonen van de mis had gehad. Hij leek zeer nederig. Op dat moment kon ik bijna geloven dat hij echt tot geloof gekomen was. Maar toen herinnerde ik me Sévérine.

Toen ze Oudejaarsavond terugkwam naar het kasteel, bombardeerde hij haar met vragen over Alix. Ze kreeg nog niet eens de tijd haar jas uit te trekken. Hij rende de trap op toen hij de deur hoorde dichtslaan en kwam weer naar beneden terwijl hij haar achter zich aantrok.

Ik schonk voor hen beiden een Lillet in en overhandigde

net een glas aan Sévérine toen Robert haar zijn vraag stelde. 'Kan het zijn dat Alix Joods was?'

Sévérines gezicht bevroor, maar in haar ogen stonden tal van emoties te lezen voor ze antwoord gaf. 'Waarom denk je dat?'

'Je zei dat haar moeder uit de Provence afkomstig was.'

'Ja, dat klopt, maar niet iedereen in de Provence was een Jood. In die tijd waren er juist weinig Joden meer in Frankrijk. En vergeet niet dat haar vader van geboorte van adel was.'

'Maar haar moeder was erg mooi.'

'En dat maakt haar tot een Jodin? Dat begrijp ik niet.'

'Ik probeer het alleen maar vanuit verschillende standpunten te bezien. Misschien dat dit niet werkt. Maar wat als ze wel Joods was?'

'Als ze het was, zal ze het waarschijnlijk niet geweten hebben.'

'Waarom niet?'

'Voor haar eigen veiligheid. Ten gunste van haar familie. Als ze Joods was geweest, zou de *comte de Barenton* waarschijnlijk nooit in een huwelijk met haar hebben ingestemd.'

Het was me niet duidelijk hoe Robert op het idee gekomen was dat Alix Joods geweest kon zijn, maar Sévérines antwoord leek zijn nieuwsgierigheid te bevredigen. En ik had het te druk met de bereiding van de oudejaarsmaaltijd om het hem te vragen.

Champagne was mijn lievelingsdrank. Hij was van een kleine, maar prestigieuze producent. Ik had besloten *magret de canard* met gepofte aardappelen en sperziebonen te serveren. Als voorgerecht koos ik voor *foie gras* – het zou een enorme blunder zijn geweest om iets anders te kiezen. Ik wist nog niet wat ik als nagerecht zou serveren. Ik bladerde mijn kookboeken door, op zoek naar iets speciaals. Toen ik het recept zag van een chocolade-kwarksoufflé met Chambord saus, wist ik dat ik het gevonden had.

De maaltijd was verrukkelijk en tegen de tijd dat de klok middernacht sloeg en we een toost uitbrachten op het nieuwe jaar, was ik uitgeput. Robert en Sévérine overtuigden me ervan dat zij uitstekend in staat waren om alles op te ruimen, dus strompelde ik de trappen op en ging naar bed.

Het grootste deel van nieuwjaarsdag vroeg ik me af of ik wel of niet dankbaar moest zijn voor de wending die mijn leven vorig jaar had genomen. De week daarvoor had ik me afgevraagd of ik januari überhaupt nog wel zou halen. Tijdens mijn gepieker besloot ik mijn plannen voor een vakantie in Italië uit te voeren. Niet dat het weer zo verschrikkelijk slecht was, maar het was gewoon heel vermoeiend om te zien hoe Sévérine haar charmes op Robert losliet en ik wilde het niet langer gadeslaan. Ik telde de dagen af naar de vijftiende, waarop ik in de trein naar Parijs stapte en me naar de luchthaven Charles de Gaulle liet brengen.

Pas toen het vliegtuig was opgestegen en Parijs onder de grijze wolken verdween, was ik in staat om me te ontspannen.

Het duurde niet lang.

Eenmaal in Rome, bleef ik daar twee nachten. De eerste ochtend liep ik het Forum op en neer. Ik kocht een pizzapunt van een straatverkoper en at die op in de schaduw van de Basilica van Maxentius. Daarna liep ik door de oude straten en bleef voor mijn gevoel eeuwen lang staan bij het huis van de Vestaalse Maagden. Was hun leven echt zo mooi als het klonk? Het was moeilijk te zeggen aan de hand van een ruïne, maar hoe eenvoudig zou het leven zijn als je wist dat het verboden was om intiem te zijn met een man. Even later ging ik naar een heuvel ten zuiden van Rome en hield me een uur bezig met het eten van een *gelato*, over de reling hangen, over Rome uitkijken en het benijden van de naamloze mensen die zich met hun naamloze problemen door de straten repten.

Die avond probeerde ik de Spaanse Trappen te beklimmen, maar halverwege gaf ik het op omdat ik er eigenlijk helemaal geen zin in had. Ik speelde zelfs met de gedachte om in het fastfoodrestaurant te gaan eten. Ik moest gedeprimeerder zijn dan ik dacht.

Het tragische was dat ik juist veel van Rome hield. Ik was gewend om de hele stad door te trekken, expres te verdwalen, enkel om net te doen alsof ik deel uitmaakte van haar geschiedenis.

Zelfs het eten bij La Pergola en La Terrazza was niet echt opwindend. In voorgaande jaren had ik naar deze gelegenheden uitgekeken, ernaar verlangd hier culinaire inspiratie op te doen. Ik had iedere vakantie mijn tijd verdeeld tussen de meesterwerken van wereldberoemde chefkoks en de heerlijke gerechten in kleine eettentjes, genoot van beide net zo veel, en werd door beide even veel geïnspireerd tot zowel grote als kleine dingen. Het bereiden van een perfect stukje kalfsvlees in Marsala is gewoon net zo moeilijk als het bereiden van een perfecte *gnocchi*. Maar deze reis interesseerde het eten me geen zier.

Ik was zo gedeprimeerd, zo lusteloos, dat zelfs de straatschooiertjes en zigeunerbendes me met rust lieten.

Na mijn kostbare tijd verknoeid te hebben, niet goed wetend wat ik met mezelf aan moest, nam ik op de derde dag de trein naar Sorrento en boekte daar een hotelkamer met uitzicht op de Golf van Napels. Daarna bracht ik uren door op mijn balkon en keek naar de boten die de toeristen naar en van Capri brachten.

In Sorrento eet ik liever niet in de binnenstad met haar kronkelende straten vol winkels met aardewerk en souvenirs, maar in de haven bij Marina Grande, waar ik zicht heb op de vissersboten die binnenlopen, bruidsparen die zich voor de oude kerk laten fotograferen en omaatjes die naar de mis gaan.

Normaalgesproken maak ik graag een wandeling die me via de steile paden de heuvel af voert, door nauwe, kromme straatjes en onder de oude stadspoort door. En er gaat niets boven buiten eten aan een tafel op de ruwe steiger die net boven kabbelende golven zweeft. Maar dit jaar trok de lange wandeling naar het hotel op de heuvel me totaal niet aan, en ik besloot de tocht niet te gaan maken.

Maar desondanks bezocht ik de tweede middag een marqueteriewinkel. De familie die de winkel runde, verkocht antieke kisten, die vervaardigd zijn van minuscule stukjes gekleurd hout die volgens een patroon zijn ingelegd. Tussen alle kistjes, platen en onderzetters zag ik een kistje dat speciaal voor Robert gemaakt leek; hij zou het kunstenaarstalent dat vereist was om zoiets te maken, zeker bewonderd hebben. Ik strafte hem door het niet te kopen. In plaats daarvan kocht ik op de terugweg naar mijn hotel een fles *limoncello* voor mezelf.

Die avond bracht ik door in een stoel op mijn balkon, nipte aan mijn citroenlikeur, sloeg de activiteiten gade en luisterde naar het geluid van de mensen in de stad onder me.

De volgende dag bracht ik op Capri door.

Deze keer beleefde ik geen genoegen aan de tocht in de hovercraft. In het verleden had ik genoten van de wind in mijn haar als de boot om de hoek van het schiereiland voer en zijn neus naar het eiland richtte. Nu kostte het me te veel energie om mijn hoed op te houden, dus ging ik naar binnen en zat op een bank. Al was ik niet gelukkig, ik kon in ieder geval mijn zelfmedelijden koesteren in de relatieve warmte van een Zuid-Italiaanse winter.

Mijn gedachten bleven maar om Robert heen draaien. Ik bleef me afvragen waar hij op uit was. En zelfs toen ik de heuvel bij de stad Capri beklom, probeerde ik voor mezelf uit te maken of hij iets – wat dan ook – met Sévérine had.

Zelfs het uitzicht vanaf de top van de heuvel in Tragara op de wigvormige Faraglioni formaties die uit de zee oprijzen, leek alledaags. In het verleden had ik langs de helling van de heuvel het pad gevolgd naar het terras aan het water. Nu vond ik een bank onder een boom, sloot mijn ogen, die achter de glazen van mijn zonnebril verborgen waren, en dommelde weg in de koele wind.

Vanaf honderden kilometers afstand was het Robert gelukt alles te bederven.

Vanuit Sorrento nam ik de trein terug naar Rome en vloog, zeven lange dagen na mijn landing, vanuit de Eeuwige Stad weer naar Parijs. Pas toen ik daar aankwam, besefte ik dat ik in mijn dunne zwarte broek, zwarte nauwsluitende trui met lange mouwen en met mijn haar in een Franse rol gedraaid aan Audrey Hepburn deed denken. Zij was in de film Roman Holiday ook naar Rome gegaan. En was haar vakantie daar niet bijna net zo zinloos geweest als die van mij?

Toen ik thuis aan kwam rijden, zag ik dat Robert met Lucy naast zich op de stoep zat te wachten. Hij droeg een spijkerbroek met daarboven een zwart leren jasje met een houtjetouwtje sluiting. Eenzame kleine kinderen op de stoep van een doorsnee huis in Midden-Amerika zijn niets vergeleken met een eenzame volwassen man die op de stoep zit van een gigantisch kasteel.

Hij schoot als een raket overeind zodra mijn auto de oprijlaan op reed en er verscheen een grijns op zijn gezicht. Hij huppelde bijna naar de auto, opende het portier voor me en stond erop mijn koffer de trap op te dragen.

'Waar is Sévérine?'

'Ik heb geen idee. Ik heb haar al een week niet gezien.'

Voor de eerste keer sinds mijn vakantie, voelde ik me opgewekt.

We gebruikten samen de maaltijd, zoals we gewend waren. Ik moest toegeven dat het fijn was om hem weer te zien, hoewel ik nog steeds tandenknarste wanneer ik aan Sévérine dacht.

De kruidige geur van zijn zeep en aftershave overstemde de geur van al het andere. En het was niet de eerste keer dat ik merkte dat ik er licht in mijn hoofd van werd.

Toen ik hem na de maaltijd een espresso voorzette, schraapte hij zijn keel, alsof hij iets belangrijks wilde gaan zeggen. Plotseling voelde ik me nerveus.

'Ik heb iets voor je, Freddie.'

'O?'

'Ik zag het in Parijs en ik moest direct aan jou denken. Zie het maar als een verlaat kerstcadeau.'

Hij gaf me een klein rechthoekig pakje. Ik maakte het open en trof een antiek kookboek aan. Het was minstens driehonderdvijftig jaar oud.

'Ik weet dat het niet echt uit de vijftiende eeuw komt, maar het leek me niettemin interessant.'

Ik klemde mijn kiezen op elkaar om niet te gaan huilen. Ik zag alleen maar dat volmaakte kistje in de marqueteriewinkel in Sorrento voor me. Met gebogen hoofd wachtte ik tot ik mezelf weer onder controle had.

Hoe kwam het boek zo tegen mijn borst aangedrukt?

Ik glimlachte en keek hem aan. 'Dank je. Het is erg...' Ik kon het niet helpen: ik barstte in tranen uit.

'Freddie.' Hij trok me naar zich toe en sloeg zijn armen om me heen. 'Wat is er? Waarom ben je zo ongelukkig?'

Hij legde zijn wang tegen mijn haar en streelde mijn rug terwijl ik mezelf het genoegen gunde door hem te worden vastgehouden. Zijn schouder was op de perfecte hoogte om mijn hoofd op te laten rusten. Ik sloot mijn ogen en voelde zijn wollen trui tegen mijn gezicht. Een moment lang stelde ik me voor dat hij van me hield.

Als hij niet iets met Sévérine had.

Alsof er een signaal gegeven was, sloeg op dat moment de voordeur dicht.

'*Cou-cou.*' Sévérines stem dreef naar beneden. Ik maakte me los uit Roberts armen en keerde hem mijn rug toe. Trillerig haalde ik adem en wreef met een hand over mijn gezicht.

'Frédérique?'

Ik liep naar de trappen en riep naar boven. 'Ik ben hier.'

Snel liep ik terug, griste Roberts cadeau van tafel en glipte langs Sévérine heen toen ze de trap afkwam. Ze droeg een zwarte blazer met een mooie snit en een zwierig rood sjaaltje boven een nauwsluitende spijkerbroek.

Ik liet de tortelduifjes aan elkaar over en nam mijn misère mee naar boven, waar ik het rijk alleen zou hebben.

Heel de week kon ik mezelf wel voor mijn hoofd slaan dat ik in het bijzijn van Robert in huilen was uitgebarsten. Mijn emoties lagen normaalgesproken niet zo dicht aan de oppervlakte. Uiteindelijk was ik in staat om Robert weer aan te kijken, en tegen die tijd waren mijn nieuwe gasten gearriveerd. Verrassend genoeg kwamen ze op een dinsdag.

Ze parkeerden hun Mercedes midden op de oprijlaan.

Terwijl ik toekeek, werd het portier aan de kant van de bestuurder stukje bij beetje door een man geopend en verscheen er eerst een voet, toen een kuit en daarna het hele been. Een arm. De bovenkant van zijn hoofd. Ten slotte richtte hij zich zo ver mogelijk op en zag ik hem helemaal. Hoewel hij oud en kromgebogen was, had hij een prachtige kop met haar en had zijn kostuum een vorstelijke snit. Na op adem te zijn gekomen, trok hij aan zijn das en liep om de wagen heen naar de passagierskant.

Hij opende het portier en bood zijn passagier de hand. In tegenstelling tot de heer, kwam zij vlot de auto uit. Na een trui over haar schouders geworpen te hebben, gleed haar hand om de arm van de heer.

Ze draaiden zich om naar het kasteel.

Mijn mond viel open.

Ik had nog nooit zo'n mooie vrouw gezien.

Ze was, net als de man, waarschijnlijk minstens tachtig jaar oud, maar waar zijn rug gebogen was, stond zij kaarsrecht als een heerseres en hield haar hoofd fier omhoog. Op jongere leeftijd moet ze gitzwart haar hebben gehad, want dat was de enige verklaring voor haar prachtige witte lokken. Ze had haar haren uit haar gezicht weggestreken, maar onderaan krulde het omhoog. Zelfs op haar leeftijd had ze nog een figuur waar ik haar om benijdde. De soepelvallende crêpejurk die ze droeg, weerspiegelde de verleidelijkheid van de jaren veertig.

Toen keerde ze haar gezicht naar haar man en glimlachte. De gloed in haar ogen en de kuiltjes die in haar wangen verschenen, deden denken aan een vrouw van in de dertig.

Ze kwamen de trap op lopen en ik trok de deur voor hen open.

'*Monsieur et Madame Duroc.*' Ik maakte een lichte buiging met mijn hoofd terwijl ik hen begroette.

Het licht in haar ogen doofde en ze stak een smalle, beringde hand naar me uit. 'Alsjeblieft. Noem me Sophie.'

Verbaasd over haar informaliteit, schudde ik haar de hand.

We liepen in een rustig tempo naar boven en ik gaf mezelf een pluim dat ik hun een kamer op de eerste verdieping, vlak bij de trap, gegeven had. Ik zorgde ervoor dat ze wisten waar de badkamer was en vroeg of ze nog iets wensten.

'We hebben niets nodig,' zei Sophie terwijl ze me naar de deur bracht.

Ik was nog nooit zo beleefd afgepoeierd.

Die avond was het al laat eer ze voor het diner naar beneden kwamen. Ze droegen nu beiden meer formele kleding: een onvervalste smoking en een lange japon met een blote rug.

Ze besteedden vier uur aan het diner: *foie gras* op geroosterd brood met Sauternes, Sint-Jakobsschelpen, *filet mignon de porc* met champignons en gestoomde sperzieboontjes, en een *gâteau aux trois chocolats.*

Tussen het serveren van de gangen door bleef Sévérine bij Robert en mij zitten. Op een gegeven moment kwam ze precies midden in een gesprek bij ons terug.

'Ik ben het niet vaak tegengekomen,' zei ik tegen hem.

'Zo zeldzaam is het niet.' Robert stroopte de mouwen van zijn boterkleurige katoenen trui op.

'Misschien een tachtigjarige man met een dertigjarige vrouw, maar geen paar van tachtigjarigen.'

Robert lachte me uit. 'Je bent gewoon een tijd niet in Florida geweest. Daar gebeurt het de hele tijd.'

Ik pakte zijn bord op, met de bedoeling het naar het aanrecht te brengen.

'Wacht even!'

'Sorry, was je nog niet klaar?' Ik zette het bord direct weer voor hem neer.

'Nee.' Hij pakte het stukje stokbrood dat nog tussen ons lag, sneed er een plakje af en sopte het in de mosterdsaus die ik bij het konijn had geserveerd.

'Echt, Freddie, liefde kan op elke leeftijd komen.'

'Dat weet ik…' Ik had alleen nog nooit zo'n gepassioneerde liefde gezien. Op geen enkele leeftijd. Niet voor zo'n lange tijd.

Sévérine streek op de stoel naast Robert neer en scheurde een stukje van het brood af. Ze veegde haar brood over de rand van Roberts bord, waarbij haar hand tegen de zijne stootte. Ze giechelde even en schonk hem een glimlach toen hij naar haar keek.

Hij porde met zijn elleboog in haar zij en knipoogde naar

haar. Daarna richtte hij zich weer tot mij. 'Freddie, jij bent degene die volhoudt dat koning Arthur een Fransman was.'

'Een Breton.'

De blik die Robert me zond, maakte me duidelijk dat hij me had zitten plagen. 'Het liefdesverhaal van koning Arthur en Guinevere is een klassieker. Passie die het verstrijken van de eeuwen weerstaat.'

'Maar ze hielden niet echt van elkaar, of wel?' Ik was niet bekend met de fijne details van de Arthurlegende, maar ik kende iemand die in sprookjes had geloofd. Ik keek naar Sévérine, trok een wenkbrauw op en knikte in Roberts richting.

Ze slikte haar brood door. Zuchtte. 'Het is moeilijk uit de legenden op te maken hoe de relatie tussen koning Arthur en zijn koningin nu precies zat. Wat is waarheid en wat is een sprookje? Dat is afhankelijk van de schrijver en van de nationaliteit die aan Guinevere is gegeven.'

'Welke nationaliteiten had ze?'

'Romeins, Wels, Keltisch, Brits. Ze is net als Marianne, het symbool van de Franse revolutie; haar eigenschappen wijzigen met de tijd.'

'Dus is ze een symbool, en geen persoon?'

'In sommige opzichten. Ze is een symbool van de veranderende gedachten van vrouwen. We weten in ieder geval dat Guinevere de aandacht van veel verschillende mannen heeft getrokken. Of dit nu kwam omdat ze tegen haar wil is meegenomen of omdat ze ervoor gekozen heeft te vluchten, is moeilijk te zeggen. Maar in iedere versie is ze getrouwd met Arthur, een man voor wie ze respect heeft, maar van wie ze niet houdt. Ze is altijd verliefd op iemand die ze nooit kan krijgen. En deze gepassioneerde maar zuivere affaire van het hart vernietigt het mooiste koninkrijk op aarde. Dat is het sprookje van koning Arthur en zijn koningin.' Sévérine pakte een nieuw blad op en liep naar de trap.

‘Dank je. Je lijkt net zo veel van Arthur af te weten als van Alix.’

Sévérine bleef even staan en keerde zich toen om, waarbij haar gezicht verborgen bleef in het duister. ‘Ik heb als kind deze verhalen op de knie van mijn vader gehoord.’

Ik trok de kraag van mijn lichtblauwe trui op en rolde een keer met mijn ogen terwijl ik het nagerecht in porties ging verdelen. Robert en Sévérine mochten dan misschien een affaire hebben of hebben gehad, maar dat was niet hetzelfde. Ik had gelijk en dat wist ik. Een liefde die zo gepassioneerd was als die van de Durocs was zeldzaam.

24

De volgende ochtend besloten de Durocs na het ontbijt een wandeling te gaan maken. Ze vroegen me waar ze het beste heen konden gaan, en ik wees hun hoe ze vanaf de oprijlaan het pad konden bereiken dat ik met het joggen door het bos had gemaakt.

Ze liepen naar boven om hun jassen te halen en kwamen arm in arm terug. Nadat ze de stoep waren afgedaald, bleef Sophie even staan om een sjaaltje om haar hoofd te binden en verfijnde leren handschoenen aan te trekken.

Hoewel ik van plan was om de deur achter hen te sluiten, bleef ik daarin halverwege steken en leunde tegen de deurpost. Zonder dat het mijn bedoeling was, zuchtte ik toen ik hen arm in arm de oprijlaan af zag lopen. Ik rilde. Had ik maar mijn gebreide vestje over mijn topje aangetrokken.

Robert en Lucy doken achter mij op, klaar om hun eigen ochtendwandeling te gaan maken, maar Robert bleef staan om samen met mij naar de Durocs te kijken. In zijn ribbroek en dikke jack met bontkraag zag hij eruit als iemand die zich op een serieuze voettocht had voorbereid.

'Je weet toch dat ze niet getrouwd zijn?'

'Robert!'

'Dat zijn ze niet.'

'Natuurlijk zijn ze dat wel.'

'Niet.'

Ik keek hoe Sophie over het grind schuifelde, er zorgvuldig op lettend dat haar hooggehakte schoenen niet beschadigden.

'Robert, dat is ronduit lasterpraat.'

'Wat krijg ik als ik gelijk heb?'

'Noem maar wat.'

'Als ze niet getrouwd blijken te zijn, ga je met me mee naar Pointe du Raz.'

Pointe du Raz? De kaap op het meest westelijke puntje van de Franse kust, helemaal aan de andere kant van Bretagne. Het was een beetje te ver om als een dagtochtje bestempeld te worden, maar goed, ik wist toch zeker dat ik gelijk zou krijgen.

'Maar als ze wel getrouwd zijn, maak jij mijn tuin lenteklaar, oké?'

'Afgesproken.'

We keerden ons weer naar het paar en keken hoe ze de oprijlaan verlieten, door het bos werden opgenomen en uit het zicht verdwenen.

Toen ze die avond in de eetzaal voor het diner verschenen, legde Robert daar net een haardvuur voor me aan. Zoals eerder, droeg Sophie een prachtige avondjapon.

Mijnheer Duroc schoof haar stoel naar achteren. Terwijl ze erheen liep om te gaan zitten, greep ze nerveus naar haar hals. '*Le collier. J'ai l'oublié.*' Ze was vergeten haar halssnoer om te doen.

'*Ça ne fait rien, ma biche.*'

Ze liep bij de stoel vandaan, in de richting van de deur. '*Un petit moment.*'

'*Laisse-le.*'

'*Un instant.*'

We keken allemaal hoe ze als het ware door de kamer zweefde.

'U hebt een bijzondere vrouw,' verwoordde Robert wat we alle drie dachten.

Mijnheer Duroc boog zijn hoofd. Na een moment stilte begon hij te praten. 'Ze is mijn vrouw niet.'

Robert had zich op dat moment meesmuilend naar me kunnen omdraaien, maar het strekte tot zijn eer dat hij dat niet deed.

De mondhoeken van de oude man krulden ironisch omhoog. 'Niet dat ik haar niet heb gevraagd. We hebben elkaar ontmoet toen we achttien waren. Binnen een week wist ik dat ik met haar wilde trouwen. We wisten het allebei. Maar zij was Joods en ik niet, dus hadden we tijd nodig om onze families te overtuigen. Dat was in 1939.'

Mijnheer Duroc zuchtte en speelde met zijn horloge. 'We hadden ons niet zo druk moeten maken om wat andere mensen dachten. We wachtten, maar we wachtten te lang. Het jaar daarop collaboreerde ons land met Duitsland. Ik smeekte Sophie met me trouwen, zodat ik haar kon beschermen. Ik behoorde tot een vooraanstaande familie in Parijs, dus zou ze veilig zijn geweest. Maar ze weigerde. Ze was bang dat ze mijn leven zou verwoesten. Maar na de oorlog weigerde ze nog steeds. Ze vond dat er te veel antisemieten waren. Ze wilde niet met me trouwen, maar zocht wel een echtgenote voor me uit. Ik ben het met u eens. Sophie is een bijzondere vrouw. En ze is niet mijn *maîtresse;* ze heeft mijn hart gestolen.'

We hoorden het klikkende geluid van Sophies hakken in de hal.

Mijnheer Duroc omklemde stevig mijn hand. 'U hebt het hart van een oude man gelukkig gemaakt.'

En hij had het mijne ontdaan van een paar rooskleurige sentimenten die een verraderlijke sluipgang rond mijn diepste gevoelens waren begonnen. Robert had gelijk gekregen. Ik wist eigenlijk niet waarom ik de uitdaging had aangenomen. Per slot van rekening was hij de specialist op het gebied van liefdesaffaires. Het zien van een paar als mijnheer en mevrouw Duroc had me... ja, wat had het me gegeven? Moed? Hoop?

Inspiratie? Maar een stel als mijnheer Duroc en Sophie had me nu gedesillusioneerd. Het delen van een passie is niet hetzelfde als het delen van een leven. Iedereen kon een verhouding hebben. Niet iedereen kon die passie gebruiken om een gemeenschappelijk leven op te bouwen; het was een emotie die overleefde onder een glazen stolp. Het huwelijk haalde de stolp eraf, waardoor de emotie door het leven getemperd werd. Alles kan overleven in een beheerste omgeving. Maar in de wildernis van het leven? Alleen met de meeste standvastigheid. De gevoelens die mijn gasten deelden, vond ik zowel prachtig als ordinair.

Mijnheer Duroc en Sophie vertrokken de volgende dag heel laat. Het was alsof ze hun rendez-vous zo lang mogelijk wilden rekken.

Die avond kwamen Robert en Lucy de trap af slenteren voor het diner. Robert dekte de tafel voor me en ging daarna op een stoel bij het keukeneiland zitten. Hij speelde even met de knopen van zijn zwarte vest en daarna met de kraag van zijn zwarte coltrui.

'En, hoe zit het met Pointe du Raz?' Hij probeerde onschuldig te kijken, maar slaagde er niet in.

'Wat bedoel je?'

'Wanneer wil je erheen?'

'Het was jouw idee. Dus kies jij maar.'

'Morgen.'

'Morgen?'

'Heb je iets anders op de agenda?'

Ik sputterde even tegen voor ik me gewonnen gaf. Ik kon er toch niet onderuit? We hadden het per slot van rekening zo afgesproken. Ik moest de boodschappen dan maar in het weekend doen.

We aten champignons met room en *cassoulet*, een eenpansgerecht, en vulden de laatste gaatjes in onze magen met een citrus *sorbet des agrumes.* Tijdens de espresso nam het gesprek een serieuzere wending.

'Weet je, Freddie, ze wilden me, en ze hadden me nodig, maar ik geloof niet dat er ooit iemand echt van me hield.' Hij liet twee suikerklontjes in zijn espresso vallen en zat ze met een lepeltje op de bodem van het kopje achterna. 'Behalve God, natuurlijk. En mijn moeder. En vader.'

'Dat kan ik me nauwelijks voorstellen.' Na uren op internet de stukjes van zijn liefdesleven aan elkaar gepast te hebben, wist ik dat hij meer dan de meeste anderen de kans had gehad om zijn zielsverwant te vinden.

'Geloof me. Het is echt zo.'

'Maar hoe kan dat dan? Je hebt er toch...'

Hij keek me schuins aan en om zijn mond verscheen een wrange lach. 'Je hebt er toch alle kansen toe gehad, wilde je dat zeggen?' Hij speelde met de wikkel van het chocolaatje dat ik op zijn schoteltje had gelegd. Vouwde hem op tot een heel klein vierkantje, vouwde hem toen weer open en streek hem vervolgens glad.

Ik geloofde het nog steeds niet en haalde mijn schouders op. Als ik in Frankrijk één ding heb geleerd, is het wel schouderophalen.

'Er moet iets zijn wat ik nog niet door heb. Ik doe iets niet goed.'

'Hoelang ga je normaalgesproken met iemand om voordat je met haar de nacht doorbrengt?'

Hij fronste zijn wenkbrauwen. 'Dat weet ik niet. Het hangt er van af.' Hij kleurde licht. 'Hing er vanaf.'

'Waarvan?'

Hij nam een slokje espresso, en roerde nog eens met het lepeltje. En nog eens. 'Dat weet ik niet.'

'Dat moet je weten.' Hij had het er al eerder over gehad en

voor iemand die zo zelfbeschouwend was, viel het hem zwaar zijn gedachten op een rijtje te krijgen.

Hij nam nog een slokje.

'Persoonlijkheid? Gezamenlijke interesses? Levensdoelen?'

Hij weigerde me aan te kijken.

'Robert?'

Hij keek me even heimelijk vanonder zijn wenkbrauwen aan. 'En jij dan?'

'Wat bedoel je?'

'Was jij gewild, nodig, geliefd?'

'Geliefd. Peter hield beslist van me, had me nodig en wilde me. In die volgorde.' Ik stopte een stukje chocola in mijn mond en liet het smelten. Zoog de smaak op. 'Ik denk dat we elkaars tegenpolen zijn, Robert. Misschien dat er dan nooit van jou gehouden is, maar ik ben nooit het voorwerp van iemands begeerte geweest... behalve van Peter dan.'

Eindelijk lieten zijn ogen het espressokopje los. Maar ze vestigden zich toen met zo'n intense blik op mij, dat mijn wangen onmiddellijk begonnen te gloeien. 'Dat kan ik nauwelijks geloven.'

Zijn smeulende blik deed vreemde dingen met mijn maag. En toen hij zijn aandacht verplaatste van mijn ogen naar mijn mond, kon ik niet voorkomen dat ik de rest van mijn chocolade in één keer doorslikte. Ik kon nauwelijks mijn stem vinden om 'toch is het zo' te zeggen. En nadat ik het had gezegd, werd mijn mond droog.

Dus bevochtigde ik mijn lippen.

Waarop Roberts blik explodeerde en ik mezelf door zijn ogen zijn ziel binnengetrokken voelde.

'Ik...' Het kostte me moeite om een samenhangende zin te vormen.

'Ik weet eigenlijk wel zeker dat het niet zo is.'

Mijn hoofdhuid begon te prikken en ik kon voelen dat mijn

oren rood kleurden. Als iemand die in drijfzand wegzakt, greep ik elke halm vast om mezelf van de verdrinkingsdood te redden. Ik had geen relatie met Robert nodig en wilde die ook niet. Bovendien, waarom zou hij in mij geïnteresseerd zijn? Hij was gewoon aan het flirten. Trouwens, hij had Sévérine.

Hij schraapte zijn keel, maar zijn stem klonk nog steeds omfloerst. 'Het hing er vanaf hoeveel tijd het kostte.'

Toen ik met mijn ogen knipperde, verbrak ik welke toverformule dan ook die hij over me had uitgesproken. Ik merkte dat we ons zo dicht naar elkaar toegebogen hadden dat we bijna van onze stoel vielen.

Ik ging rechtop zitten en schoof mijn kopje tussen ons in, als een verdedigingspoging. 'Hoeveel tijd wat kostte?'

'Hoe snel ik met een vrouw de nacht doorbracht, was afhankelijk van hoeveel tijd het kostte om haar ja te laten zeggen.'

Mijn mond moest opengevallen zijn, want ik hoorde hem zelf weer dichtklappen. Ik had gehoord over mensen als hij, ik was gewaarschuwd voor mensen als hij, maar ik had er nog nooit eerder een ontmoet. Een gekend. Er een als vriend gehad.

Hij ging ook weer rechtop zitten. 'En meestal deden ze dat.'

'Wat?'

'Ja zeggen.'

Het strekte tot zijn eer dat hij niet erg trots leek op zijn vroegere gedrag. Zijn afhangende schouders en gebogen hoofd wezen zelfs op schaamte.

Maar hoe moet je reageren op iets wat zo egoïstisch was? Het was zo totaal verschillend van mijn denkwijze, dat hij net zo goed Swahili had kunnen spreken.

'Nou, laat me je een tip geven, Robert. De leuke meisjes, de aardige, die je nog maar kort geleden geen blik waardig achtte, maar met wie je nu zou willen trouwen, vinden liefde belangrijker dan wat ze willen of nodig hebben. Het lijkt me dat je op zoek moet gaan naar een vrouw die nee zal zeggen.'

Hij haalde zijn schouders op. 'Ik houd van vrouwen. Hield van hen. Houd nog steeds van hen. Maar ik weet gewoon niet hoe een relatie werkt zonder dat je probeert... nu ja...' Uiteindelijk gaf hij het op.

Ik antwoordde niet onmiddellijk, want ik wist niet zeker hoe serieus hij was. Denkend aan zijn schaapachtige grijns, het gebrek aan zijn gebruikelijk zelfvertrouwen, besloot ik mijn mening te geven. 'Dat is het probleem. Als je ooit een vrouw wilt vinden, zul je alle anderen moeten opgeven.' Ik keek hem nog één keer in zijn ogen, ongevoelig voor het gevaar. 'Misschien ben je gewoon bang.'

De deuren naar zijn ziel klapten dicht. 'Misschien.' Hij dronk de rest van zijn espresso op en riep Lucy bij zich.

Toen ze overeind kwam, gleed hij van zijn stoel. 'Tot morgenochtend.' Hij keerde zich om toen hij bij de trap was. 'Freddie?'

'Hm?'

'Zou jij 's nachts bij me blijven?'

'Nee!' Mijn verontwaardiging nam toe toen ik hem hoorde grinniken. Blijkbaar was de vertrouwde Robert weer opgedoken.

'Misschien is dat advies van jou zo gek nog niet.'

25

De volgende ochtend besloot ik dat praktische kleren het handigst waren. Vooral als we over de uitstekende rotsen van Pointe du Raz zouden gaan lopen. Ik koos voor een spijkerbroek, een coltrui en wandelschoenen.

Robert droeg ook een coltrui en een spijkerbroek. Hij had een dikke jas over zijn arm geslagen en zat naast Lucy neergehurkt om haar op haar buik te kriebelen toen ik de onderste tree van de trap bereikte. Sévérine stond leunend tegen de voordeur naar Robert te kijken. Gezien de manier waarop Lucy altijd naar haar gromde, kon ik haar niet kwalijk nemen dat ze afstand hield.

Robert keek op toen hij me hoorde.

'Klaar?'

'Klaar.'

We liepen samen naar de garage. Het was zijn idee, dus Robert stond erop dat hij zou rijden. Ik sputterde niet tegen; zijn zwarte Jaguar versloeg mijn vanillekleurige Mini met alle gemak. En waarschijnlijk werkte zijn verwarming wel. Hoewel ik nog steeds geld over had van de verkoop van mijn ouderlijk huis, wilde ik dit niet in een auto investeren. Wat ik bezat, had vier wielen en bracht me overal heen waar ik naartoe wilde.

Toen ik op de beige leren passagiersstoel ging zitten, zuchtte ik van puur genot, terwijl Robert zijn jas in de ruimte achter onze stoelen duwde. Hij keek naar me en begon te lachen.

Op dat moment kon het me niets schelen: ik hield van de geur van leer en van het fraaie walnoothout dat voor het dashboard was gebruikt. Ik kon mooie auto's beslist waarderen; alleen was het voor mij niet belangrijk om er zelf een te hebben. 'Waarom ben je in een Jaguar gaan rijden?

'Ik houd van Jaguars. Toen ik eenmaal mijn eerste had gekocht, nam ik me voor nooit meer in een ander merk te gaan rijden.'

'Dus je hebt deze laten verschepen?'

'Nee. Ik heb hem in Parijs gekocht en ben toen hierheen gereden.'

'Wat doe je ermee als je weggaat? Verkopen?'

Hij haalde zijn schouders op. 'Waarschijnlijk geef ik hem aan een vriend.'

'Leuk cadeau.'

'Ik heb leuke vrienden.'

Hij had al eerder een toespeling gemaakt op het feit dat hij in Parijs vrienden had wonen, maar behalve die keer dat ik hem halverwege de maand daartoe had gedwongen, was hij vanuit het kasteel niet naar de stad gegaan. Misschien brachten zijn vrienden, zoals de meeste slimme, rijke mensen, hun winters in een zuidelijker omgeving door.

Robert attendeerde me op de stoelverwarming en liet me het instelmechanisme uitproberen terwijl we in een flink tempo wegreden. Het was een heerlijke rit. Het weer was niet al te best, maar in de beslotenheid van deze auto, kon me dat niet deren.

De rit nam drie uur in beslag.

Tegen de middag reden we Douarnenez binnen, een schilderachtig vissersdorp in oud Bretonse stijl, dat door zijn ligging het nauwst verbonden is met de oude legende van Ys. De vissershaven werd opgefleurd door een rij huizen met kleurige gevels en zwarte daken die tegen de zee afstaken. We schreven ons in bij het hotel en lunchten in een restaurant bij de Port de Rosmeur aan het water. De terrasverwarmers zorgden voor voldoende warmte om buiten te kunnen eten.

Daarna reden we naar Pointe du Raz.

Robert parkeerde zijn Jaguar aan de buitenrand van de parkeerplaats. Ik kan niet zeggen dat ik hem dat kwalijk nam; met zo'n auto als deze zou ik ook bang zijn voor deuken en krassen.

We liepen samen langs de souvenirwinkeltjes en snackbars en begonnen aan de wandeling over de heuvels en de rotsen tot we de branding af en toe over de oneffen toppen van de puntige kaap zagen slaan.

Toen we bij een verlaten, plat betonnen gedeelte van het begin van de kaap aankwamen, sloeg ik kruiselings mijn armen om me heen, in een poging wat lichaamswarmte vast te houden. 'Vertel eens, hoe wist je dat ze niet getrouwd waren?'

'Ik ken hen.'

'Je kent hen?'

'Niet persoonlijk. Maar ik weet wie ze zijn. Ik wist genoeg om te weten dat Sophie nooit getrouwd is.'

Ik hief een vuist om hem te straffen, maar voor ik zijn arm kon raken, had hij mijn vuist al beetgepakt en hem in zijn jaszak gestopt. Daarna keerde hij zich naar me toe en gaf me de meest zelfvoldane glimlach die ik ooit van hem had gezien.

En schurk die hij was, moest ik wel teruglachen.

Hij maakte mijn vuist in zijn jaszak open en vlocht mijn vingers door de zijne.

Ik gaf mezelf een fikse uitbrander dat ik me niet tegen hem verweerde, maar met de wind die door mijn haren blies en de golven die ver boven de rotsen braken, besloot ik me er niet meer druk om te maken. Blijkbaar gedroeg hij zich zo bij iedereen. Als flirten niets voor hem betekende, waarom zou het dan voor mij iets betekenen? Bovendien gaf het me een goed gevoel dat mijn hand werd vastgehouden; ik had mijn kameraadschap met Peter gemist.

Om mijn besluit kracht bij te zetten, gaf ik een kneepje in zijn hand.

Hij omklemde mijn hand nog wat steviger en trok me dichterbij.

In de veronderstelling dat hij iets wilde zeggen, keerde ik me naar hem toe, waarbij mijn haar tussen ons in werd geblazen.

Hij week iets achteruit voor de kriebelende lokken en liet mijn hand los.

Na mijn haar onder mijn jas gestopt te hebben, keerde ik me weer naar hem toe, maar hij was al een paar meter verder gelopen en stond naar de zee te kijken.

Plotseling draaide hij zich om. 'Kom op!' riep hij tegen de wind in. Hij wachtte tot ik dichterbij was, greep mijn hand en trok me mee naar voren. Het was voor hem niet genoeg om alleen maar naar het uiterste puntje van Europa te kijken, hij wilde er op staan.

'Robert, ik denk niet...'

'Er staat nergens dat we er niet op mogen klimmen.'

Natuurlijk staat dat nergens. Het kan de Fransen niets schelen als jij zo roekeloos bent om je leven te riskeren op die glibberige, met slijk bedekte rotsen. Als je het niet overleeft, zou elk Frans gerechtshof zeggen dat het je eigen stommiteit was geweest.

'Robert...' Ik zette me zo schrap mogelijk.

'Freddie!' Geërgerd liet hij mijn hand los. 'Waar ben je bang voor?'

'Hoogtes. Verdrinken. Sterke getijdenstromingen. Onderstromen. Onderkoeling. Dat mijn hoofd openbarst en al mijn hersens eruit vallen.'

Hij barstte in lachen uit, legde een hand achter mijn hoofd en trok het zo dicht naar zich toe dat ik dacht dat hij een kus op mijn voorhoofd zou geven. 'Is dat alles?' Daarna vouwde hij de punten van de kraag van mijn jas om mijn nek. 'Vertrouw maar op mij.'

Hij deed me op dat moment zo aan Peter denken dat ik onwillekeurig zijn hand vastpakte toen hij hem uitstak. Het hielp me over een stapel enorme keien heen, maar toen ik zag wat er nog voor ons lag, weigerde ik nog een stap verder te lopen.

'Niet kijken, Freddie.' De woorden waren in mijn oor gefluisterd.

Ik pakte Roberts hand en kneep hard. 'Als ik niet kijk, dan val ik.'

'Ik bedoel dat je niet naar de golven moet kijken, maar gewoon naar de rotsblokken onder je voeten. Die gaan niet van hun plaats.'

Voor ons liepen de rotsen plotseling steil af, zeker negentig graden, en had de zee vrij spel. Tussen het uiterste puntje van de kaap en de plek waar ik stond, was een ketelvormig stuk gevuld met woeste golven die zo'n twintig meter onder ons op de rotsen te pletter sloegen en opspatten. Meedogenloos trok de zee zich steeds even terug, verzamelde kracht en startte een nieuwe aanval. Ik voelde de aanvallen in mijn borst trillen. We konden alleen maar verder door langs de rand van de halve cirkel van de klip te lopen. Een misstap betekende een zekere dood of uiteengereten worden... misschien wel allebei.

'Zet je voet waar ik hem zet.'

'Robert...' Voor ik hem kon tegenhouden, sprong hij naar voren, op een andere steen.

Ik keek achterom, waar we vandaan gekomen waren. En weer naar voren, naar Robert. Hij keek nog steeds naar dat lonkende uitstekende rotsblok op het uiterste punt van de kaap. Toen liet hij zijn schouders hangen en sprong weer terug naar de plaats waar ik stond. 'Het geeft niet.'

'Ga jij maar. Ik wacht wel.' Ik ging zitten en leunde tegen de rots achter me. 'Ik red me wel.'

Hij hielp me bij mijn elleboog overeind. 'Laten we teruggaan.'

Terwijl hij me overeind trok, keek ik hem aan en onmiddellijk wist ik dat ik niet terug kon en wilde. Dus liet ik me overeind helpen, dook onder zijn arm door en zocht voorzichtig een weg naar de rand van de klif.

Ik zal nooit weten hoe ik het klaarspeelde, maar de punten van mijn schoenen staan onuitwisbaar in mijn geheugen gegrift. Toen ik het laatste rotsblok bedwong, spatte het zoute zeewater met kracht omhoog.

Overrompeld hief ik mijn handen op tegen de koude nattigheid en wankelde op het uitsteeksel van het rotsblok.

Ik voelde hoe Roberts sterke handen mijn schouders grepen en me omdraaide, waarna hij een arm om mijn middel sloeg om me staande te houden. 'We hebben het gefikst.'

'Inderdaad.'

We bleven staan en genoten van de beloning voor onze arbeid. Voor ons, voorbij een verlaten vuurtoren, strekte de zee zich eindeloos uit, en vloeide samen met de mist. Ergens daar in de verte, was Ile de Seine, het portaal naar het druïdisch paradijs, maar binnen mijn gezichtsveld was er naast en voor ons niets dan water. We stonden werkelijk op het uiterste puntje van het vasteland. De laatste stut tegen de zee. Soms werden we doordrenkt door het stuivende water, maar het sensationele gevoel de laatste twee mensen op de wereld te zijn, was zo sterk, dat we niet bij machte waren terug te gaan. Toen de betovering eindelijk verdwenen was, merkte ik dat ik me veel vaster in Roberts greep bevond dan me lief was.

We draaiden ons om en liepen terug naar het vasteland. De terugweg leek veel makkelijker dan de tocht naar het puntje van de kaap was geweest.

Toen we de gladste keien hadden gehad en het gevaar om in de zee te vallen, was geweken, stapte Robert op een rotsblok naast me en gaf me een vluchtige omhelzing. 'Dank je.'

Omdat ik het niet nodig vond dat hij wist dat mijn hoogtevrees me bijna een hartaanval had bezorgd, haalde ik mijn schouders op alsof het niets had voorgesteld. Maar toch had het me opgevrolijkt om op de rand van het continent te staan. Ik was blij dat ik het had gedaan.

Terwijl we in flinke vaart naar het hotel terugreden, begon ik mijn haar uit de klit te halen. Het zou me minstens een uur kosten voor ik er weer goed met de kam doorheen kon. Hoe zeer ik ook genoten had van het stuivende zeewater, mijn haar was er wel enorm door in de war geraakt.

Robert keek me zijdelings aan. 'Niet kammen. Laten we vanavond teruggaan.'

Ik fronste mijn wenkbrauwen en werkte verder aan een bijzonder hardnekkige klit. 'Ik weet zeker dat het park na zonsondergang gesloten is.'

'Dat maakt niet uit. We komen er wel in.'

'Dat is gevaarlijk.'

'Onzin.'

Hoewel ik trots was op mezelf, vond ik één tocht naar het uiterste puntje van de kaap echt wel genoeg. 'Waarom gaan we niet gewoon uit eten, zoals normale mensen doen?'

'Met een gewoon leventje mis je zo veel.'

De klit wilde zich niet laten ontwarren. 'Ik ga niet meer naar het puntje van de kaap.'

'Dat vraag ik ook niet. Ik wil alleen graag weten hoe het er in het maanlicht uitziet.'

O, alsjeblieft zeg. Ik keek hem even scherp aan. Normaalgesproken maakte hij niet zulke goedkope opmerkingen.

Ten slotte haakte ik mijn vingers in de klit en trok wanhopig. Er zat geen enkele beweging in. Robert had gelijk: als we teruggingen, had het geen zin om nu alles te ontwarren.

'Nou?'

'Goed, we doen het.'

Die avond kleedde ik me zo warm mogelijk aan voor ons

avontuur. Ik droeg bijna alles wat ik had meegenomen: een katoenen coltrui, een dikke trui die Peter nog voor me in Peru had gekocht, een maillot en daaroverheen mijn lange broek, plus de schoenen die ik vandaag had gedragen. In mijn jaszakken stopte ik handschoenen en een muts.

Robert kwam me halverwege de gang tegemoet. Hij had een wollen sjaal om zijn nek geslagen. Onder zijn zwarte jas droeg hij een trui met een rolkraag en opnieuw die nauwsluitende spijkerbroek.

'Denk je niet dat je daarmee gaat glijden en glibberen?' vroeg ik, terwijl ik nadrukkelijk naar zijn zwarte instappers keek.

Hij hield een paar afgedragen wandelschoenen omhoog, die hij achter zijn rug verborgen had gehouden. Met een glimlach gebaarde hij me voor te gaan en de trap te nemen.

We aten bij een crêperie. Net als bij alle andere crêperies die ik in Frankrijk had bezocht, duurde het onvoorstelbaar lang voor onze bestelling werd geserveerd. Het kost mij drie minuten om een crêpe te maken, en twee crêpes hooguit tien minuten, dus begreep ik niet waarom het zo lang moest duren. En dan liet ik nog buiten beschouwing dat die twee crêpes het enige was wat we bestelden, en we ook nog eens de enige gasten waren.

Het voelde erg ondeugend om vanaf de hoofdweg over de ketting heen te stappen waarmee het park was afgezet.

'Denk je dat er een bewaker is?' Zijn vraag mocht dan behoedzaam hebben geklonken, maar Robert was al wel gewoon doorgelopen en had er stevig de pas in.

'Nee, dit is Europa. Als je hier zo stom wilt zijn om je leven te wagen, kan dat ze niets schelen.'

Robert stond even stil om me over zijn schouder heen aan te kijken. 'Nou, kom dan.'

Na zijn aansporing, kwam ik weer in beweging en pakte de hand vast die hij naar me had uitgestoken. Ik voelde me er veiliger door. 'Kunnen we in het donker lopen?'

'Hoezo? Je zei net dat er hier waarschijnlijk niemand is.'

'Gewoon, voor het geval dat.'

Robert gaf toe en we liepen naar de linkerkant, naar de donkere beschutting die het toiletgebouw ons bood. Zodra we werden opgeslokt door de duisternis, voelde ik me beter. Het was een prachtige avond. We konden het water tegen de rotsen in de verte horen klotsen, de maan scheen helder en de lucht stond vol sterren.

Maar toen hoorde ik iets. Ik bleef abrupt staan en gaf een rukje aan Roberts hand om hem dichter naar het toiletgebouw te trekken. 'Er komt iemand aan.'

Hij stopte even en luisterde, zijn ogen schoten naar links.

Onbewust had ik met mijn andere hand zijn jas vastgegrepen.

Hij trok me achter zijn rug waardoor ik tussen de muur en hem in kwam te staan en niet te zien was.

Onwillekeurig stak ik mijn handen onder zijn armen door en sloeg mijn armen om zijn middel. Met mijn ogen stijf dichtgeknepen probeerde ik menselijke geluiden te onderscheiden van het geluid van de niet-aflatende branding. Maar ik hoorde niets anders dan het bonzen van mijn hart.

Zijn hand greep een van mijn armen vast en dwong me stil te staan. Zijn lichaam verstrakte door het ingespannen luisteren.

De geluiden van de avond werden overheersend: de branding, de wind, mijn hartslag in mijn oren, Roberts ademhaling, een voetstap op het asfalt.

Mijn handen schoten omhoog naar Roberts borst en ik verborg mijn hoofd tussen zijn schouders. Ik durfde niet langer te kijken.

Robert legde zijn handen over de mijne. Pas toen ik de warmte van zijn huid voelde, besefte ik hoe koud mijn eigen handen waren.

Het was hem ook opgevallen, want hij trok mijn armen naar voren, waardoor ik dichter tegen zijn rug werd aangedrukt, en maakte een kommetje van mijn handen, waarin hij begon te blazen.

Alsof er een oven werd aangestoken, verspreidde de warmte van zijn adem zich van mijn vingers naar de rest van mijn lichaam. Er was het geluid van een volgende voetstap nodig om mijn aandacht van Robert naar onze penibele situatie te verplaatsen.

'Freddie.'

Voor hij verder kon praten, sloeg ik een hand voor zijn mond.

Er klonk nog een voetstap.

Robert wrikte voorzichtig mijn hand los van zijn mond.

Ik begroef mijn hoofd dieper tussen zijn schouderbladen.

Hij begon mijn vingers te kussen. Mijn knieën werden slap en ik leunde tegen zijn rug.

Opnieuw hoorden we een voetstap.

Het klonk alsof degene bijna tegenover ons stond, maar ik had mijn ogen zo stijf dichtgeknepen dat ik hem niet kon zien. Niet wilde zien. Ik vloog, ik zweefde. Wat ter wereld kon me nog interesseren?

De volgende voetstap klonk weer wat verder weg, alsof iemand ons voorbijgelopen was. Tegen die tijd moest ik alle zeilen bijzetten om me staande te houden. Roberts mond had inmiddels mijn ringvinger bereikt.

Toen kwam hij bij mijn ring. Peters ring.

Langzaam liet hij mijn hand los en liep het pad af, de heuvels in.

Door het plotseling wegvallen van mijn steun viel ik bijna

voorover, maar ik kon mezelf nog net tegenhouden. Ik liet me langs de muur op de grond zakken en huiverde door de plotselinge afwezigheid van zijn warmte. Zo bleef ik een paar minuten zitten, terwijl ik op adem probeerde te komen en een poging deed om mijn gedachten op een rijtje te krijgen.

Robert Cranwell was een zeer gevaarlijke man.

26

Uiteindelijk voegde ik me bij hem op het asfaltpad, diep weggedoken in mijn jas en met mijn handen in mijn zakken.

'Heb je het koud?' Hij draaide zich naar me toe terwijl hij dit vroeg, maar keek me niet aan.

'Nee.'

Hij maakte met zijn arm een uitnodigend gebaar om bij hem in te haken, waar ik op inging. Terwijl ik daar stond, met de wind in mijn gezicht, hield ik mezelf voor dat hij met iedereen flirtte en beslist een verhouding met Sévérine had. De wind blies elke romantische fantasie uit mijn hoofd.

'Het spijt me, Freddie. Dat had ik niet mogen doen. Jij lijkt altijd het slachtoffer te zijn wanneer mijn oude natuur tegen de nieuwe in opstand komt.'

Ik wist niets terug te zeggen.

Robert voerde me mee naar een stuk met rotsblokken die verder uitstaken dan de omringende blokken, maar wat beschutting boden tegen de ergste wind. Hij ging op het hoogste blok zitten. Ik koos voor het blok eronder, leunde tegen Roberts benen en trok mijn knieën op.

Toen begon Robert te praten. 'Ik ben niet gewend een relatie met een vrouw te hebben die niet gebaseerd is op lichamelijk contact, Freddie. Ik mag je ontzettend graag. Je bent zo anders dan al die andere vrouwen die ik ken. Voor ik christen werd, zou ik je dat hebben laten merken door een lichamelijke relatie met je aan te gaan. Natuurlijk zou dat nu niet eens in me mogen opkomen. Maar dat doet het wel. En ik weet niet hoe ik jou moet vertellen wat ik voor je voel zonder dit met mijn lichaam te tonen.'

Het klonk erg goed wat Robert zei. Dat hij zulke hoge idealen kon hebben terwijl hij met Sévérine de nacht doorbracht, was in mijn ogen een beetje hypocriet, maar hij bleef doorpraten en vroeg niet naar mijn mening, dus hield ik die voor me.

'Ik bid elke dag om kracht om jou vol respect te behandelen. En het grootste deel van de tijd lukt dat ook. Maar af en toe denk ik niet, dan voel ik alleen. En dan beginnen de problemen. Maar meer dan wat ook, wil ik dat je weet hoe veel je voor me betekent. En ik wil dat je weet dat ik je nooit pijn wil doen of een belemmering wil zijn tussen jou en God.'

'Moeten we het de hele tijd over Hem hebben?'

'Freddie, hoe kunnen we niet over Hem praten? Of er nu over gesproken of gezwegen wordt, Hij is de reden dat je hier bent. Waarom ben je naar het kasteel verhuisd? Om bij Hem vandaan te vluchten. Je kunt niet van iets, of iemand, wegvluchten tenzij het, of die iemand, zich aan je heeft vertoond. Door te vluchten, Freddie, geef je aan dat God bestaat. Anders zou je niet weg hebben hoeven rennen. Je gelooft, Freddie. Als dat niet zo was, zou je niet zo'n belangstelling voor me hebben. En kijk naar mij: waarom ben ik naar jouw kasteel gekomen? Om te leren hoe ik een leven met Hem moet leiden. Weg van alles wat ik kende. Ik had overal heen kunnen gaan, maar ik koos jou vanwege Alix. Bedenk hoe ver terug, hoelang geleden, God dit heeft gepland en hoe Hij de geschiedenis gebruikt om ons bij elkaar te brengen. Hij verbaast me steeds weer opnieuw.'

We bleven zo lang zitten dat ik de sterren in de lucht van plaats zag veranderen. Het gebeuk van de golven en het lage fluiten van de wind tussen de rotsen door wiegden mijn gedachten in een soort verdoving. Op een gegeven moment besefte ik dat Robert zich van zijn rotsblok had laten glijden en ik niet langer tegen zijn benen, maar tegen zijn borst aan leunde. Verbaasd blikte ik naar beneden en zag dat hij zijn armen om me heen geslagen en zijn knieën naast de mijne opgetrokken had.

Ik had geen idee hoelang we daar zaten, maar het was lang genoeg om gelijktijdig adem te halen. Zijn lichaam had zich zo naar het mijne gevormd, dat het als mijn eigen lichaam aanvoelde.

'We moeten gaan.'

Hij bracht zijn mond dicht naar mijn oor. 'Wacht nog even.'

'Nee, we moeten echt weg.'

Hoewel ik het niet erg vond om zijn vriendin te zijn, wilde ik geen relatie met hem beginnen. Niet terwijl hij iets met Sévérine had. Ik kon hem niet vertrouwen.

Moeizaam krabbelde ik overeind en besefte voor de tweede maal die avond hoe Roberts warmte me tegen de kou had beschermd.

We liepen terug naar de auto en slopen even later zo zacht mogelijk naar onze kamers.

De volgende ochtend moest ik tot driemaal toe mijn haren met crèmespoeling behandelen voor de klitten eruit waren. En dat moest in een standaard Franse hotelbadkuip annex douche, waar geen douchegordijn voor hing. Tegen de tijd dat ik voor de derde keer mijn haren spoelde, was ik ontzettend geïrriteerd door Robert en het spel dat hij probeerde te spelen.

Zeer ongeduldig schoot ik een dunne zwarte broek en een ijsblauwe coltrui aan. Ik bond mijn haar in een knot en beende de trap af, naar de eetzaal.

Toen ik de hoek omsloeg, zag ik dat Robert er al was. Hij droeg een outfit die mijn hart op hol deed slaan: een zwarte, grove ribbroek en een donkergrijze tweedtrui. Toen hij me aan zag komen, stond hij van zijn tafel op. Als hij een schurk was, was hij er in ieder geval een met manieren.

Hij moest mijn stemming hebben aangevoeld, want hij probeerde geen gesprek te beginnen, maar concentreerde zich op de *International Herald Tribune.* Steeds wanneer hij een pagina van de krant omsloeg, dreef de geur van zijn aftershave in mijn richting.

De koffie was bitter, het brood was oudbakken en de croissants waren vet. Maar een hongerig meisje moet toch wat eten. Toen ik klaar was met mijn ontbijt en de hele voor- en achterpagina van Roberts krant gelezen had, schoof ik mijn stoel naar achteren en stond op.

Robert kwam ook overeind, vouwde zijn krant op en schoof hem onder zijn arm.

Hij liep met me mee naar mijn kamer, maar voor hij verder liep naar zijn eigen kamer, stond hij stil en leunde tegen mijn deurpost aan.

'Het ontbijt was niet wat je noemt erg smakelijk. Wat ben ik blij dat jij een veel betere kok bent, Freddie.'

Na die woorden slenterde hij de gang in en liet me achter met een dwaze grijns op mijn gezicht.

Bah. Ik kon hem niet uitstaan!

De week daarna vatte Robert het plan op om Dinan te bezoeken en vroeg me met hem mee te gaan.

'Ben je er wel eens geweest?' Hij maakte een *tartine*, en smeerde zorgvuldig boter op een stuk stokbrood. Ik wist uit ervaring dat hij straks net zo zorgvuldig de jam eroverheen zou smeren.

'Jawel.' Op zijn minst honderd keer. En wekelijks sinds hij hier was. Ik was niet de kluizenaar die hij dacht dat ik was. De dichtstbijzijnde supermarkten bevonden zich in Dinan. De meeste boodschappen haalde ik in de buitenwijk van de stad, waar nieuwe winkels en huizen waren gebouwd.

'Ik moet erheen omdat Alix daar in ieder geval een keer met Awen is geweest toen hij daar voor zaken moest zijn.'

Daar ging de jam.

Ik toonde een enorm staaltje zelfbeheersing door mijn mondhoeken niet omhoog te laten krullen. Ondanks zijn stoere, mannelijke, grof gebreide trui en leren broek, leek hij wel een zesjarig jongetje.

Alix kon me niet zo veel schelen, maar ik had wel een paar boodschappen nodig. 'Hoe laat wil je weg?'

'Nu? Ik rijd.'

Snel ruimde ik af en rende naar boven om me te verkleden. Ik koos voor een sportpantalon van keperstof, trok mijn zwarte schoenen aan en knoopte een zwart leren jasje dicht over mijn trui. Tot slot sloeg ik een blauw met donkerrood sjaaltje om mijn nek en pakte mijn zwarte leren handschoenen. Ik besloot geen muts mee te nemen, want we zouden vast niet veel buiten zijn. We lieten Lucy bij Sévérine achter. Ik weet niet waarom Robert Sévérine niet mee had gevraagd, maar dat liet ik verder rusten. Misschien hadden de geliefden wel ruzie. Sévérines stemmingen waren de laatste tijd wisselvalliger dan ooit.

Robert vertrouwde erop dat ik hem de weg wees en ik stuurde hem over de D71 naar het noorden. De eerste dertig kilometer reden we door de ochtendmist, maar toen stak er een stevige zeebries op, waardoor de mist zich oploste en we een dun, bleek zonnetje te zien kregen.

'Wil je mijn zonnebril even voor me pakken? Hij ligt in het dashboardkastje.'

Ik vond hem direct en klapte de brilpoten vast open, zodat hij niet onder het rijden hoefde te prutsen.

Het leek of hij naar me knipoogde, maar ik wist het niet

zeker omdat de brillenglazen zo donker waren. Ik besloot hem het voordeel van de twijfel te geven en inschikkelijk te zijn. Vooral omdat hij beide handen om het met leer beklede stuur geslagen had. Ik word zenuwachtig van mannen die met één hand sturen. Ik vraag me altijd af wat ze met hun andere hand van plan zijn.

Vanaf het moment dat we in het zonlicht reden, had Robert de snelheid opgevoerd. Ver opgevoerd. Ik had ontdekt dat je maar het beste je ogen kunt sluiten wanneer iemand op volle, bochtige, provinciale wegen de snelheid verhoogt. Of de noodhendel vast moet pakken. Maar omdat Jaguars niet met een noodhendel zijn uitgerust, sloot ik mijn ogen. Heel stijf.

'Je mist het landschap, Freddie.'

'Dat gaat zo snel aan mijn raam voorbij dat ik het toch niet goed kan zien.'

Hij schakelde naar een lagere versnelling, waardoor de auto een slinger maakte.

Mijn ogen vlogen open.

'Houd je niet van snelheid?'

'Niet wanneer het mijn bestaan bedreigt.'

'Op de autoweg?'

'Op de autoweg, op een zonnige dag, zonder wind, ander verkeer en politie, ja, dan houd ik van snelheid, Robert.'

'Aan jou is ook geen plezier te beleven.'

'Nee? Vergis je niet. In de juiste omstandigheden kan ik heel plezierig zijn.'

Hij keerde zich naar me toe en keek me aan.

Dat was niet wat ik had willen zeggen. Of liever gezegd, hij vatte het anders op dan ik had bedoeld. Bovendien vind ik het vreselijk wanneer een man een zonnebril draagt. Dan kan ik zijn ogen niet zien.

Het leek uren te duren voor hij zijn blik van me losmaakte,

maar toen hij dat eenmaal had gedaan, hapte hij naar adem en gaf zijn stuur een ruk naar rechts.

Het was zo'n heftige beweging dat ik bijna over hem heen werd geslingerd, maar had wel als resultaat dat er een botsing met een tegemoetkomende vrachtwagen was voorkomen. De weg had een scherpe bocht naar rechts gemaakt toen Robert was afgeleid.

'Sorry, Freddie' zei hij, nadat hij het stuur weer naar links had getrokken om te voorkomen dat we de berm in schoten. 'Maar stop daar alsjeblieft mee.'

'Waarmee?'

'Mij oneerbare voorstellen doen.'

'Oneer...?' Mijn gezicht werd onmiddellijk rood, maar toen herinnerde ik me weer hoe mannen als hij zich gedragen. Ze flirten met iedereen. 'Robert, als ik je ooit een oneerbaar voorstel doe, zul je dat onmiddellijk weten.'

Hij keek me grijnzend aan. 'Mijn fout.'

'Rijden.'

Robert vergezelde me naar de supermarkt, en daarna stond hij erop dat ik met hem mee ging naar het historische centrum van Dinan. Ik stribbelde niet te hard tegen. Dinan is een charmant stadje met de oudste bolwerken van Bretagne. We reden zo dicht mogelijk langs de vesting, zodat Robert goed zicht kreeg op de afmetingen van de middeleeuwse stad.

Bij St. Sauveur stapten we uit om een kijkje in de basiliek te nemen. Daarna reden we door de meer toeristische straten, gevuld met oude vakwerk- en stenen huizen. Ik wees hem op de raketvormige Tour de l'Horloge, de klokkentoren die een halve eeuw na Alix is gebouwd. Op de markt die daar elke donderdag op de Place Duguesclin wordt gehouden, kochten we *rillettes*, broodjes en drinken voor de lunch. Daarna besloten we de rest van de stad te voet te verkennen. Na diverse oude kloosters, nog een kerk, het stadhuis en de openbare bibliotheek voorbij gelopen te zijn, liepen we door de oude handelsstraten, waar in de tijd van Alix vishandelaars, ijzerwerkers, kleermakers en andere middenstanders hun waren aan de man hadden gebracht.

Robert vroeg me aan een stuk door om de vertaling van de historische tekens die op de gebouwen of op de paaltjes midden op de straat waren aangebracht. Hij wilde er zeker van zijn dat hij niet schreef over dingen die niet uit het tijdperk van Alix dateerden.

Ten slotte kochten we een toegangskaartje voor het Maison du Gouverneur om het interieur van een vakwerkhuis in de vijftiende eeuw te zien. Ze hadden ook een tentoonstelling van een aanzienlijke collectie streekmeubels, die Robert ter plaatse nauwkeurig natekende.

Tegen vijf uur die middag had hij gezien waar hij voor gekomen was en had hij bijna een schrijfblokje met aantekeningen vol gekrabbeld, dus besloten we naar een restaurantje in de buurt te lopen en daarna naar huis te gaan.

'Er zit niet meer zoveel benzine in de tank,' merkte hij op toen hij de motor startte. 'Moet ik nog naar een pomp voor we teruggaan?'

'Het is zo'n vijfenzeventig kilometer.'

Robert gaf gas en we reden de parkeergarage uit. 'Dat moet wel lukken.'

Omdat het al begon te schemeren, leek het me verstandig de binnenwegen links te laten liggen. Hoewel de route over hoofdwegen minder schilderachtig was, doorkruisten we minder plaatsen en zou het eenvoudiger rijden zijn. Het was in ieder geval toch nog wel een mooie rit. De schemering was altijd al mijn favoriete tijd van de dag en die avond leken de opdoemende bomen zich langer te maken. In de strekkende schaduwen vormden hun silhouetten een tunnel over de weg.

Op een gegeven moment leek het alsof er een plank op de

weg voor ons lag. Robert moest het ook hebben gezien, want hij minderde snelheid. Maar hij reed er niet omheen; hij reed er overheen. Hij dacht vast aan de bijna-botsing van vanmorgen. En dat had hij niet moeten doen. Op het moment dat we de plank raakten, zakte de auto een paar centimeter lager naar het wegdek.

Robert stuurde de Jaguar naar de berm en stapte uit om de schade op te nemen. Langzaam liep hij om de wagen heen. Ik zag zijn mond bewegen, maar kon niet verstaan wat hij zei. Vervolgens liep hij de weg op. Ik draaide me om op mijn stoel en zag dat hij de plank opraapte en hem grondig bekeek. Daarna gooide hij hem tussen de bomen.

Hij stapte de auto weer in en trok het portier met een klap dicht. Toen hij zich naar me toekeerde, zag ik aan de vonk in zijn ogen dat hij geen goed nieuws had. 'Heb je een mobiele telefoon bij je?'

'Nee.'

'Alle vier de banden zijn leeg. Er staken minstens vijftien spijkers uit die plank.'

Daar was ik niet op voorbereid. De winterdagen mochten dan mild zijn in Bretagne, de nachten konden je dood worden. Niet dat ze zo koud waren, maar ze waren vochtig en als je niet in beweging bleef, je bloedcirculatie niet op peil hield, kon je onderkoeld raken.

'Waar zijn we precies?'

'We zijn een kwartier geleden Montauban gepasseerd.' Dat wist ik in ieder geval nog. En ik herinnerde me nog meer. 'De volgende plaats is Iffendic, zo'n zes kilometer verderop.' We bevonden ons echt mijlenver van de bewoonde wereld vandaan. 'Ik heb wel eens politie op deze weg gezien. Misschien patrouilleren ze hier. Ik denk dat het veiliger is om in de auto te wachten dan te gaan lopen. Bovendien blijven we hier nog een poosje warm.'

'Mee eens.' Terwijl hij het contactsleuteltje omdraaide, keek hij naar de benzinemeter en zette grote ogen op. Vervolgens zette hij de motor weer uit.

'Twee kilometer is toch hetzelfde als een mijl?'

'Ruwweg. Om precies te zijn 1,6.'

'Dan heb ik me verrekend. Het spijt me, Freddie.'

'Is de benzine op?'

'Nagenoeg... Ik heb waarschijnlijk te hard gereden.'

Helemaal geen 'waarschijnlijk.' Hij had beslist te hard gereden.

'Ik kan de motor niet laten draaien, maar we hebben in elk geval nog een paar minuten warmte.'

Hij schoof zijn stoel wat heen en weer, strekte zijn benen uit en vouwde zijn handen achter zijn hoofd. 'Waar zullen we het eens over hebben?'

De verwarming gaf niet lang meer warmte af. Een uur later had ik mijn knieën opgetrokken en mijn armen eromheen geslagen. Ik herinnerde me nog van een les bij de reddingsbrigade die ik als tiener had gevolgd, dat deze foetushouding de lichaamswarmte vast hielp houden.

Robert liet de motor nog een kwartiertje draaien om weer warmte te winnen. Het voelde goed, maar met al die kledinglagen om me heen, begon ik te zweten.

'Wil je mijn jasje?' Robert boog zich naar me toe en reikte achter mijn stoel om het te pakken.

Hoewel hij zag dat ik mijn hoofd schudde, viste hij het jasje toch op en zag erop toe dat ik het aantrok.

'Wil jij het niet?' Hij had er per slot van rekening recht op als hij het zelf nodig had. 'Ik red me wel, Freddie. Ik ben op het weer gekleed.'

Hij had gelijk, maar toch keek ik hem fronsend aan.

'Kijk niet zo boos naar me.' Hij stak zijn hand uit en begon het sjaaltje om mijn nek los te maken.

Ik legde mijn hand over zijn handen heen en probeerde hem tegen te houden.

Zachtjes maakte hij zijn handen weer los. 'Als je deze om je hoofd wikkelt, blijf je warmer.'

Hij had gelijk, dus liet ik hem het sjaaltje in Grace Kelly-stijl om mijn hoofd wikkelen en onder mijn kin vaststrikken.

'Noem me maar baboesjka.'

'We kunnen ook je haren vlechten en je Grietje noemen.'

Toen hij dat zei, wist ik dat ik eruit moest zien als een twaalfjarige. Dat was de schuld van mijn ronde gezicht en mijn grote ronde blauwe ogen. En de lichte sproetjes op mijn neus deden er nog een schepje bovenop.

'Waar hadden we het over, Robert?'

Hij schoof terug naar zijn kant van de auto en strekte zich weer uit, maar sloeg nu zijn armen over elkaar. 'Over jou en Peter. Hoe was het om met hem getrouwd te zijn?'

'In het begin was het geweldig. Precies zoals ik het me altijd in mijn dromen had voorgesteld. Maar later nam zijn werk hem meer en meer in beslag. Hij was bijna nooit meer thuis, en als hij wel bij me was, waren zijn gedachten elders. Hij zat altijd met zijn hoofd bij zijn werk, maar we konden er niet over praten. Dat was de enige manier waarop hij me kon beschermen.'

'En door je te beschermen, duwde hij jou van zich af.'

'In wezen wel.' Mijn temperatuur werd weer wat lager en ik zweette niet langer. 'Maar ik liet me niet te ver opzijschuiven. Hij was een rechtschapen man, een fatsoenlijke man. Ik hield van hem. En ik respecteerde hem. Het zou nog maar een maand hebben geduurd voor we gingen verhuizen en opnieuw konden beginnen. Wat het dan ook is geweest waar hij onder gebukt ging, we zouden het achter ons hebben gelaten. Ik was niet ongelukkig in mijn huwelijk met hem.' Het was belangrijk voor me dat Robert dat begreep.

'Maar was je gelukkig?' Zoals altijd begreep Robert het maar al te goed.

'Geluk laat zich niet grijpen. Je kunt net zo goed proberen de zee in te dammen. Jij bent nooit getrouwd geweest.'

'Nee.'

'Geluk is niet genoeg om te trouwen.'

'Maar zeg je nu dat je niet gelukkig was?'

'Nee, dat zeg ik niet. Maar ik was niet iedere minuut van iedere dag gelukkig.'

'Maar...'

'Dwars door het dagelijks leven heen liep een rijgdraad van momenten vol onbeschrijflijk geluk.'

'Geloof je in zielsverwanten? Dat er op aarde echt eentje voor jou rondloopt? Iemand die voor jou is voorbestemd?'

'Nee. Jij wel?'

'Ja.'

Zo, dat was een interessant stukje informatie. 'En je hebt haar nog niet gevonden?'

Hij draaide zich opzij en keek me aan. 'Misschien.'

De manier waarop hij naar me keek, maakte dat ik mijn ogen neersloeg. Maar dat lukte me niet lang. Zijn blik was magnetisch, dus ik sloot mijn ogen en dacht aan Sévérine. Toen besloot ik van onderwerp te veranderen en een uur lang praatten we over van alles en nog wat.

Plotseling merkte ik dat ik beefde. Op de een of andere manier was het zweet dat tussen mijn lichaam en mijn katoenen coltrui opgesloten zat, klam geworden. En mijn tenen waren aan het bevriezen.

De volgende paar minuten concentreerde ik me op mijn tenen. Ze waren zo koud dat ik ze nauwelijks kon bewegen.

'Wat is er?'

'Mijn tenen bevriezen.'

'Je moet ze bewegen.'

'Dat probeer ik ook.'

'Kun je ze nog voelen?' Er was een toon van bezorgdheid in zijn stem geslopen.

'Ja, Robert, ik voel ze nog en ze doen echt zeer.'

Hij grinnikte. Zijn tanden glinsterden in het donker en de wasem van zijn adem kringelde omhoog.

Ik dook nog dieper in elkaar.

Het was onuitstaanbaar dat er nog steeds geen enkele auto was gepasseerd. Was er in heel Bretagne niemand die tot in de vroege uurtjes van de nacht naar een feestje ging? Of om welke reden dan ook de weg op moest? Ik was in staat om zelfs een moordenaar met een bijl aan te houden.

Onderzoekend wriemelde ik met mijn vingers in de mouwen van mijn jas. Die waren ook koud. Misschien was het toch niet zo'n slim idee geweest om in de auto te blijven zitten. Ik was bang. Ik deed mijn mond open en stelde de eerste beste vraag die in me opkwam. Als ik nerveus ben, word ik altijd spraakzaam. 'Hoe is het om met filmsterren uit te gaan?'

'Hoe is het om met wie dan ook uit te gaan?'

Oef, wat was hij snel geraakt.

Hij zuchtte. 'Sommigen zijn workaholics. Anderen zijn egoïstisch. Weer anderen zijn de aardigste mensen die ik ooit heb ontmoet. Het zijn mensen, Freddie. Net als jij en ik.'

Misschien net als hij, maar zeker niet als ik. 'En die popster?'

'Wat is daarmee?'

'Wat was er zo aantrekkelijk aan die relatie?'

'We waren jong.' Hij maakte een snuivend geluid. 'Het was in de jaren tachtig. We stonden allebei bovenaan de top. Het leven was een gouden, betoverend feest. We vormden een mooi stel en poseerden eindeloos voor de fotografen.' Hij zuchtte. Het was een lange, diepe, vermoeide zucht. 'Als ik het opnieuw moest doen, zou ik het zo anders doen. Ik besefte gewoon niet dat er zo veel meer kon zijn. Met zo veel minder. Ik ben zo dankbaar voor Gods genade.'

'Ik had gelezen dat je christen geworden was.'

'Heeft dat nieuws zelfs Frankrijk gehaald?'

'Nee. Ik heb op internet gezocht.' Hoe kreeg ik het toch altijd voor elkaar om mezelf zo voor schut te zetten? Ik liet mijn hoofd wat zakken zodat mijn gezicht beschermd werd door de revers van Roberts jas. 'Ik heb je gegoogeld.'

'Pardon?'

Er was geen helpen aan. Ik duwde de bescherming van de jas opzij en keek hem aan. 'Ik heb je gegoogeld.'

Hij glimlachte schuldbewust. 'Mijn reputatie achtervolgt me.'

Mijn glimlach moet nogal magertjes zijn geweest. Ik probeerde me zo klein mogelijk te maken, omdat ik wist dat mijn lichaamswarmte zich dan verder zou verspreiden, en sloot mijn ogen. Mijn kin moet nog verder op mijn borst zijn gezakt, want het volgende dat ik me kan herinneren is dat Robert me heen en weer schudde en mijn hoofd omhoog schoot.

27

'Freddie, luister naar me. Je mag niet gaan slapen.'

De geeuw liet zich niet tegenhouden, ook al zou ik het hebben geprobeerd. 'Natuurlijk mag dat wel.' Hij kon soms zo bazig zijn. 'Ik ben hondsmoe, Robert.' Ik liet mijn hoofd weer zakken. Het was zo zwaar.

Robert pakte me bij mijn schouders. 'Freddie. Je mag niet gaan slapen.'

'Maar ik ben zo moe.'

Hij trok zijn handschoenen uit en legde zijn handen om mijn gezicht. 'Freddie, je bevriest.'

'Het was waar, ik *was* door en door verkleumd. Ik had al minstens een uur zitten bibberen, maar zijn jas zat zo ruim dat het me gelukt was om het niet te laten merken. 'Ik weet het. Maar ik ben zo moe, Robert.'

'Freddie, kom tegen me aan zitten.'

'Daar is geen plaats voor.' Mijn lippen en wangen waren zo koud, dat het moeite kostte de woorden te vormen.

'Freddie, kom hierheen!'

Hij moest kwaad op me zijn, want ik had hem nog nooit eerder horen schreeuwen. Maar hij schreeuwde toch echt. Tegen mij.

De moeite die het kostte om mijn benen neer te zetten en de korte afstand tussen de stoelen te overbruggen, was onbeschrijflijk.

Tegen de tijd dat ik bij hem zat, huilde ik.

Hij moest een glinstering van mijn tranen hebben gezien, want hij veegde ze snel weg. 'Sst. Niet huilen.'

'... kwaad op me.'

'Nee, Freddie, dat ben ik niet.'

'... schreeuwde.'

'Dat was niet mijn bedoeling, sorry. Ik ben alleen maar bezorgd.'

'... koud.'

Hij maakte de jas los, trok me tegen zich aan, spreidde de jas zo ver mogelijk om ons heen en klemde hem met zijn armen tegen ons aan. Ik lag met mijn borst tegen de zijne en mijn hoofd lag tegen zijn schouder gedrukt.

'Ik weet dat je het koud hebt. Je zult het nu snel weer warmer krijgen. Maar je moet niet meer huilen. Daar krijg je het alleen maar kouder van.'

'... niet kwaad...'

Hij drukte mijn hoofd met zijn kin tegen zijn schouder. 'Nee. Ik ben niet kwaad.' Hij sloeg zijn armen steviger om me heen.

'... krijg geen lucht...' Het kostte me enorm veel inspanning om deze woorden eruit te krijgen.

Hij verslapte zijn greep, maar niet veel. 'Laten we zingen. Wat wil je zingen?'

'... *bright coppered kettles...*'

Hij kreunde. '*Sound of Music*? Freddie.' Het klonk alsof hij teleurgesteld in me was, maar toch deed hij mee. Tegen de tijd dat we het liedje helemaal hadden gezongen, had ik het een heel klein beetje minder koud.

'Nu geen Julie Andrews meer. Iets anders.' Hij klonk niet alsof hij een grapje maakte.

Er kwam een liedje in me boven. Niet een dat ik wilde zingen, maar hoe langer ik eraan weigerde toe te geven, hoe luider het in mijn gedachten klonk.

Hij schudde me. 'Freddie!'

'... *Jesus loves me...*'

Hij maakte de zin af. '... *this I know...*'

'*For the Bible tells me so.*' Beurtelings zongen we een regel en we eindigden samen met het refrein, al ging het wat langzaam en zat er weinig ritme in.

'*Jesus loves me*? Zie je wel! Ik wist dat je geloofde. Je moest alleen ophouden met jezelf ervan te overtuigen dat het niet zo was.'

Mijn lippen waren genoeg ontdooid om tegen zijn kriebelige trui te glimlachen. Tot op dat moment rustte mijn hoofd tegen zijn schouder. Maar nu had ik de energie mijn hoofd te draaien en duwde ik mijn neus in het kuiltje van zijn sleutelbeen.

Hij legde zijn wang tegen mijn hoofd. 'Er komt vast zo iemand langs.'

Mijn ogen vielen weer dicht. Zijn geur was bedwelmend: een mengeling van wol, zeep, aftershave en een vleugje pepermunt in zijn adem. Ik voelde hoe mijn hoofd begon te tollen.

Hij schudde me zachtjes heen en weer en mijn ogen vlogen open. 'Freddie, wie is jouw lievelingsschrijver?'

Ik glimlachte bij mezelf. '... strikvraag...'

Hij lachte. En met mijn hoofd tegen hem aan kon ik die lach diep in zijn borst voelen opborrelen. 'Nee, serieus.'

'... Jane Austen...'

'Film?'

Maar ik was nog niet klaar. Ik schudde mijn hoofd. 'En Byatt.'

'A.S. Byatt?'

Ik knikte.

'Goed zo, Freddie. Film?'

'*Sense and Sensibility.*'

Hij kreunde. 'Je bent ook nog romantisch. Wie had dat gedacht? En ik neem aan dat je helemaal idolaat van Willoughby was.'

Nee. Ik schudde mijn hoofd. 'Van de kolonel.'

'De kolonel? Vond je de kolonel leuk?' Hij boog zijn hoofd om in mijn oor te fluisteren. 'Misschien is er dan nog hoop voor een kerel op leeftijd.' Ik wist bijna zeker dat hij een kus op mijn oor drukte.

'Lievelingskleur? Nee, wacht. Laat me raden: blauw.'

Ja.

'Een goede keus, gezien de kleur van je ogen. Lievelingseten?'

'Chocolade.'

'Een vrouw naar mijn hart.'

Hij zei nog iets, maar het drong niet tot me door. Ik begon het weer koud te krijgen, en deze keer kon ik het bibberen niet onderdrukken. Het kwam van binnenuit.

Ik had het idee dat Robert me heen en weer schudde, tegen me schreeuwde, en dreigementen uitte. Ik meende hem zelfs te horen zeggen dat hij van me hield, maar ik had geen kracht om te reageren. Verdoofd zag ik blauwe lichten tegen de voorruit flitsen.

En toen werd ik naar een politieauto overgetild. We snelden door de stille, koude nacht en kwamen met gierende remmen voor een ziekenhuis tot stilstand. Ik werd een kamer binnen geschoven en kreeg de opdracht mijn kleren uit te trekken terwijl er een warm bad werd klaargemaakt.

'Wat doe je?'

Het kostte een volle minuut voor mijn lippen voldoende ontdooid waren om Roberts vraag te beantwoorden. 'Ze zeiden dat ik me uit moest kleden.'

'Waarom?'

'Voor een warm bad.'

'Zijn ze nu helemaal gek geworden!' Hij sloeg zijn jas weer om me heen en tilde me op. 'We gaan. Niemand met gezond verstand vraagt een onderkoelde patiënt in jouw conditie zich uit te kleden en in een warm bad te stappen.' Al foeterend over de dwaasheid van het personeel, droeg hij me de gang door en beval de portier een taxi voor ons te bestellen door 'taxi' tegen hem te blaffen. Onderweg naar een hotel viel ik in slaap.

Toen ik wakker werd, lag ik ergens op een kamer die baadde in het licht. Robert deed mijn schoenen uit. Ik kreunde toen hij ze van mijn opgezwollen voeten trok.

Hij knoopte zijn jas los, die ik nog steeds droeg, en schoof hem behendig over mijn armen. Daarna maakte hij mijn sjaaltje los en streek mijn haar uit mijn ogen. Zijn gezicht doemde op voor het mijne en hij zocht mijn blik. 'Blijf bij me, Freddie.'

Voor ik kon protesteren, had hij mijn trui al over mijn hoofd getrokken. Daarna zette hij me rechtop. Terwijl ik tegen hem aanleunde en hij me met een hand bij mijn middel vasthield, hielp hij me met zijn andere hand uit mijn broek.

Hij sloeg een hoek van het dekbed naar achteren, legde me op bed en dekte me toe.

Ik bibberde onbeheerst.

Hij ging naast me liggen, kruiste mijn armen voor mijn borst, kruiste toen zijn armen eroverheen, en legde zijn handen op de mijne. Hij vormde zijn benen naar de mijne en op de een of andere manier slaagde hij erin mijn voeten tussen zijn eigen voeten te klemmen. Hij voelde als een fornuis tegen mijn ijskoude lichaam.

Voor ik het wist viel ik in slaap.

De eerste keer dat ik weer wakker werd, stroomde het ochtendlicht door een raam naar binnen, precies op mijn gezicht. Ik rimpelde mijn neus en deed wat ik altijd 's ochtends doe: me uitrekken. Tenminste, dat probeerde ik, maar mijn armen zaten tegen mijn lijf aangedrukt en mijn voeten waren vastgeklemd. Ik probeerde mijn hoofd om te draaien, maar zelfs mijn haar zat vast.

Terwijl ik onderzoekend wat bewegingen maakte, bewoog er iets achter me.

Vechtend tegen de paniek smoorde ik een gil.

'Freddie?'

'Robert?'

'Dank U, God.' Steunend op een elleboog, waardoor mijn haar weer los kwam, boog hij zich over me heen. Hij legde zijn vrije hand in mijn nek en streelde mijn wang met zijn duim. 'Hoe voel je je?'

Ik knipperde met mijn ogen en herinnerde me plotseling de vorige avond. De tranen sprongen in mijn ogen. 'Je hebt mijn leven gered, hè?'

Zijn prachtige bruine ogen werden heel even donkerder van kleur, maar toen krulde zijn mondhoek op. 'Noem me maar gewoon je redder in nood.'

Ik draaide me naar hem toe, sloeg mijn armen om zijn middel en omhelsde hem. 'Dank je, Robert.'

Zijn hand om mijn nek trok mijn hoofd wat dichter naar zich toe en hij drukte een kus op mijn voorhoofd.

Voor ik de kans kreeg te reageren, had hij mijn armen al losgemaakt en stond op. Hij trok het dekbed op tot onder mijn kin. 'Blijf liggen. Ik zal ontbijt boven laten brengen.' Hij spreidde mijn haar over mijn kussen voor hij zich omdraaide om de telefoon te gebruiken die op het nachtkastje stond.

Terwijl hij het ontbijt bestelde, sloot ik mijn ogen, genoot van de warmte van de zon en het dekbed en viel weer in slaap.

Ik werd wakker van een klopje op de deur en rekte me uit. Robert pakte het ontbijt aan van de hotelbediende en bracht het blad naar het bed. Hij droeg dezelfde kleren als gisteren, maar rook alsof hij net een douche had genomen. Hij zette het blad tussen ons in en stompte zijn kussen tussen zijn rug en de muur. '*Bon appétit.*'

Terwijl ik overeind ging zitten, trok ik mijn dekbed hoog op.

Robert sprong op en liep naar de badkamer. Hij kwam terug met een badjas van het hotel en reikte me die aan, waarna hij zich omdraaide zodat ik hem aan kon trekken.

Daarna hield hij me een kopje thee voor, maar ik probeerde net de mouwen van de badjas op te rollen. Ze bleven maar naar beneden zakken. Hij zette de thee neer en hielp me met de mouwen.

'Hadden ze geen koffie?'

'De dokter zei gisteravond dat je thee moest drinken.'

'Welke dokter?'

'De dokter in Los Angeles die ik gisteravond heb gebeld.'

'Los Angeles?'

'Ik heb hem een keer geïnterviewd toen ik een boek schreef waarvoor ik onderzoek moest doen naar onderkoeling. Toen ontdekte ik dat te veel beweging of een te snelle opwarming voor iemand met onderkoeling fataal kan zijn.'

Hij had geen grapje gemaakt toen hij zichzelf een redder in nood noemde. 'Maar ik houd niet van thee.'

'Dat is niet belangrijk nu. Beschouw het als een medicijn.'

Ik nam het kopje van hem aan en gooide er vier suikerklontjes in. Hij gunde me in ieder geval wel de *pains au chocolat*. Ik was uitgehongerd. En omdat koffie me geweigerd werd, dronk ik de hele theepot leeg.

Toen ik klaar was met eten, zette hij zijn leesbril op en pakte de krant die het hotel bij het ontbijt had meegeleverd. Hij stak me de krant toe. 'Wil je ook een stuk?'

Ik schudde mijn hoofd. 'Ik denk dat ik een douche neem.' Ik sloeg het dekbed van me af en liep naar de badkamer.

'Neem een bad.'

Dus nu mocht ik wel in bad? 'Maar ik heb een hekel aan een bad. Tegen de tijd dat de kuip vol is en je er eindelijk van kunt genieten, wordt het water alweer koud.'

Hij wierp me een strenge blik over zijn brillenglazen toe. 'De dokter zei: een bad.'

'En als ik nu beloof minstens twintig minuten onder de douche te blijven staan?'

'Bad.'

Omwille van Roberts geweten nam ik dus een bad. Een vol uur lang. Steeds wanneer het water te ver afkoelde, zette ik de kraan weer open tot het weer warmer was.

En ik deed iets wat ik nog nooit eerder in een bad had gedaan: ik sloot mijn ogen.

Het was maar goed dat Robert op de deur klopte, want ik was gaan doezelen.

Met een schok werd ik wakker en liet me tot mijn kin in het water zakken.

Hij opende de deur op een kier. 'Freddie?'

'Ja?'

'Ik heb een paar dingen voor je laten brengen. Ik zet ze naast de deur.'

Hij schoof de deur open, zette een stapel dozen op de grond en trok de deur weer dicht.

Pas toen hij weg was, realiseerde ik me dat ik mijn adem had ingehouden.

Ik pakte een handdoek, trok de stop uit het bad en droogde me af. Argwanend maar ook verrukt liep ik naar de dozen toe. Ik wist niet wat Robert in zijn hoofd had gehaald, maar de Fransen pakten aankopen zo elegant in dat de stapel dozen het idee gaf dat het Kerst was.

De kleinste doos, bovenop, was roze en dichtgebonden met een zwart lintje. Ik wist onmiddellijk wat het was. Ik schoof het lintje van de doos en maakte hem open. In de doos lag prachtige lingerie. De volgende vier dozen waren voorzien van de naam van een ontwerper die zo gerenommeerd was, dat ik hem alleen maar van horen zeggen kende. De eerste doos bevatte een blauwe leren broek. De tweede een bijpassende, dikke kasjmieren trui. De derde een paar blauwe, leren schoenen met naaldhakken en een kasjmieren maillot.

Toen ik het deksel van de laatste doos oplichtte, kon ik mijn ogen niet geloven. Daar lag de meest extravagante jas die ik ooit had gezien. Ik tilde hem bij de schouders uit de doos en hapte naar lucht. De lange jas was van glanzend zwart suède en de kraag, manchetten, capuchon, zoom en sluiting waren afgezet met grijs fluweel. Hij was prachtig. Hij was magnifiek.

Zeker vijf minuten lang voerde ik strijd met mezelf of ik deze cadeaus van Robert wel of niet zou aannemen. Opnieuw voelde ik aan het gladde leer, het zachte kasjmier en de glanzende suède. Als Robert vannacht niets romantisch had geprobeerd, zou hij dat nu ook niet gaan doen, redeneerde ik. Vanuit dit gezichtspunt zat er geen addertje onder het gras; hij probeerde er niets mee te kopen, hij was gewoon aardig. Een aardigheidje op mijn inkomstenniveau betekende meestal een mooie bos bloemen. Een aardigheidje op zijn niveau... was inderdaad erg leuk.

Hij klopte opnieuw op de deur. 'Freddie? Ben je klaar? De garage zou rond deze tijd mijn auto afleveren.'

'Ik kom eraan. Geef me nog vijf minuutjes.' Ik was bang om de kleren aan te trekken. Ik had heel vaak door de Rue du Faubourg-St. Honoré in Parijs gelopen en wist wat deze kleren minimaal moesten hebben gekost.

Ik probeerde mijn haren te drogen met de ingebouwde föhn van het hotel, maar gaf het al snel op: de luchtdruk was te laag en het versterkte alleen maar de geur van sigarettenrook die al in de kamer hing. Ik haalde mijn vingers door mijn haar, pakte het in een hand vast en bond het in de gebruikelijke knot. Een kneepje in mijn wangen bracht wat kleur op mijn gezicht. Het moest er maar mee door.

Er zat ook niets anders op dan mijn nieuwe kleren aan te trekken.

Het was een waar genoegen. Ik weet niet hoe Robert het heeft klaargespeeld, maar alles paste perfect. Zonder die naaldhakken was het ook prima geweest, maar afgezien daarvan voelde ik me minstens tweehonderdduizend dollar waard.

Ik legde mijn hand op de deurknop en werd overvallen door verlegenheid.

Er klonk een zacht klopje. 'Freddie?'

Met een lachje opende ik de deur.

'Robert...' Wat het ook was dat ik wilde gaan zeggen, het stierf weg op mijn lippen. De manier waarop hij naar me keek, bezorgde me een tinteling.

'Wauw.' Hij maakte een buiging, deed met een dwaas gebaar net alsof hij zijn hoed lichtte en bood me toen zijn arm.

'Ik weet niet hoe ik je moet bedanken.'

'Geef me gewoon je hand en vertel me nog een keer dat je vannacht niet bent doodgevroren.'

Ik haakte bij hem in. 'Maar..'

Robert legde zijn hand op de mijne. 'Die cadeaus stellen niets voor. Ik heb nog nooit een vrouw ontmoet die twee dagen op rij dezelfde kleren wil dragen. Mijn auto en mijn eigen stommiteit hebben jouw leven in gevaar gebracht. Het was het minste wat ik kon doen.'

Hij stopte onderweg naar de deur om een koffer van de ontwerper op te tillen. 'Ik zal deze voor je dragen.'

'Die is niet van mij.'

'Ik heb jouw spullen erin gedaan, dus is hij nu van jou, neem ik aan.'

'Als jij het zegt.'

Roberts auto stond voor het hotel op ons te wachten. Hij leek in niets meer op de ijskoude doodskist die het gisteravond had geleken.

Een hotelbediende opende het portier voor mij. Robert hielp me instappen. Het gaf me het gevoel een fotomodel te zijn.

Terwijl we door de stad stoven, zag ik de klok van de Tour de l'Horloge. Het leek wel of het al middag was.

Robert moest de verwarring op mijn gezicht hebben gezien. 'Het is ongeveer twee uur. Na wat we vannacht hebben meegemaakt, konden we wel wat slaap gebruiken.'

Onwillekeurig huiverde ik. Ik wilde het nooit meer zo koud krijgen.

Een uur later bereikten we het kasteel. Robert parkeerde voor de stoep en liep om de auto heen om me te helpen met het uitstappen.

Omdat ik geen naaldhakken gewend was, wankelde ik op de eerste tree. Robert sloeg een arm om mijn middel om me steun te geven, maar besloot toen dat hij me beter kon dragen. Zonder enige moeite tilde hij me op, droeg me de trap op en zette me in de ontvangsthal voorzichtig weer neer.

'Sorry van die hakken, maar dat was het enige wat de ontwerper dit seizoen te bieden had.' Hij grijnsde even en rende toen de trap weer af om de auto te parkeren.

'Frédérique? Robert?' Sévérines roep kondigde haar komst vanuit de keuken al aan. Ze kwam in zicht, op een afstandje gevolgd door Lucy. 'Ik was zo bang.' Ze legde een hand op mijn arm. 'Is alles goed met je?'

'Ik voel me prima. Heeft Robert je niet gebeld?'

'*Oui*. Robert belde vannacht vanuit het hotel. Maar hij vertelde nauwelijks iets. Hij was erg verzorgd.'

'Bezorgd.' Dat kon ik me indenken.

Een paar minuten lang luisterde ik naar Sévérines gekwebbel en haalde Lucy aan. Ik hoorde Robert over het grind op de oprijlaan aankomen en de trap op lopen. De grote eiken deur achter me zwaaide open.

Ik gaf Lucy nog een laatste klopje en liep naar de trap. Het leek me een goed idee de geliefden een kans te geven alleen te zijn.

'Robert!' Ik hoorde hoe Sévérine Robert op zijn wangen kuste en hem met vragen bestookte.

Ik nam de eerste draai van de trap.

'Freddie?' Robert maakte zich los van het gesprek. 'Alles in orde?'

'Ja hoor.'

Na nog een draai van de trap ging ik op een tree zitten om de schoenen uit te doen. Ik was gewoon geen type voor naaldhakken.

'Ik zal je koffer straks naar boven brengen.'

'Dank je.' Ik merkte dat ik weer moe begon te worden, ook al was ik nog maar vier uur wakker. Ik sleepte me naar mijn kamer en hing mijn jas in de kast voor ik op bed neerzeeg. Ik werd overspoeld door dankbaarheid. Ik leefde nog. Elke dag die ik nu nog zou beleven, was een geschenk. Ik rolde me behaaglijk op bovenop mijn dekbed en mijmerde nog wat na over dit wonder. Langzaam doezelde ik weg.

Toen ik wakker werd, was de zon al ondergegaan. Ik was verbaasd dat ik het niet koud gekregen had, maar besefte toen dat ik niet meer op maar onder mijn dekbed lag. Even dacht ik dat ik in mijn slaap eronder was gekropen, maar toen ik uit bed stapte en naar de badkamer liep, zag ik mijn nieuwe koffer naast de kledingkast op de grond staan.

Robert.

Alweer.

28

Mijn zestiende jaar
Het eerste jaar van Lodewijk XI, koning van Frankrijk

Dag van Saint Michel

Mijn heer was erg boos vanavond.

We hadden een feest ter ere van Saint Michel. Ik droeg een fluwelen houppelande in de kleur van een zomerlucht, met nauwsluitende mouwen en een voering van eekhoornbont. Ook droeg ik een zijden onderjurk in de kleur van stro, met een lage, rechte nek. De onderjurk kwam onder de houppelande uit. Mijn ceintuur was van goud en had een juwelen gesp. Mijn hoofdtooi, in de vorm van een vlinder, was beter te dragen dan mijn henin en was veel kleiner. Hij is van goud en bezet met parels en berils in de kleur van water.

Op deze feestdag werden we door een bezoek van de comte de Dol *vereerd. Deze graaf is erg oud. Hij is minstens vijftig, heeft nog maar de helft van zijn gebit en hoort niet goed meer.*

De graaf boog eerbiedig voor me neer.

Ik zei 'Mijn heer' tegen hem, waarna hij zich weer oprichtte en me bekeek. Dat vond ik niet fijn.

De graaf vroeg hoe oud ik was. 'Zestien,' vertelde ik hem.

Daarna vroeg hij waar ik vandaan kwam. 'Uit het land van Touraine,' antwoordde ik.

Anne en mijn heer voegden zich bij ons. De graaf maakte een diepe, eerbiedige buiging, maar ik merkte dat hij niet naar Anne keek, maar zijn blik op mij gericht hield.

Ik ging naast mijn heer staan en legde mijn hand op zijn arm. Hij legde zijn hand eroverheen.

De graaf zei tegen Anne dat haar nichtje erg mooi was en dat ze vast op zoek was naar een huwelijkskandidaat. Hij zei ook tegen haar dat ik met zo'n knap gezicht en zo'n lichaam vast geen problemen zou krijgen met kinderen baren. Toen besefte ik dat de graaf dacht dat ik de nicht was en Anne de echtgenote van mijn heer.

Mijn heer verontschuldigde zich voor het misverstand en introduceerde me als zijn echtgenote en Anne als zijn nicht. Hij moest het wel drie keer herhalen voor de graaf het verstond.

Daarna richtte de graaf zich tot Anne, keek naar haar, maakte een buiging en bood zijn verontschuldiging aan.

Ze moet hem hebben mishaagd, maar ik weet niet waarom.

Nu ik erover nadenk, besef ik voor het eerst blij te zijn dat ik met mijn heer ben getrouwd en geen meisje meer ben. Ik zal mijn vader schrijven en hem nadrukkelijk bedanken voor dit huwelijk. Ik ben bewaard gebleven voor veel erge dingen.

Maar ik denk niet dat dit het is wat mijn heer zo boos heeft gemaakt.

Hij heeft de hele avond naar me gekeken.

Ik weet niet waarom.

Iedereen schonk veel aandacht aan Anne. Ze was gekleed in karmozijnrood fluweel en straalde. Om haar hals hing het parelsnoer dat ze van mijn heer heeft gekregen. Ze praatte en lachte met heel veel mannen.

En dan de dans.

Mijn heer en ik leidden de grote danse basse *zoals hij hoorde. Maar we dansten hem als nooit tevoren.*

Toen mijn heer zich voor mij boog, sloeg hij zijn blik niet neer. In zijn donkere ogen smeulde het vuur, dat zijn hitte afgaf aan alles waar hij ze op had gericht... mijn lippen, mijn wangen en mijn eigen ogen. Zelfs op mijn schouders en lager. Maar ik begrijp niet waarom het nu anders was dan toen de graaf zo naar me had gekeken.

Na dit begin van de dans kon ik mijn ogen niet van hem losmaken.

Het leek wel of ik met hem in de dans gevangen zat, in het ritme van naar voren en achteren glijden, omhoog veren en weer terugzakken. Als zijn ogen armen hadden, zouden ze me hebben vastgepakt. Dat weet ik zeker.

Na de grote danse basse *volgde de* trihoris. *Steeds wanneer we ons naar elkaar toe draaiden, weer weg draaiden, en opnieuw naar elkaar keerden, kwamen we dichter bij elkaar. Het was net of hij me bij iedere stap dichter naar zich toe trok. Hoewel mijn voeten de muziek volgden, hoorde ik hem niet. Ondanks al de andere mensen in de zaal, zag ik alleen maar mijn heer. Het was alsof mijn blikveld zich alleen maar tot hem had beperkt.*

Ik had ook problemen met mijn ademhaling. Die was erg onregelmatig. En ik kon voelen dat ik een kleur kreeg.

Hij haalde zijn hand niet onder mijn hand vandaan, en ik voelde de hitte onder mijn palm.

En hoewel ik het wilde, lukte het me niet om me van de dans los te maken.

Later, toen ik uitrustte, zat ik met Agnès te praten en keek ik naar de muzikanten en de jongleurs die met hun attributen in de weer waren. Maar mijn heer zat ergens op te broeden.

Toen de muzikanten pauze namen, stond hij op van zijn stoel, sloeg met zijn hand op tafel en wees naar mij. 'Zij,' zei hij met luide stem, 'is mijn echtgenote.'

Er viel een diepe stilte.

Toen liepen de mannen bij Anne vandaan en maakten een eerbiedige buiging voor mij.

Daarna nam mijn heer me bij de arm en voerde me met zich mee. Hij bracht me naar mijn kamer en ging weg.

Later kwam hij terug. Niet om verhalen te vertellen, maar om vergeving te vragen. Hij zei dat hij me ten schande had gemaakt door me ten overstaan van de mannen niet geëerd te hebben.

Ik begrijp niet wat hij bedoelt.

Drie dagen voor Saint Dynys

Mijn vader heeft antwoord gestuurd. Er is een ridder van de viscomte de Rideau *die een goede reputatie geniet en onlangs weduwnaar is geworden. Hij is vijfendertig jaar oud en in het bezit van een stuk grond. Als het uur daarvoor is gekomen, zal hij een geschikte echtgenoot voor Anne zijn.*

Twee dagen voor Saint Dynys

Gisterenavond kwam mijn heer bij me.

Hij ging op mijn bed liggen, zoals hij gewoonlijk deed. Toen vertelde hij me een nieuw verhaal, over twee mannen, Ioen en Herik, en een vrouw, Klaoda. Ioen was verloofd met Klaoda en was twaalf jaar jonger dan zij. Herik was haar neef en minnaar. Toen ze ouder werd, ging Klaoda van Ioen, die inmiddels ook haar echtgenoot was, houden. Ze wist niet wat ze moest doen: Herik wegsturen of hen allebei bij zich houden.

Mijn heer vroeg wat ik zou doen.

Ik wist niet wat ik moest antwoorden. Is het juist om iemand van wie je hebt gehouden weg te sturen? Is het juist om twee geliefden te hebben? Ten slotte besloot ik dat de vrouw, Klaoda, de echtgenoot onrechtvaardig had behandeld door haar neef als minnaar te nemen. Zij was trouw verschuldigd aan de echtgenoot, niet aan de neef. Als de neef fatsoenlijk was geweest, zou hij haar avances hebben geweigerd. Als ze geen minnaar had genomen, zou ze geen probleem hebben. Dat is wat ik tegen hem zei.

Hij ging rechtop zitten en vroeg me of het verschil uitmaakte als de vrouw van beide mannen hield.

Ik vroeg hem of het wel mogelijk was om van twee mensen tegelijk te houden.

Hij zei van wel.

Toen herinnerde ik hem aan de plicht. In het ene geval is er wel sprake van plicht, in het andere niet.

Hij herhaalde dat woord, plicht, op een vreemde toon en vroeg me wat ik dan zou vinden als ik de echtgenoot was?

Ik lachte en gaf hem een duw, waardoor hij weer achterover op bed viel. Ik vroeg hem of ik er soms uitzag als de echtgenoot.

Hij pakte me bij mijn pols en trok me op bed, bovenop zich. Hij verzekerde me dat ik er niet als de echtgenoot uitzag.

Ik denk dat ik gehuiverd moet hebben, want hij vroeg me of ik het koud had.

Ik moet ja hebben gezegd, want hij sloeg de dekens terug en stopte me eronder. Daarna vroeg hij of hij ook onder de dekens mocht.

Dat vond ik vreemd, want het is eind oktober en we hebben een été de Saint Michel. *Het was veel warmer dan de vorige avond toen hij er was. Ik dacht dat hij misschien ziek was en dat niet wist, dus vertelde ik hem dat hij moest doen wat hij wilde.*

Hij stond op van het bed en deed zijn houppelande af, maar hield wel zijn blouse aan.

Ik kon niet te lang kijken, want dat zou onbetamelijk zijn, maar in het licht van de haard scheen zijn silhouet door zijn blouse heen. Ik kon mijn ogen niet van hem afhouden. Overal waar ik zacht ben, is hij hard. Waar ik ronde vormen heb, is hij vlak en vierkant.

Het is vreemd dat een bed dat gisterenavond nog zo groot leek, nu ineens zo klein leek te zijn. De geur van het linnen, lavendel en sandelhout waaraan ik zo gewend was geraakt, werd overheerst door zijn geur. Ik wist niet goed wat ik moest doen en of ik me moest omkeren om te gaan slapen.

Ik besloot even naar het vuur te kijken en mijn voeten onder me te trekken. Toen ik mijn gezicht van de haard afwendde, merkte ik dat mijn heer naar mijn gezicht keek.

Ik kon alleen maar naar zijn ogen kijken.

Zijn blik ving de mijne en wilde hem niet laten gaan.

Er ging een rilling door me heen, van mijn hoofd tot mijn tenen. En plotseling was mijn mond heel droog. Ik zei tegen hem dat ik dacht dat ik ziek begon te worden.

Hij antwoordde dat hij dacht dat hij verliefd begon te worden. Toen legde hij zijn handen om mijn hals, trok me naar zich toe en kuste me.

Ik vroeg hem om me over andere dingen te vertellen.

Hij vroeg me hoe oud ik nu was.

'Zestien,' vertelde ik hem. Vreemd dat zo veel mensen dat wilden weten.

Hij legde een vinger tegen mijn lippen om me te laten zwijgen en vroeg me toen of ik hem Awen wilde noemen.

'Natuurlijk, mijn heer,' antwoordde ik. We schoten allebei in de lach.

Hij kuste me opnieuw.

Daarna begon hij tegen me te praten. Hij vertelde dat hij lijdt. Dat hij niet kan slapen, hoe goed hij het ook probeert. Dat hij niet kan eten, hoe goed hij het ook probeert. Dat hij neerslachtig is en zelfs baden of bloedlaten niet helpt.

Ik maak me zorgen, want toen ik naar hem keek, leek hij nog bleker, nog triester, nog lustelozer.

Ik vroeg hem of ik hem ergens mee kon helpen.

Hij antwoordde dat mijn nabijheid het enige geneesmiddel is. Toen kuste hij me opnieuw. Hij zei dat ik hetzelfde kon doen, dus probeerde ik het, maar ik ben bang dat ik het niet goed deed, want hij glimlachte. Daarna legde hij me op het bed en boog zijn hoofd naar me toe. Hij vroeg me het opnieuw te doen, want hij zei dat het hem genezing bracht.

Dus deed ik dat, en die keer beroerden zijn lippen de mijne. Samen deden ze een soort van dans. Een lange, trage dans, net als de danse basse. *Dan weer gleden ze over elkaar heen, dan weer niet, en dan weer wel. Hoe meer we kusten, hoe makkelijker het werd. Op de een of andere manier raakten zijn vingers in mijn haren verstrengeld en ik merkte dat mijn handen de zijne vastgegrepen.*

Hij sliep de hele nacht naast me, met zijn arm om me heen en zijn gezicht tegen mijn haar.

Ik heb geen oog dichtgedaan.

Een dag voor Saint Dynys

Vannacht kwam hij opnieuw. Er zat nu dus maar een dag tussen zijn vorige bezoek en nu. Ik had hem pas over een maand weer verwacht. Hij wilde me geen verhaal vertellen. Hij wilde alleen maar in bed liggen en me kussen.

Het maakte me verlangend. Ik weet niet waarnaar.

Een dag na Saint Dynys

Hij is vanavond niet gekomen.

Twee dagen na Saint Dynys

Hij is vanavond niet gekomen.

Drie dagen na Saint Dynys

Hij is vanavond niet gekomen.

Ik ben van mijn zinnen beroofd. Ik hoef geen eten. Ik kan niet eten, want ik heb geen trek. Ik kan niet slapen. Ik kan alleen maar aan hem denken. Aan Awen. Ik ben naar de kapel gegaan en heb aan een stuk door Ave Maria's opgezegd, maar ik kan me niet herinneren het altaar of de kaarsen gezien te hebben. Mijn oren herinneren zich geen woorden.

Tijdens de maaltijden betrap ik mezelf erop dat ik alleen maar naar hem zit te kijken. Hij fascineert me. Tot in de kleinste details. Ik heb al een week geen boek meer gelezen. Ik probeer het wel, en lees steeds een hele pagina, maar aan het einde kan ik me niet meer herinneren wat er aan het begin stond.

Ik begrijp niets van mijn gevoelens.

Acht dagen na Saint Dynys

Vannacht is hij gekomen.

Toen ik hem zag, begon ik te huilen.

Hij zat naast me op het bed en trok me op zijn schoot. Hij drukte mijn hoofd tegen zijn schouder en sloeg zijn armen om me heen. Ik klemde mijn armen om zijn rug. Hij noemde me zijn 'kleintje' en vroeg me waarom ik verdrietig was.

Ik vertelde dat ik niet verdrietig was, maar heel erg verward.

Hij drukte een kus op mijn hoofd, streek over mijn haren en vroeg me waar die verwarring door veroorzaakt werd.

'Door alles. En door niets,' antwoordde ik. Ik vertelde hoe ik me voelde en waarom.

Hij vroeg me of hij me ongelukkig maakt.

Ik antwoordde dat het juist het tegenovergestelde is. Hij maakt me gelukkig. Gelukkiger dan ik zelf kan verklaren. Dat ik geen trek in eten heb, maar alleen maar naar hem verlang. En dat zelfs zijn aanwezigheid niet genoeg is. Dat ik er niets van begrijp.

Hij schoof me een stukje opzij en zei dat er dingen waren die hij me moest uitleggen. Toen vroeg hij me of ik zijn houppelande af wilde nemen.

Dat deed ik. Ik legde hem over de stoel voor de haard. Ik vind het zijn mooiste houppelande. De wijnrode kleur weerspiegelt op de een of andere manier in zijn ogen. Hij is gevoerd met bont van hermelijn en is heel elegant door het broderie van gouden draad.

Toen ging mijn heer in de stoel voor de haard zitten en vroeg me zijn schoenen uit te doen.

Ik knielde naast hem neer en deed wat hij had gevraagd.

Toen nam hij mijn handen in de zijne en vertelde dat men in een huwelijk elkaar iets verschuldigd is.

Ik vroeg hem wat ik hem verschuldigd was.

Toen vroeg hij me zijn blouse uit te doen.

Ik probeerde het, maar frunnikte met het bolknoopje, dat te klein voor mijn vingers leek te zijn en bovendien weggleed tegen de groene zijde. Hij legde zijn handen over de mijne om te helpen. Ze zijn groot, veel groter dan mijn handen. Waar mijn vingers lang en slank zijn, zijn die van hem dik en breed. Op de rug zijn ze bedekt met donker haar, die van mij niet.

Maar het lukte hem zelfs met zulke grote vingers de knoop los te maken. Hij boog zijn hoofd zodat ik het kledingstuk over zijn hoofd kon trekken.

Ik vroeg hem opnieuw wat ik hem verschuldigd was.

Hij droeg nu niets meer dan enkel een grote gouden ketting en zijn maillot van de fijnste zijde.

Ik keek toe hij zijn handen naar zijn hals bracht om de ketting af te doen. Hij legde hem in mijn hand en sloot zijn hand eromheen.

Hij vertelde dat men elkaar in het huwelijk iets van vlees en bloed verschuldigd is. Dat een echtgenoot en zijn vrouw recht hebben op het lichaam van de ander. Dat wanneer de een dit verlangt, de ander het moet schenken.

Nadat hij dit gezegd had, liet hij me de ketting op het blad van de schoorsteenmantel leggen. Toen pakte hij mijn hand, legde hem tegen zijn borst en zei dat die aan mij toebehoorde.

Ik voelde de warmte van zijn borst en keek hoe het vuur erop reflecteerde. Zijn spieren spanden zich bij de aanraking van mijn vingers.

Ik nam zijn andere hand in mijn vrije hand, legde hem tegen mijn borst en zei dat die hem toebehoorde.

Hij haalde mijn hand van zijn borst, legde hem tegen zijn wang en zei dat die mij toebehoorde.

Ik liet mijn vingers over de zijkant van zijn gezicht en kaaklijn glijden en voelde zijn baardstoppels.

Ik haalde zijn hand van mijn borst, legde hem tegen mijn wang en leunde ertegen aan. Ik boog mijn hoofd en zei dat die hem ook toebehoorde, Mijn wangen gloeiden van de hitte toen hij mijn gezicht in zijn beide handen nam.

Hij ging dichter bij me staan en zei dat ik hem aan moest blijven kijken. Ik zag in zijn ogen een weerspiegeling van mezelf en het vuur in de haard. Ik had het gevoel alsof ik in brand stond. Als ik iets onder mijn nachtjapon had gedragen, zou ik het zeker hebben uitgedaan.

Alsof hij mijn gedachten had gelezen, begon hij de koordjes van mijn nachtjapon los te maken. Ik had het gevoel dat ik geen adem kon halen. Mijn buik begon steeds harder te kriebelen, alsof er allemaal vlinders in vlogen. Mijn handen sloten zich om de zijne en hielden ze tegen.

Hij boog zijn hoofd naar mijn lippen en begon me te kussen. Het benam me zo de adem dat ik mijn ogen sloot en mijn knieën slap werden.

Alsof hij nog steeds mijn gedachten kon lezen, tilde hij me in zijn armen en droeg me naar het bed. 'We zullen wachten tot je er klaar voor bent, kleintje, want als jij je aan de echtelijke plicht overgeeft, zal dat enkel zijn omdat je naar me verlangt. En ik verlang naar jou. En dat is goed, mijn Alix, want we hebben het recht daartoe. We zijn met elkaar getrouwd.'

Negen dagen na Saint Dynys

Deze nacht is mijn heer, Awen, niet gekomen. Lang nadat het vuur zichzelf had gedoofd en de maan van het ene raam naar het andere was verschoven, lag ik nog wakker. Ik hoorde een geluid op de gang.

Ik opende de deur op een klein kiertje en zag Anne in de gang. Ze klopte zachtjes op de deur van mijn heer. Er werd opengedaan en ze glipte zijn kamer in.

Ik wachtte een lange tijd, op zijn minst de tijd van twee missen, maar ze was nog steeds bij mijn heer. Omdat ik toch niet kon slapen, pakte ik een deken van het bed, sloeg hem om me heen en wachtte bij de deur tot Anne weer de gang op kwam.

Toen het buiten begon te lichten, opende ze de deur van de kamer van mijn heer en ging naar haar eigen kamer terug. Ik wachtte om te zien wanneer mijn heer zou verschijnen.

Dat duurde niet lang.

Ik deed mijn deur helemaal open zodat hij me kon zien, staande in mijn nachtjapon, omwikkeld door de deken.

Hij hield zijn pas in en staarde me aan.

Het kon me niet schelen dat hij de tranen op mijn wangen zag.

Hij kwam naar mijn kamer toe lopen, maar ik deed de deur dicht en sloot hem af. Hij klopte zachtjes op de deur en fluisterde mijn naam. Ik maakte opzettelijk veel lawaai in mijn kamer zodat hij wist dat ik niet luisterde.

Na een poosje ging hij weg.

Ik vroeg God waarom mijn echtgenoot mij ontstolen werd terwijl ik hem nog maar net had.

Février

Le court et fievreux février,
le plus court des mois,
est de tous le pire à la fois.

Februari

Deze hectische maand duurt weliswaar
niet lang,
maar geeft toch de meeste reden voor
klaaggezang.

29

'We moeten een huwelijksdiner geven.'

'Een wat?'

'Een huwelijksdiner. Dat heb ik nodig voor mijn boek.'

'Daar zijn meestal meer dan twee personen bij aanwezig, Robert.'

'Sévérine is er ook nog.'

'Voor een huwelijksdiner heb je minstens twintig mensen nodig.'

'Ik betaal ervoor.'

Het probleem was dat ik me, toen ik net naar het kasteel was verhuisd, in de middeleeuwse keuken had verdiept. Ik herinnerde me nog wel vaag wat daar bij kwam kijken. 'Robert, dat betekent een heel geroosterd varken, een halve koe en tal van andere gerechten. Een feestmaal telt minstens vijf tot zes gangen.'

Hij haalde zijn schouders op. 'Nodig je vrienden uit.'

'Nodig *jouw* vrienden maar uit. Je kent toch mensen in Parijs? Ze zouden hier kunnen blijven overnachten.'

'Dat zou kunnen.' Hij nam een slokje van zijn espresso en liet het onderwerp rusten.

Later die avond zocht ik op internet naar informatie over middeleeuwse feesten en diners. Ze waren zelfs nog uitgebreider en arbeidsintensiever dan ik me herinnerd had. Uit nieuwsgierigheid bladerde ik het kookboek door dat ik met Kerst van Robert had gekregen. De recepten en teksten waren fascinerend, maar het zou behoorlijk wat research vergen om ze naar het heden te vertalen en ook veel tijd kosten om gelijkwaardige ingrediënten te vinden.

Twee dagen later liet hij zijn bom vallen. Net voor het einde van de avondmaaltijd. Tot op dat moment was het een ontspannen maaltijd geweest. Ik had een *navarin d'agneau* gemaakt en we hadden genoten van de zachte stukjes lamsvlees met de bijbehorende wortelgroente. Net op het moment waarop ik aan mijn met custard gevulde *mille feuille* begon, het nagerecht waar ik de hele dag al naar had uitgekeken, deed Robert zijn aankondiging.

'Volgende week vrijdag komen ze.'

'Wie komen er?'

'Mijn vrienden. Voor het huwelijksdiner.'

'Wat?'

'Ben je het vergeten, Freddie? Het huwelijksdiner? Wat we zouden geven zodat ik erover kan schrijven?'

'*Volgende* week vrijdag?'

'Volgende week vrijdag.'

Dat was over tien korte dagen.

'Hoeveel vrienden komen er?'

'Twaalf.'

'Twaalf!'

'Twaalf. Je zei dat er voor een feest minstens twintig mensen nodig waren, maar ik wist dat je maar zeven kamers hebt.' Hij aarzelde. 'Nou ja, zes en de mijne. In totaal zijn we dus met vijftien personen. Inclusief jij, ik en Sévérine.'

'En hoeveel kamers heb je voor deze mensen nodig?'

'De andere zes.'

Ik ontplofte. 'Robert, dit is jouw huis niet. Ik kan niet zomaar een heel varken en wildbraad en...' Op mijn netvlies verscheen de lange lijst met gerechten die ik op internet gevonden had. Ik was compleet verbijsterd.

'Schrijf hun verblijf maar gewoon op de maandelijkse rekening.'

Ik keek van hem weg, want ik overvroeg hem nu al. Maar er was altijd nog een gulden middenweg. Ik zou het op zijn rekening zetten, maar voor een lager bedrag dan zou moeten. Per slot van rekening gaf hij me gratis publiciteit.

'En probeer me niet te matsen. Het zijn mijn vrienden, niet de jouwe.'

Hoe kon hij toch altijd mijn gedachten lezen?

De volgende ochtend begon ik met de voorbereidingen voor het huwelijksdiner en stond ondertussen aan een stuk door op Robert te foeteren. Hij had absoluut geen idee van wat hij overhoop had gehaald.

Het probleem was niet dat ik geen recepten uit die periode had. Die had ik binnen handbereik, waaronder ook een paar recepten uit het boek dat hij me met Kerst had gegeven. Maar om een recept uit die periode om te zetten in een recept dat zich leent voor moderne apparatuur en ingrediënten, vereiste veel experimenteren en heel wat tijd. En ik had niet het idee dat ik deze mensen voor de mal kon houden met een bord bovenmaatse kalkoenenboutjes.

Er zat niet anders op dan een menu proberen samen te stellen. Ik schoof de recepten waar ik ingrediënten voor nodig had die ik op korte termijn toch niet kon krijgen, aan de kant. Gerechten met bessen, druiven, rood fruit of groene bladgroenten vielen dus af.

Waarom had hij deze ingeving niet eind oktober gehad, het seizoen van de wilde paddenstoelen en ook de tijd waarin er nog steeds fruit verkrijgbaar was en er volop werd gejaagd?

Middeleeuwse maaltijden betekenden verschillende gangen, evenveel als moderne, officiële diners vereisten, maar de middeleeuwse gangen stonden allemaal op zichzelf. En bij iedere gang hoorde vlees, een bijgerecht, brood of aardappelen, en een nagerecht. Dus een viergangendiner stond in dit geval gelijk aan vier diners, als iemand een grote eter was. In feite zou ik niet één, maar vier diners moeten voorbereiden.

Het was het makkelijkst om met het vlees te beginnen. Ik koos voor lam, hert, vis en gevogelte. Kip werd alleen maar gegeten door het armere deel van de bevolking. Biefstuk werd zelden gegeten, want een levende koe was meer waard dan een dode. Ik had geit in plaats van lam kunnen kiezen, maar ik wist dat lam veel makkelijker te verkrijgen was. En dan heb ik het nog niet eens over het feit dat ik nog nooit eerder geitenvlees had bereid. Het zou een interessante ervaring kunnen zijn, maar daar had ik simpelweg de tijd niet voor.

Soep stond ook op het menu. Dat was een ding dat zeker was.

Een deel van het vlees zou in ieder geval als een pastei moeten worden opgediend. Omdat bestek toen nog geen gemeengoed was, werd het eten vaak zo geserveerd dat het eenvoudig uit de hand te eten was. Natuurlijk zou ik mijn gasten geen vorken en lepels weigeren, maar ik wilde dat het diner zo authentiek mogelijk zou worden.

Fruittaart was ook een goed idee, maar ik zou eerst moeten nakijken welke citrusvruchten er in de vijftiende eeuw in Frankrijk verkrijgbaar waren. Zouden er tijdens de middeleeuwen in februari ook appels te koop zijn geweest? Misschien gedroogd.

En welke drank hoorde erbij? Een lekkere rode wijn en *hipocras* – een wijn die gekruid is met gember, kaneel, nootmuskaat en suiker – bij het dessert. Cider was ook een mogelijkheid, maar ik zou geen Engelse *ale* serveren. Ale werd in die tijd alleen in Engeland gedronken. Ik zou ook geen water schenken; dat was geen gebruikelijke drank. En natuurlijk ook beslist geen melk, tenzij het voor een kind was. En geen koffie of thee; daar waren ze in de middeleeuwen in Frankrijk niet mee bekend.

Terwijl ik in hoog tempo mijn kookboeken doorbladerde en het internet afstruinde naar informatie, kwam de gedachte bij me op dat Robert er misschien wel stiekem op uit was om mij tot wanhoop te drijven.

Die week waren de avondmaaltijden erg fantasieloos: quiche, *boeuf bourguignon*, en van het restant daarvan een *tourte bourguignon*, een vleespastei, *endives gratinée*, en gebakken *poulet rôti* met wat aardappels en knoflookteentjes.

Robert klaagde nooit. Tenminste, niet zo dat ik me er bewust van was. Als hij het wel deed, maakte het in elk geval geen indruk op me. Mijn energie werd voor de volle honderd procent door het diner opgeslokt. Overdag was ik bezig met recepten lezen, uitproberen en de resultaten proeven, en 's nachts droomde ik ervan.

Hoe langer ik met de menu's bezig was, hoe benauwder ik het kreeg. Tenzij de gasten sterk afweken van de gemiddelde Fransman, was ik ervan overtuigd dat ze het eten niet lekker zouden vinden. De middeleeuwse stijl van eten was de tegenpool van het basisprincipe van de moderne Franse keuken: vermeng nooit zoete met hartige gerechten. Om een voorbeeld te noemen: alleen al bij het idee de klassieke Amerikaanse pindakaas op een boterham met jam te smeren, keert de maag van een Fransman zich om. Witte bonen in tomatensaus is voor de Fransen al net zo weerzinwekkend. Bij het ontbijt wordt wel verwacht dat je brood en jam serveert, maar bij het diner? Nooit! De meeste Fransen gaan zelfs zo ver dat ze gezouten boter van hun tafel verbannen, omdat die anders met de zoete roombasis zou botsen. De Fransen lusten zeker wel zoet voedsel, maar beperken dit tot het dessert. Maar bij mijn middeleeuws diner was het de bedoeling dat de gasten bij iedere gang zowel zoete als hartige gerechten zouden eten.

Ik kwam op het lumineuze idee om Robert aan zijn tenen aan een van de torentjes te hangen.

Die gedachte hielp, maar ik probeerde mezelf voor te houden dat ik dit diner voor Robert in elkaar zette, niet voor zijn vrienden. Ik offerde mijn gezonde verstand op omwille van zijn roman. Misschien leverde het een vermelding in zijn dankwoord op.

Misschien ook niet.

Toen ik Robert waarschuwde dat hij tegen zijn vrienden moest zeggen dat ze niet te veel van het diner moesten verwachten, lachte hij me uit en zei dat ze toch wel zouden komen. Bovendien liet hij na me te vertellen dat zijn Franse vrienden zelfs in Amerika bekende sterren waren.

'Je hebt me niet verteld dat *hij* zou komen,' siste ik terwijl ik die vrijdag achter hem de trap afliep. De persoon op wie ik doelde, was een bekende Franse acteur, die in een aantal verfilmingen van Roberts boeken de hoofdrol had gespeeld. Eigenlijk hadden de meeste gasten wel een of andere link met zijn boeken.

'Als je het me had gevraagd, had ik het je wel verteld.'

Een acteur en een actrice die met elkaar waren getrouwd. Een producer en een fotomodel die een relatie hadden. Een componist, diverse schrijvers en een ontwerper van haute couture. Ik had dat weekend alle vips uit de Franse entertainmentindustrie in mijn kasteel verzameld.

Robert had me gevraagd de tafel voor veertien personen te dekken, maar ik telde niet meer dan dertien gasten.

'Wie missen we nog? De premier?'

'We zijn compleet.'

'Ik kom maar tot dertien, Robert. Twaalf gasten en jij.'

'En jij.'

'Ik?'

'Jij. Jij bent de gastvrouw.'

'Nee, jij bent de *gastheer*. Ik ben je kok.'

'Gastvrouw. Kom op, Freddie, je hebt hier zo hard voor gewerkt; geniet ervan.'

'Wie gaat er dan serveren?'

'Sévérine.' Hij had het allemaal al geregeld. Zoals altijd.

'Robert, ik ben de kok. Dat betekent dat ik kook. Ik kan niet tegelijk de gastvrouw en de kok zijn.'

'Ik dacht dat je de hele dag hebt staan koken.'

'Dat heb ik ook.'

'Wat moet er dan nog worden gedaan?'

Ik keek de keuken rond. 'Nog wat kleine dingetjes. De *finishing touch*, die pas op het laatste moment kan worden aangebracht. Niemand wil lauw eten op zijn bord.'

'Ik kan me niet voorstellen dat ze in de middeleeuwen hun eten altijd warm opgegeten hebben. Zo lijkt het authentieker. Leg gewoon een briefje neer voor Sévérine, waarop staat wat ze moet doen.'

Als de Cordon Bleu in een schriftelijke koksopleiding geloofde, zouden ze die heus wel geven. Maar eerlijk gezegd, ik wilde gewoon geen briefje schrijven. Geen gastvrouw zijn. Ik wilde het gewoon niet. Ik had een excuus nodig. Een beter excuus. Ik dacht aan Sévérine en haar betoverende charme; zij hoorde vanavond tegenover Robert aan tafel te zitten.

'Onzin,' schimpte hij toen ik mijn argument op tafel legde. 'En we kunnen ook niet met dertien mensen aan tafel. Dat brengt ongeluk.'

Sinds wanneer?

Sévérine redde me door op dat moment in de keuken te verschijnen. Ik legde haar de situatie uit en zei dat ze me het beste hielp door als gastvrouw op te treden.

Maar al mijn inzicht in haar persoonlijkheid werd getart, want Sévérine weigerde. Ik begreep er niets van, maar ze was onvermurwbaar. 'Echt niet, Frédérique. Jij bent de *chateleine*.

Robert heeft gelijk. Jij hoort niet te serveren. Dat doe ik wel.'

'Maar...' De rest van mijn woorden wilde niet meer over mijn lippen komen toen ik zag wat voor blik ze me zond. Het leek wel of ze met haar ogen dolken naar me gooide. Als ik haar op dat moment had moeten beschrijven, zou ik woorden als dreigend en gevaarlijk hebben gebruikt. En plotseling had ik geen enkele behoefte meer om tegen haar in te gaan.

Sévérine keerde me haar rug toe, pakte een schort uit een lade en bond hem om haar middel.

Onder Roberts toezien schreef ik de aanwijzingen voor Sévérine op.

Daarna draaide hij me in het rond, pakte mijn hand vast en voerde me de trappen op. Hij bracht me rechtstreeks naar mijn kamer, alsof ik, zonder zijn toezicht, geprobeerd zou hebben weg te komen. En misschien zou ik dat ook wel hebben gedaan.

Nadat Robert de deur achter mij had gesloten en naar zijn eigen kamer was gegaan, liep ik naar mijn kledingkast. Opeens werd ik overvallen door paniek, want ik had niets om aan te trekken. Het klonk erg cliché, maar het was echt waar. Kon ik de kleren maar aan die Robert voor me had gekocht, maar ik was bang dat die te informeel zouden zijn. Ik had de laatste drie jaren helemaal geen nieuwe kleren meer gekocht; niet sinds Peter was gestorven en ik uit Parijs was vertrokken. In de aanwezigheid van een stel modebewuste mensen te verkeren en te weten dat de gemiddelde Franse vrouw ieder jaar karrenvrachten geld aan nieuwe kleren uitgeeft, was een complete ramp.

Niet dat het me iets kon schelen.

Ik moest minstens tien minuten voor mijn kast hebben staan redeneren waarom geen enkel kledingstuk geschikt was om vanavond aan te trekken.

Na een blik op mijn wekker, besloot ik de kwestie even te laten rusten en mijn energie in het nemen van een douche te steken. Een kwartier later stond ik met een handdoek om me heen geslagen voor mijn spiegel en pijnigde mezelf met de vraag wat ik met mijn haar zou doen.

Ik schrok op toen er werd geklopt.

Snel opende ik de deur op een kier, waarbij ik mijn lichaam achter het solide eiken verborg.

Maar Robert duwde me toch wel opzij.

'Robert, je kunt niet zomaar...'

'Waarom ben je nog niet aangekleed?'

'Omdat ik echt niets heb om aan te trekken.'

'Dat is belachelijk.' Hij beende over het karpet naar de kast en gooide de deuren open. Hij schoof een paar hangers heen en weer voor hij een staalblauwe fluwelen badjas pakte. Alleen al bij het zien van dat kledingstuk kreeg ik kippenvel door de opgeroepen herinnering aan die avond in oktober toen hij me bijna had gekust.

'Ik ga niet in een badjas naar het diner.' Ik trok hem uit zijn handen en probeerde hem weer op de hanger terug te schuiven. Toen mijn handdoek af begon te zakken, liet ik noodgedwongen de badjas vallen. Met een woeste blik naar Robert trok ik de handdoek weer strak om me heen.

'Waarom niet? Ik heb een muze nodig.'

'Een muze?'

'Een inspiratiebron. Het is niet voldoende om enkel deel te nemen aan een diner. Ik moet me kunnen voorstellen hoe de mensen er toen hebben uitgezien.'

'Ik trek geen badjas aan.' Toegegeven, hij zag eruit alsof ik hem bij een winkel met renaissancekostuums had gekocht. De Baskische getailleerde rok begon een heel stuk lager dan mijn eigen taille, in de stijl van de mode uit de late middeleeuwen. Het bovenstuk was in de schuinte geknipt en sloot om mijn lichaam alsof het er voor was gemaakt. Eigenlijk droeg ik hem zelden omdat hij zo strak om me heen zat.

'Alsjeblieft, Freddie.' Robert had de badjas opgeraapt en uitgeschud en hield hem omhoog bij de bijna niet bestaande schouders. Het lijfje had een vijf centimeter brede omslag rondom de hals, dat de naden van de nauwsluitende mouwen bedekte. 'Alsjeblieft.'

Hij had in ieder geval een idee. Ik kon geen enkel alternatief bedenken.

Terwijl ik met mijn ene hand de handdoek omhoog probeerde te houden, streek ik met mijn andere hand een paar natte haarslierten achter mijn oren.

'Prachtig!' Hij deed een stap naar voren alsof hij me wilde kussen, maar hield zich toen in en duwde in plaats daarvan de badjas in mijn handen. 'Geef me vijf minuten. Dan ben ik terug om iets met je haar te doen.' Hij trok de deur met een klap achter zich dicht.

Iets met mijn haar. Waar haalde hij het lef vandaan! Ik besloot hem voor te zijn en stond vier van de vijf minuten met mijn föhn op de hoogste stand voorovergebogen mijn haren droog te blazen. Ik had nog maar nauwelijks mijn badjas weer stevig dichtgeknoopt toen Robert mijn kamer binnenstormde.

30

'Kun je niet kloppen?'

'Heb je een kam?'

Ik gaf hem er een aan, waarna hij een stoel bij de muur vandaan schoof en gebaarde dat ik moest gaan zitten. Hij pakte mijn haar bijeen, liet het over de stoelleuning vallen en begon het voorzichtig te kammen. Ik sloot mijn ogen en droeg mezelf op te ontspannen.

'Je hebt prachtig haar, Freddie.'

'Dank je.' Mijn hoofdhuid begon te tintelen van genoegen. Hij volgde elke streek van de kam met zijn hand.

Even later voelde ik hoe hij een scheiding in het midden trok, waarna hij me de kam teruggaf. Ik was teleurgesteld dat hij zo snel ophield. Maar hij was nog niet klaar.

Hij haalde zijn vingers door mijn haar, maakte opnieuw scheidingen, maar dan aan de zijkant van mijn hoofd, en begon streng voor streng te vlechten.

'Dit heb je vaker gedaan.'

'Ja, bij mijn zusje. Zij speelde graag Lady Marian toen ze klein was. De enige manier waarop ik haar zover kreeg mij met rust te laten, was 'haar haren als een prinses te doen'.

Hij vlechtte het haar aan de andere kant van mijn hoofd en bond met een losse haarlok de vlechten op mijn rug bijeen. Hij opende een tasje waarvan het me nog niet opgevallen was dat hij het bij zich had; het zal vol met klimop.

'Van de kasteelmuren?'

'Van de kasteelmuren.'

Hij probeerde eerst een stuk klimop in een kroon te modelleren, maar de bladeren waren te groot en stonden te ver van elkaar vandaan. Toen besloot hij de bladeren van de stengel af te trekken, waarna hij ze in de haarvlechten stak.

Na het laatste blad bevestigd te hebben, pakte hij mijn hand en trok me overeind. Hij deed een stapje naar achteren en keek me aan. En bleef kijken. Maar toen glimlachte hij.

Het was een glimlach die mijn benen in *gelée* veranderde.

'Ga maar kijken.'

Ik liep naar de spiegel in de badkamer en was met stomheid geslagen. Robert had me van een kok in de eenentwintigste eeuw getransformeerd in een dame uit de vijftiende eeuw. Hij had gelijk: de badjas was perfect. En wat hij met mijn haar had gedaan, deed me denken aan de schilderijen die ik van Botticelli had gezien. Ik zag eruit alsof ik zo uit een sprookje kwam. Ik was elegant. Ik was... mooi.

Robert verscheen naast me in de spiegel.

'Je bent volmaakt, Freddie.'

Ik keek naar mijn spiegelbeeld, met hem naast me, en geloofde het.

Hij begeleidde me naar de trap en bood me zijn arm. Het leek heel vanzelfsprekend om mijn hand eronder door te schuiven.

Ik voelde een spier verstrakken. Ik had hem nooit als een spierbundel beschouwd, maar klaarblijkelijk had ik me vergist. Hij droeg een zwarte kasjmieren coltrui met een zwart wollen sportjasje. Zijn zwarte broek was van het soort dat ik altijd met rijkdom had geassocieerd: vervaardigd uit de fijnste, lichtste wol die prachtig viel, en voorzien van een smalle riem met een bescheiden zilveren gesp. Hij had zijn haar achterovergekamd en zijn bril was naar beneden gegleden. De bril ontsierde het plaatje, maar ik kende hem goed genoeg om te weten dat hij even een moment gestolen moest hebben om aan zijn manuscript te werken voor hij me kwam helpen. Ik schoof met mijn vrije hand zachtjes zijn bril op zijn plek.

Hij ving mijn hand, bracht hem naar zijn lippen en drukte er een kus op. 'Mijn dame.'

Mijn wangen begonnen te gloeien. Dat kwam vast omdat ik moeilijk ademhaalde door de nauwsluitende japon. Eh... badjas.

Toen ik mijn blik van mijn hand losmaakte en naar beneden keek, zag ik alle gasten in de hal verzameld staan.

En ze keken allemaal naar mij.

Robert moest gemerkt hebben dat ik mijn adem inhield, want hij legde zijn hand over de mijne en gaf er een kneepje in.

Onderaan de trap schoof hij me iets naar voren zodat hij een arm om mijn middel kon slaan. 'Mag ik u voorstellen aan *madame* Frédérique Farmer.'

'*Bienvenue au Chateau de Kertanuan.*' Ik begroette mijn gasten, stak mijn neus in de lucht en ging hen voor naar de eetzaal.

Roberts woorden echoden de hele avond door mijn hoofd.

Je bent volmaakt, Freddie.

Sévérine, de schat, had het haardvuur al ontstoken, evenals de kaarsen in de grote kandelaars op de tafel en de muurkandelaars. De vlammen wierpen hun licht op onze gezichten, verzachtten de gelaatstrekken en lieten de ogen fonkelen. Het was totaal niet moeilijk om me voor te stellen dat we zeshonderd jaar in de tijd waren teruggaan. Vanuit de verdekt opgestelde speakers klonk renaissancemuziek. De blokfluiten, doedelzakken en trommels creëerden een feestelijke sfeer.

De acteur en actrice waren erg leuk gezelschap. Het fotomodel had de enorme ogen en geïmponeerde houding van een jonger zusje. De producer zei niet veel. De kledingontwerper keek de hele avond in mijn richting. En allemaal hingen ze aan Roberts lippen. Hij moet wel honderd verhalen hebben verteld. Hij was een artiest: hij spon, weefde en schilderde met woorden.

Omdat ik aan de andere kant van de tafel tegenover hem zat, was het net of hij het alleen maar tegen mij had. Aan het einde van de avond had ik, met een volle maag en wat wazig door de *hippocras*, mijn ellebogen op de tafel geplant. Mijn kin leunde op mijn handen. Robert had net een grap verteld en de andere gasten brulden van het lachen om de clou. Het moest al na twaalven zijn, maar ik wist het niet zeker; ik had mijn horloge niet omgedaan omdat het niet bij mijn outfit paste.

Roberts blik zocht de mijne en hij schonk me de meest tedere glimlach die ik ooit van hem had gezien.

De lach warmde de plaatsen die de wijn niet had kunnen bereiken. Ik was te moe om me te herinneren dat Robert met iedereen flirtte, dus lachte ik terug voor ik het goed en wel besefte.

Robert schoof zijn stoel naar achteren en stond op; de andere gasten volgden zijn voorbeeld. Ik keek vanaf mijn stoel toe hoe hij om de tafel liep en naar me toe kwam.

'*La petite a du sommeil*,' merkte iemand op. Het kleintje heeft slaap.

Was ik niet zo moe geweest, dan had ik tegen de minzame klank geprotesteerd. Versuft haalde ik mijn ellebogen van de tafel, pakte Roberts uitgestoken hand en volgde hem naar de hoofdtrap.

Het viel niet mee om mijn voeten op te tillen; zo moe was ik. Halverwege de eerste draai van de trap liep ik zo langzaam dat ik steeds verder achterop raakte.

Robert voelde dat ik aan zijn hand trok. Hij stopte en keerde zich om.

'Ik ben gewoon zo moe, Robert.'

Hij liep een paar treden terug en tilde me in zijn armen, net zo gemakkelijk alsof ik een kind was.

'Ik weet het, Freddie.'

Volgens mij zei ik tegen hem dat ik stapel op hem was, of kraamde ik er andere onzin uit, want ik voelde aan zijn wang dat hij glimlachte. Daarna voelde ik zijn lippen op mijn voorhoofd.

Plotseling schoot me te binnen hoe hij in elkaar zat. 'Ik denk dat ik jou niet zou moeten vertrouwen.'

Zijn armen sloten strakker om me heen. 'Dat kun je inderdaad maar beter niet doen, Freddie. Je bent veel te mooi.'

Hij zag me vast voor Sévérine aan.

Op de een of andere manier slaagde hij erin mijn kamerdeur te openen. Hij droeg me naar binnen en zette me op bed. Voor hij wegglipte, drukte hij een kus op mijn hoofd.

Er verstreek flink wat tijd terwijl ik daar in het donker zat, over die plek wreef en me afvroeg waar hij mee bezig dacht te zijn.

Ten slotte stond ik op en maakte me klaar om naar bed te gaan. Ik trok mijn zijden pyjama aan en haalde de klimop uit mijn haar, terwijl ik in het maanlicht dat door de lange smalle ramen naar binnen viel door mijn kamer liep.

Toen stond ik zo abrupt stil, dat ik bijna viel.

Er klopte iets niet.

Midden in mijn kamer wist ik dat er iets veranderd was.

Nadat ik achteruit naar mijn bed teruggelopen was, liep ik opnieuw naar het vloerkleed, maar voor ik er was, stootte ik mijn teen aan een vloertegel die net iets hoger lag dan de omliggende tegels.

Het kleed lag niet goed. Ik had het kleed zo gelegd dat die tegel bedekt was geweest.

Iemand had het kleed verschoven.

Plotseling leek het helemaal niet meer zo'n goed idee om alleen te zijn. Ik deed het licht aan en nam mijn kamer goed in me op. Als ik niet had gemerkt dat het kleed verschoven was, had ik misschien ook niets aan de meubels gemerkt, maar nu ik om me heen keek, zag ik dat alles net iets anders stond. Een blik in de badkamer leerde me dat er tussen de stenen op diverse plaatsen sporen van een scherp voorwerp te zien waren.

Het maakte me bang.

Ik deed wat iedereen in mijn situatie zou doen: ik rende mijn kamer uit.

'Kom binnen.'

Robert was in ieder geval nog wakker. Aan zijn bureau te zien, had hij aan zijn manuscript zitten werken.

'Er is iemand in mijn kamer geweest.'

'Wat?' Robert keek me over de rand van zijn brillenglazen aan.

'Er is vanavond iemand in mijn kamer geweest.'

'Weet je het zeker, Freddie?'

'Heel zeker.'

Hij ging met me mee naar mijn kamer en zorgde ervoor dat ik steeds achter hem bleef.

Vlak voor het bed bleef hij staan. 'Hoe weet je zo zeker dat er iemand was?'

'Door het kleed. Nadat ik mijn teen talloze keren aan een ongelijk stukje in de vloer had gestoten, heb ik het kleed precies over die plek heen gelegd.'

'Erg praktisch.'

'Robert...'

Hij hief afwerend zijn hand. 'Is dat het?'

'Nee. Al mijn meubels zijn iets verschoven. Evenals het bed. Ik had het precies tussen twee stenen gezet.' Ik liep naar het bed om het hem te laten zien en gebaarde dat hij moest komen.

'Heb je onder het bed gekeken?' fluisterde hij toen hij dichterbij kwam.

'Nee,' fluisterde ik terug.

'Waarom niet?'

'Stel je voor dat er iemand had gelegen!'

'Dan had je het geweten.'

'Robert!' Hij begon te lachen, bukte, keek onder het bed en kwam weer overeind. 'Niemand te zien.'

Ik pakte zijn arm vast en richtte zijn aandacht op het hoofdeinde. 'Kijk, ik had het precies tussen deze en die vierkante stenen gezet.' Het bed stond duidelijk niet meer in het midden.

'En de andere meubels?'

Ik leidde hem de kamer rond, wees hem hoe alles precies had gestaan en waaraan ik had gezien dat het verschoven was. Ik was trots op mezelf, tot Robert het bedierf.

'Wat ben jij een controlfreak, Freddie.'

'Controlfreak?'

'Moet alles precies recht staan en rechte hoeken vormen met de andere dingen?'

'Nou...'

Hij liep langs me heen om de badkamer te onderzoeken.

'Heb je hier iets vreemds gezien?'

'Kijk maar naar de gleuven tussen de stenen.'

Hij zette zijn bril op en onderzocht de muren. Toen het kasteel werd gebouwd, was er in de hoek van mijn badkamer een smalle spiraaltrap aangebracht die naar de zolder leidde. Ik had die toegang bij de renovatie laten blokkeren. Robert stond al halverwege op de trap. 'Heb je enig idee waarom iemand hier naar boven zou willen?'

Hij gebaarde me te komen en stak een hand uit ter ondersteuning. Boven hem waren de stenen die de toegang blokkeerden op diverse plaatsen afgebikt.

Het was bedreigend; ik huiverde.

'Wil je dat ik vannacht in je kamer blijf?'

'Nee.'

'Wil je in mijn kamer slapen?'

Dat was precies wat ik wilde. Ik knikte.

'Ik ben wel aan het werk. Ik hoop niet dat het typen je stoort.'

'Dat komt wel goed.'

We sloten mijn deur zorgvuldig af en Robert onderzocht ook zijn eigen kamer toen we terug waren. Met mijn armen om me heen geslagen stond ik op het kleedje voor zijn bed en probeerde mijn voeten zo warm mogelijk te houden. Ik heb een afschuwelijke hekel aan koude voeten. Die roepen slechte herinneringen op.

Na alles onderzocht te hebben, sloeg Robert het dekbed terug. Ik had geen andere uitnodiging meer nodig en dook in bed. Robert bood me waar ik het meest naar verlangde: veiligheid. Het geluid dat zijn vingers maakten tijdens hun tapdans op het toetsenbord verzekerde me van de nabijheid van een mens. Van een vriend. Dat gaf me de rust om te gaan slapen.

Op een gegeven moment merkte ik dat ik in een duistere nachtmerrie met een onbekende aanvaller aan het vechten was. Een aanvaller met een zware koevoet. Ik moet gegild hebben, want ik dacht even dat Robert naast me zat, mijn haar over het kussen spreidde en sussende woordjes fluisterde. Maar toen nam de slaap weer de overhand en ik herinnerde me niets dan één zinnetje. Het echode de hele nacht door mijn hoofd.

Je bent volmaakt, Freddie.

31

Stukje bij beetje ontwaakte ik uit een plezierige droom en rekte me heerlijk uit. Het was warm in bed. Met een zucht nestelde ik me nog dieper in de richting van de warmte. Ik schoof mijn heupen er tegen en begroef mijn rug erin. Ik haalde diep adem en viel weer in slaap.

In mijn volgende droom strekte zich uit mijn herinneringen een arm naar me uit en trok me dicht tegen zich aan. Ergens in het donker vond ik Peters mond en begon hem te kussen. Mijn vingers herinnerden zich de weg langs zijn nek omhoog, achter zijn oren langs, naar zijn prachtige blonde haar en streken er doorheen. Ik trok een spoor langs zijn vertrouwde kaak en streek met een vinger over zijn wenkbrauw. Toen herinnerde ik me dat ik hem iets moest vertellen. Ik moest hem vertellen dat het me speet. Vervolgens werd ik overvallen door schuld. En het was die schuld die me uit mijn droom rukte en me in de realiteit deed belanden.

Natuurlijk was het Peter helemaal niet. Het was Robert. Hij lag op het bed, bovenop het dekbed – als een echte heer. En ik lag bovenop hem en kuste hem. Net als een van zijn actrices of fotomodellen.

Op dat moment werd Robert wakker. Ik zag zijn ogen oplichten van verrassing en daarna in gloeiende amberkleurige poelen versmelten. Hij fluisterde mijn naam.

Ik begon te snikken.

Het enige wat ik op dat moment echt wilde was door die sterke armen vastgehouden worden. En ik wilde dat hij die afschuwelijke schuldgevoelens weg zou nemen.

Maar hij zocht mijn blik en toen ik hem in de ogen keek, las ik daar duidelijk verwarring in.

Ik liet hem daar op bed achter en rende de trap op naar mijn kamer. Pas toen ik mijn hand op de deurklink legde, besefte ik dat de sleutel nog in Roberts kamer lag.

De deur week geen centimeter toen ik er met mijn vuisten op bonkte. Ik leunde er met mijn hoofd tegen en huilde. Om Peter. Om het feit dat hij waarschijnlijk voor eeuwig verloren was. Om het feit dat ik hem op elk moment had kunnen vertellen over een relatie met Christus, over het geloof in God. Maar dat heb ik niet gedaan. Ik heb zijn verklaring dat hij een atheïst was gewoon naast me neergelegd. Ik gaf mijn relatie met God op voor een relatie met een man. Robert had gelijk: natuurlijk geloofde ik in God. Ik was alleen niet in staat geweest om mijn schuldgevoel achter me te laten. Ik schaamde me te diep om Hem tegemoet te treden.

Ik huilde uit frustratie. Terwijl ik huilde, werd ik gevuld met een eenzaamheid die ik al maanden op een afstand had gehouden, stilletjes hopend dat Robert genezing zou brengen.

Ik huilde uit schaamte. Ik kon niet geloven dat ik me zojuist bij Robert zo had laten gaan. Dat ik mezelf bovenop hem had geworpen, en nog wel in zijn eigen bed. Deze tranen, de tranen van vernedering, waren het ergst.

Robert moest stilletjes de trap op zijn gekomen, want plotseling stond hij naast me. Hij besefte heel goed dat hij me niet aan moest raken en stak simpelweg de sleutel in het slot. Hij duwde de deur open en liet me zelf een weg naar binnen zoeken.

Ik nam ruim de tijd voor een douche. Ik moest nadenken. Als ik naar beneden ging, zou ik Robert tegen het lijf lopen en ik moest beslissen wat ik dan zou doen. Ik kon niet doen alsof mijn neus bloedde. Mijn gedrag had alles veranderd. Ik kon me niet voorstellen dat ik net als in de voorbije zes maanden gewoon bij het ontbijt en diner tegenover hem zou zitten. Hoe kon ik hem ooit onder ogen komen?

Aan de andere kant, hij had waarschijnlijk genoeg vrouwen gehad die zich aan zijn voeten hadden geworpen. Mijn gedrag kon niet erger zijn geweest, of wel? Hij was er vast aan gewend om met vrouwen als ik om te gaan. *Als ik!* Hoe kon ik in zo'n soort vrouw veranderd zijn? Misschien moest ik toch maar net doen of alles normaal was.

Mijn gasten losten het probleem voor me op. Er was die ochtend steeds wel iets wat gedaan moest worden en er was steeds wel iemand anders dan Robert om een praatje mee te maken. Natuurlijk deed ik wel gewoon tegen hem als ik in zijn buurt was, zodat hij elk geval zou weten dat er wat mij betrof niets veranderd was. Maar in tegenstelling tot vroeger, waarin ik in zijn ogen had kunnen lezen wat er in hem omging, kon ik nu niets meer uit zijn blik opmaken.

Als hij me al aankeek.

Hoe dan ook, ik moest het vol zien te houden tot Robert zijn boek af had. Zodra hij uit mijn kasteel en leven vertrok, had ik weer het rijk alleen en kon ik eindelijk weer mijn eigen leventje gaan leiden.

Zaterdagmiddag waren alle gasten weer vertrokken.

Robert kwam pas laat voor de avondmaaltijd naar beneden. Het leek net of hij en Lucy opzettelijk langzaam de trap af liepen, alsof iedere stap op de trap hen dichter naar de ondergang leidde. Ik had voor ons beiden al een stuk van de *flamiche aux poireaux* gesneden en op het keukeneiland gezet. Ondanks de knoop in mijn maag, had ik trek in de romige preitaart. Ik had alleen bewust de wijn nog niet ingeschonken, omdat Robert dit altijd deed.

Op de onderste tree bleef hij even staan. Zijn bosgroene trui en donkergrijze sportpantalon gingen bijna onmerkbaar over in het halfduister van de trap. Toen hij naar het keukeneiland keek, verscheen er een trek van verrassing op zijn gezicht. Vragend keek hij me aan.

'Als jij de fles wijn wilt openmaken, dan kunnen we eten voor het koud wordt.'

Lucy slaakte zo'n diepe zucht, dat het de lucht tussen ons wat opklaarde. We keken beiden met een glimlach toe hoe ze op de grond ging liggen. Ik glimlachte nog steeds toen ik naar Robert keek en zag dat hij zijn blik naar mij had verplaatst.

Ik gaf hem de kurkentrekker, waarna we aan de maaltijd begonnen.

Voor het eerst leek er geen gespreksonderwerp voorhanden. Ik werd overspoeld door angst. Het ging niet werken. Ik begon me steeds minder op mijn gemak te voelen en het leek wel of het geluid van mijn kauwen en slikken over een luidspreker werd versterkt.

'Robert...'

'Freddie...'

We waren op hetzelfde moment gaan praten, dus lachten we, een beetje van ons stuk gebracht.

'Jij eerst.' Hij was vasthoudend.

Ik was compleet vergeten welke nietszeggende opmerking ik had willen maken. Dus haalde ik diep adem. Met mijn ogen op mijn bord gericht, zei ik het eerste wat in me opkwam. 'Wat vanochtend betreft.'

Vanuit mijn beperkt gezichtsveld zag ik Robert verstijven.

'Het spijt me. Ik had een droom.' Het klonk zwak, zelfs in mijn eigen oren.

'Peter?'

Ik knikte.

'Ik neem aan dat het nooit eenvoudig is om met een geest te concurreren.'

'Ik... ik voel me wel... aangetrokken tot je.' Het was de

waarheid. Mijn wangen begonnen te gloeien toen ik dit zei, maar ik probeerde dat te negeren en te blijven praten. 'Je hebt eens tegen me gezegd dat ik verder moest gaan met mijn leven. Dat ik Peters dood te boven moest komen. Dat probeer ik ook. Het punt is alleen dat ik God al vanaf mijn derde jaar heb gekend. Voor ik ging studeren, ben ik altijd naar de kerk gegaan. Ik wist alles wat er over God te weten valt, Robert, maar ik heb er nooit iets over aan Peter verteld. Als hij nu in de hel is, is dat mijn schuld.'

Hij boog zijn hoofd en wachtte even voor hij antwoord gaf.

'Het is niet jouw schuld, Freddie.'

'Jawel.'

Hij hief zijn hoofd weer op en keek me met zijn bruine ogen aan. 'Wacht. Luister gewoon even. Ik denk dat iedereen God verantwoording schuldig is voor de staat van zijn eigen ziel. Hij heeft ieder mens de mogelijkheid gegeven om te kiezen – een keus voor zichzelf te maken. Misschien dat Peter christen was geworden als je met hem had gepraat, maar misschien ook niet. Soms willen mensen niets aannemen van degenen die het dichtst bij hen staan. Soms hebben ze het nodig om het van een vreemde te horen. Soms hebben ze helemaal geen woorden nodig. Laat het los, Freddie. Als ik iets geleerd heb in het afgelopen jaar, is het wel dat je het verleden niet meer kunt veranderen, ongeacht hoe graag je dat zou willen. Het enige wat je kunt doen, is het heden veranderen.'

Hij nam mijn hand in de zijne. 'Voel je alsjeblieft niet opgelaten over vanochtend. *Was* ik maar het voorwerp van jouw genegenheid geweest. Ik heb nog nooit iemand zoals jij ontmoet, Freddie. En ik denk ook niet dat ik zo iemand ooit nog zal ontmoeten.'

Er vormde zich een lach om mijn mondhoeken. 'Daar mag je blij mee zijn.'

'Dat ben ik ook'.

Hij hief zijn glas. 'Op ons.'

Ik klonk mijn glas tegen het zijne. 'Op de vriendschap.'

Terwijl we verder aten en zo bij elkaar zaten, ontstond er iets tussen ons dat dicht aan dankbaarheid grensde. Het gesprek van net had ervoor gezorgd dat het voorval van die ochtend meer een voorbijgaande storm in onze relatie was geweest dan een verwoestende orkaan. En daarna waren er weer duizenden gespreksonderwerpen.

Achteraf gezien was ik blij dat ik de moed had gehad om te zeggen wat ik had gezegd. Ik zou de kameraadschap hebben gemist als ik hem naar boven had verdreven.

Een paar uur later vertrok hij met Lucy naar zijn kamer. Op de eerste tree van de trap bleef hij staan en keerde zich naar me toe. 'Freddie...'

Ik hield mijn adem in.

'Dank je.'

Met trillende handen zette ik de borden in de gootsteen en waste ze af. Daarna ging ik naar mijn zitkamer en besteedde het grootste deel van de avond aan het doornemen van grote aanvragen voor de stichting.

'Laat me je helpen.'

Ik tuurde tussen mijn benen door en zag Robert op het tuinpad staan, dus kwam ik overeind.

Wat was de tuin inzaaien toch een slopend karwei. Ik legde mijn hand tegen mijn onderrug en boog iets voorover, in een poging de stijfheid te bestrijden.

'Wat kan ik doen?'

Hij stond daar in zijn suèdeleren jas, Italiaanse leren instappers en bruine leren broek. Ik gooide mijn vlecht over mijn schouder en trok mijn hoed verder over mijn hoofd. 'Tenzij je je schoenen wilt ruïneren en niet-uitwasbare vlekken op je broek wilt hebben, kun je beter blijven staan waar je staat.'

Hij keek naar zijn schoenen. 'Die? Die kosten maar tweehonderd dollar.' Hij stapte voorzichtig op de grond en liep naar me toe.

Lucy, die zich niet verwaardigde vuil te worden, zocht een makkelijke tuintegel uit en krulde zich daarop ineen.

Ik knoopte mijn steenrode jasje los, gooide het hem toe en rolde de lange mouwen van mijn thermische trui op. Een blik op mijn verschoten spijkerbroek leerde me dat deze al van de zoom tot aan de knieën onder de grond zat. Nu ja, die kon de was in. Ik probeerde iets te bedenken dat Robert kon doen zonder dat hij vies werd. Uiteindelijk besloot ik dat hij achter mij aan kon lopen en de zaadjes kon uitstrooien in de gaten die ik had gegraven.

We werkten ruim anderhalf uur door voor ik het tijd vond om te stoppen. Ik trok mijn jasje weer aan, want nu we niet meer werkten, kreeg ik het koud.

We brachten het tuingereedschap naar de garage terug en liepen samen naar de keuken, waar we op een stoel neerplof
ten.

'Zou je even tegen mijn rug willen duwen, op deze plek?' Ik wees naar een plaats onderaan mijn ruggengraat, waar mijn spieren waren verkrampt.

'Waar?'

Ik trok het rugpand van mijn jasje omhoog en duidde de plek aan.

Hij legde een hand op mijn schouder en de andere tegen mijn rug en drukte met een knokkel op de spier. 'Te hard?'

'Niet hard genoeg.'

Robert haalde zijn hand van mijn schouder, legde hem om mijn ribbenkast, als steun tegen de druk die hij op mijn rug uitoefende. 'Beter?'

'Ja.'

Hij werkte langzaam langs mijn ruggengraat omhoog, duwde eerst met zijn vuisten, daarna met zijn knokkels en vingers. Zijn hand tegen mijn ribbenkast voorkwam dat ik omver werd geduwd.

Op een gegeven moment had hij precies een knoop te pakken.

Ik kromp ineen.

'Doet dat pijn?'

'Razend.'

Met zijn duim probeerde hij de knoop weg te masseren, maar deze gaf zich niet gewonnen. 'Wacht even.' Hij lichtte de zoom van mijn trui omhoog en schoof zijn hand over mijn huid.

Het was alsof ik een stroomstoot kreeg.

Er ging een tinteling van mijn hoofd naar mijn tenen, die mijn sluimerende zinnen deed ontwaken. De massage werd trager.

Het werd warm in de keuken. Mijn kleren benauwden me. Mijn oren suisden. Zonder dat mijn lijf daarvoor toestemming had gekregen, leunde het tegen Robert aan.

Zijn adem blies in mijn haar. En stopte toen.

Op dat ogenblik, van het ene moment op het andere, alsof er een bom tussen ons was ontploft, trokken we ons allebei met een ruk terug.

'Dank je, Robert. Perfect.' Ik boog me vanuit mijn middel naar rechts en naar links om mijn hervonden beweeglijkheid te demonstreren. 'Heerlijk. Reuze bedankt. Dat was aardig van je.' Ik rende bijna naar de trap. 'Ik zie je bij het eten wel weer.'

Terwijl ik de trap op stormde en door de ontvangsthal schoot, realiseerde ik me dat dit de eerste keer was dat ik uit mijn eigen keuken was weggerend. De keuken was *mijn* vluchthaven.

Ik minderde vaart en bleef toen staan. Het was niet goed dat ik uit mijn eigen keuken weg moest rennen.

Vastbesloten de situatie onder ogen te zien, keerde ik om en daalde de trap weer af.

Toen ik weer beneden stond, zag ik dat Robert nog steeds in de keuken was. Hij zat bij het keukeneiland en had zijn bovenlichaam over het marmeren bovenblad uitgestrekt en zijn handen over zijn hoofd gevouwen. Het was een houding van totale verslagenheid of extreme pijn.

Omdat ik hem niet wilde laten schrikken, schraapte ik mijn keel.

Hij kwam moeizaam overeind en keerde zijn gezicht naar me toe.

Ik had hem nog nooit zo gekweld gezien.

Hij schoof zijn stoel naar achteren en liep met stramme benen naar de trap. Lucy liep achter hem aan.

'Tot straks,' zei ik.

'Nee.' Hij keek zelfs niet om. 'Vanavond eet ik niet hier, Freddie. Ik kan het gewoon niet.'

Ik ging op de plek zitten waar hij net had gezeten en staarde lange tijd voor me uit. Toen ik opstond, wijzigde ik het avondmenu. De varkenskoteletten die ik voor het diner had bestemd, legde ik in de vriezer; die bewaarde ik voor de volgende avond. Ik goot twee van de *île flottantes* in de gootsteen en gebruikte heet water om ze weg te spoelen. De derde zette ik apart voor Sévérine. Het had geen zin om de anderen te bewaren; het schuimdessert zou toch inzakken. En ik had geen trek in het dessert. Eigenlijk had ik helemaal geen trek.

Een eenvoudige maaltijd van salade, een ham en gruyère *crêpe*, en een klein flesje *cidre* was voldoende. Onder het eten probeerde ik me te herinneren wat ik tijdens de maaltijd had gedaan voor Robert op het kasteel verschenen was.

Ik had geen flauw idee.

32

Negen dagen voor Saint Simon

Wat ben ik een sufferd. In de verwondering over wat er is gebeurd, begrijp ik nu alles. Nu weet ik waarom Agnès niet op Anne was gesteld en waarom Anne soms zo aardig en dan weer zo wreed kon doen.

Awen en Anne zijn minnaars.

Ik weet niet wat ik moet doen. Wil ik liever mijn echtgenoot dan mijn vriendin? Wat moet ik in dit vreemde land zonder haar? En hoe moet ik een kasteel beheren?

Ik moet er met Agnès over praten. Zij is de enige die ik kan vertrouwen.

De vriendin die me het meest aan het hart ligt, is de geliefde van mijn echtgenoot. Al drie jaar lang.

Ik heb met Agnès gesproken.

Agnès vroeg of ik zijn vrouw was geworden.

Ik begreep het niet. Ja. Natuurlijk. Ik was al drie jaar zijn vrouw. Ze had toch zelf de noces *bijgewoond?*

Ze voerde me mee naar het raam en wilde dat ik ging zitten. Ze vroeg me haar precies te vertellen wat er gebeurt als Awen 's avonds bij me is. Ze waarschuwde me haar de volle waarheid te vertellen.

Dus deed ik dat.

Ze bleef vragen of er niet meer was, maar dat was er niet.

Wat kon ik haar meer vertellen dan dat hij me verhalen vertelt tot ik in slaap val en hij dan blijft tot het vuur uit is. Tenminste, tot voor kort ging het zo.

Toen vertelde ze me hoe een man een vrouw tot zijn echtgenote maakt. Dat ik keuzes had en een besluit moest nemen. Als ik mijn vader vertel wat er is gebeurd, zou ik volgens Agnès niet langer met Awen getrouwd hoeven blijven en kon ik naar mijn eigen land, Touraine, terug. Ze zei dat de kerk bereid zou zijn het huwelijk nietig te verklaren.

Ze zei ook dat ik hier kon blijven en de dingen kon laten zoals ze altijd waren geweest. Ze vertelde dat het niet ongewoon is dat een man een maîtresse heeft en dat dit niet het ergste is wat je kan overkomen.

Maar ze zei ook dat ik het recht had om Awen als een echtgenoot op te eisen. En als zijn echtgenote het recht had om Anne weg te sturen.

Ik moet nadenken.

Ik moet bidden om wijsheid.

Acht dagen voor Saint Simon

Hij kwam vanavond naar me toe, maar ik heb de deur niet voor hem open gedaan.

Zes dagen voor Saint Simon

Was ik voorheen van mijn zinnen beroofd, nu voel ik me helemaal verschrompeld, als een gedroogde pruim. Als ik naar huis ga, zal mijn vader een andere echtgenoot voor me zoeken. Dat weet ik zeker. Maar zal deze nieuwe echtgenoot me aanstaan?

Vier dagen voor Saint Simon

Hij kwam vanavond naar me toe, maar ik heb de deur niet voor hem open gedaan.

Drie dagen voor Saint Simon

Ik kan niet verder gaan alsof ik nergens van weet.

Twee dagen voor Saint Simon

Hij kwam vanavond naar me toe, maar ik heb de deur niet voor hem open gedaan.

Een dag voor Saint Simon

Wil ik een echtgenoot? Heb ik er een nodig? Hoefde ik maar niet opnieuw te trouwen. Maar dat kan niet. Ik weet wat ik waard ben. Als ik naar huis ga als het huwelijk nietig is verklaard, zou ik binnen een maand weer zijn verloofd.

Het zou veel makkelijker zijn om alles te laten zoals het is. En net te doen of ik nergens van weet.

Dag van Saint Simon

Hij kwam vanavond naar me toe, maar ik heb de deur niet voor hem open gedaan.

Een dag na Saint Simon

Er zijn dagen dat ik hem haat.

Ik kan hem niet als echtgenoot hebben en tegelijk aan Anne afstaan. Ik zou nooit enig zelfvertrouwen hebben. Ik zou nooit een eigen leven kunnen leiden. Het zou altijd gedeeld moeten worden. Met haar. Bovendien, ik ben zijn vrouw. Ik ben met hem getrouwd. Als er iets overblijft dat door God gezegend kan worden, is het mijn leven en mijn huwelijk, en heeft Anne geen recht op deze twee. Zij is de boeteling, ik de rechtvaardige.

Anne moet vertrekken.

Twee dagen na Saint Simon

Hij kwam gisterenavond naar me toe. Ik ontgrendelde de deur en liep toen naar het vuur. Mijn ziel zocht alle warmte die het kon vinden.

Hij duwde de deur open, bleef in de deuropening staan en zocht mijn blik.

Ik keerde me van hem af en wendde me weer naar het vuur.

Hij sloot de deur en kwam binnen.

Toen hij naar me toe kwam, liep ik bij hem vandaan, naar de ramen, tot ik met mijn rug tegen de muur stond en niet verder kon.

Ik waarschuwde hem niet dichterbij te komen.

Hij luisterde niet en liep door.

Ik raakte de koude stenen aan en voelde hun kracht.

Hij bleef vlak voor me staan.

Ik maakte mijn hand los van de muur en sloeg hem in zijn gezicht.

Hij sprak geen woord, maar trok me in zijn armen.

Vrouwen zijn zwak, want ik kon hem niet weerstaan. Ik huilde. Maar ik wilde niet vastgehouden worden. Hij hield me niet tegen toen ik me losmaakte uit zijn omarming. Hij hield me ook niet tegen toen ik voor het vuur ging staan. Maar hij ging wel achter me staan en legde zijn handen op mijn schouders.

Ik sloot mijn ogen en de tranen rolden over mijn wangen. Ik huilde om alle beminnelijkheid en het vertrouwen dat tussen ons verdwenen was. Ik zou nu nooit mijn eer kunnen handhaven. Ik voelde me onnozel. Bête. *Want Anne had met hem gedaan wat ik niet met hem had gedaan. Al drie jaar lang.*

Ik vertelde hem dat hij me zo gelukkig had gemaakt dat ik had gedacht dat mijn hart uit mijn lijf zou barsten. En dat hij me zo veel verdriet had gedaan dat ik dacht dat mijn hart eraan zou bezwijken. Ik vertelde het hem allemaal en had geen kracht meer over. Geen kracht om te huilen, geen kracht om te blijven staan. Ik schudde zijn handen van mijn schouders en ging op het haardkleed zitten. Ik wilde alleen gelaten worden.

Maar hij wilde niet weg. Ik hoorde dat hij achter me ging zitten, maar hij raakte me niet aan. In ieder geval niet de tijd die het kostte om tien Ave Maria's op te zeggen.

Toen legde hij een hand op mijn haar en haalde hem erdoorheen.

Ik had genoeg van de tranen. Dat moet hij geweten hebben, want toen ik me bewoog, liet hij me tegen zich aankrullen, als een hond, en mijn hoofd op zijn schoot rusten. Hij streelde nog steeds mijn haar en ik sloot mijn ogen om naar het knetteren van het vuur te luisteren.

Hij legde uit dat hij al van Anne hield sinds het eerste moment dat hij haar had gezien. En zij van hem. Maar omdat ze zo dicht familie van elkaar zijn, wisten ze dat ze nooit met elkaar konden trouwen. Toen hij me voor het eerst zag, deed ik hem aan zijn zusje denken. Vanuit die gedachte kon hij geen echtgenoot van me zijn. Maar ik was in deze drie jaren volwassen geworden en hij had gemerkt dat hij van me was gaan houden. De nacht dat ik Anne naar hem toe had zien gaan, was hun laatste nacht samen geweest.

Ik zei tegen hem, met mijn ogen nog steeds gesloten en mijn hoofd nog steeds op zijn schoot, dat ze moest vertrekken. Dat mijn vader voor haar een ridder van de juiste leeftijd en met een groot stuk land gevonden had. Ik zei hem dat wanneer hij me wilde, ik hem helemaal wilde hebben. Niet slechts een deel van hem.

Hij gaf geen antwoord, maar streelde nog steeds mijn haar. En met de warmte van het vuur en de aanraking van zijn hand, viel ik op zijn schoot in slaap. Maar toen ik wakker werd, lagen we samen in bed. Hij hoorde me bewegen en sloeg zijn arm om me heen. Ik kroop dicht tegen zijn warme lichaam aan en sliep verder.

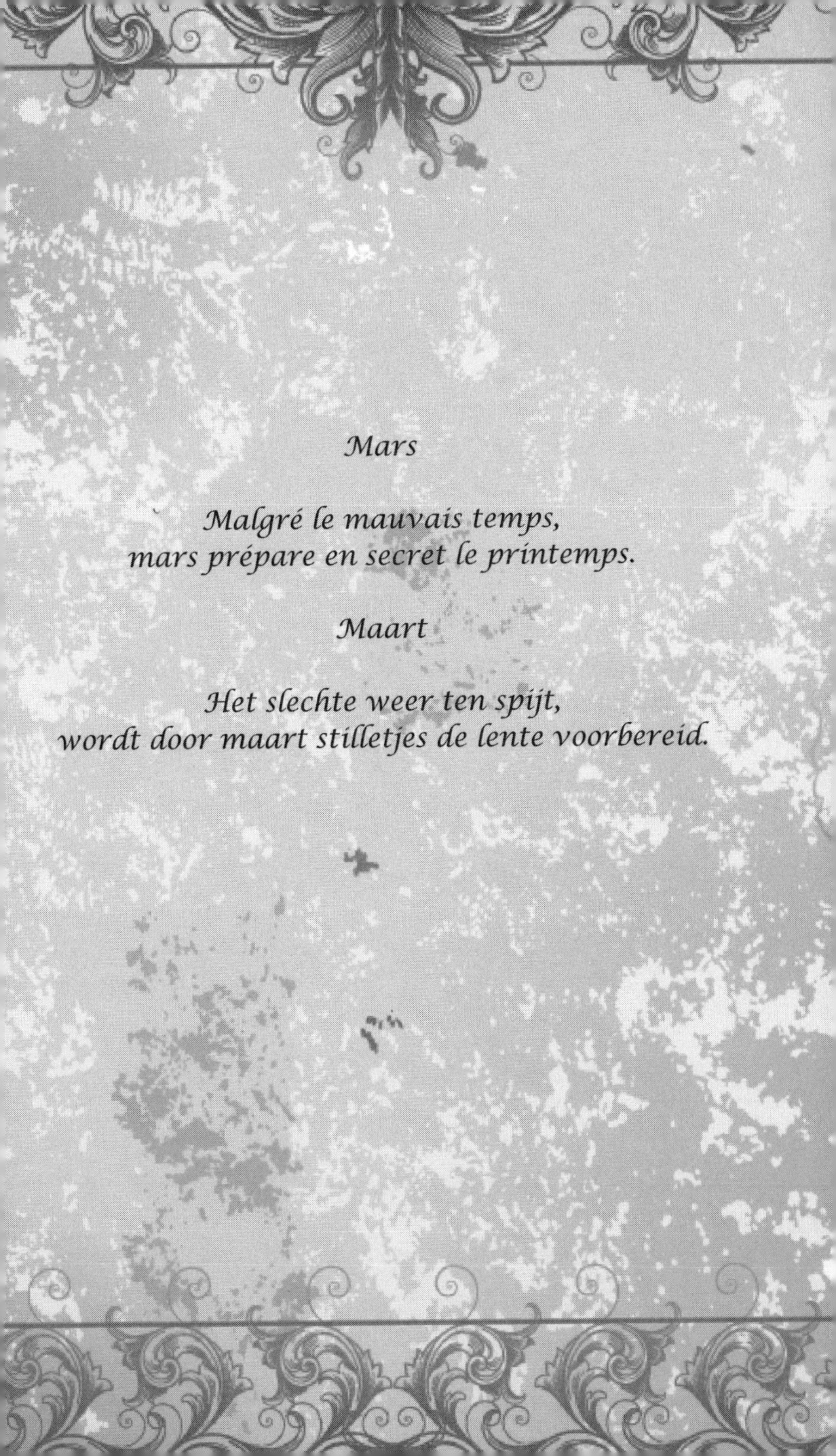

Mars

Malgré le mauvais temps,
mars prépare en secret le printemps.

Maart

Het slechte weer ten spijt,
wordt door maart stilletjes de lente voorbereid.

33

In maart barstte de bom.

Het begon, onschuldig genoeg, met een bezoek van mijn aannemer.

Toen ik het kasteel had gekocht, had de makelaar hem aanbevolen als een expert in het renoveren van historische panden. Het kasteel had jaren leeggestaan voor ik het kocht en de laatste 'renovatie' was in de jaren twintig van de vorige eeuw gebeurd. Het had weken geduurd voor hij een gaatje in zijn agenda had gehad, maar vanaf het moment dat hij door de voordeur naar binnen liep, wist ik dat hij de moeite van het wachten waard was geweest. Een dag lang kroop hij over de vloeren van het kasteel, tikte tegen de ramen, klopte tegen het hout, schraapte stukjes van het metselwerk en maakte aantekeningen in zijn notitieboek. Aan het einde van de dag zat het dunner wordende blonde haar van deze vijftigjarige man vol met stof en spinnenwebben, en zat het vuil zelfs in zijn wenkbrauwen, maar zijn blauwe ogen twinkelden en hij knikte steeds enthousiaster. Hij beloofde me het volgende weekend terug te komen met wat plannen en een begroting.

Nadat hij vertrokken was, reed ik direct terug naar Parijs en zag de kostenraming met angst en beven tegemoet, want ik had geen idee welk prijskaartje aan zo'n onderneming zou komen te hangen.

Een week later ontmoetten we elkaar weer bij het kasteel. Tot mijn opluchting was mijnheer Mailly ervan overtuigd dat het kasteel bouwkundig deugdelijk in elkaar zat. Zijn grootste zorg betrof de modernisering van de bekabeling en het loodgieterswerk. De vorige eigenaars hadden dan wel niet veel aan het kasteel gedaan, maar gelukkig hadden ze wel 'moderne' badkamers en een keuken geïnstalleerd en telefoonlijnen en elektriciteit aan laten brengen. Ik hoefde in ieder geval geen dingen ongedaan te laten maken die zij hadden laten uitvoeren. We hebben het die keer ook over de stal gehad. Hij merkte op dat die op zijn minst een nieuw dak nodig had, maar om er echt een woonverblijf van te maken, zou het in zijn totaal moeten worden aangepakt. Ik besloot de stal als garage te gebruiken tot ik eruit was wat ik ermee zou doen. Mijnheer Mailly had talloze ideeën: een restaurant, een verblijf voor een terreinwachter, een conferentieruimte, een documentatiecentrum, een luxe suite, noem maar op. Ik twijfelde eraan of ik meer geld in het gebouw moest steken dan absoluut noodzakelijk was… vooral omdat ik niet wist hoe het hotel zou gaan lopen.

Maar ik aarzelde geen seconde hem de opdracht voor de renovatie van het kasteel te geven. Het lukte me zelfs hem over te halen mij als opziener aan te wijzen. Na die ontmoeting ging ik naar Parijs terug, bracht mijn huisbaas op de hoogte van mijn verhuizing, pakte mijn spullen en installeerde me in een kamertje op het kasteel.

Het was fascinerend geweest om te zien hoe Mailly's onderaannemers eeuwenoude muren en plafonds ontmantelden, hun werk uitvoerden en daarna het bewijs van hun bemoeienissen uitwisten. Toen de renovatie klaar was, beloofde ik mijnheer Mailly dat ik hem zou bellen als ik zover was om de stal onder handen te nemen en om over de aanleg van een formele voortuin te praten.

Gezien het aantal gasten dat ik had geweigerd, besloot ik dat het moment was aangebroken. Mijn inkomstenstroom kon alleen maar toenemen. En Robert had gelijk, ik moest me in het land van de levenden begeven.

Mijnheer Mailly arriveerde klokslag negen uur in de ochtend. Ik had net tijd gehad om mijn werkkleding te verwisselen voor een dunne zwarte broek en een blauwgrijze blouse met lange mouwen en een brede kraag. Ik had een kleurig sjaaltje om mijn hals gebonden en trok een kort getailleerd zwart jasje aan. Als we naar buiten zouden gaan, wat ik wel verwachtte, wilde ik graag op temperatuur blijven.

Ik verwelkomde de aannemer bij de deur en bood hem een espresso aan.

Hij keek alsof hij wilde weigeren, maar ging tot mijn verrassing toch op het aanbod in. Ik liet hem plaats nemen op de canapé in de ontvangsthal en liep naar beneden om een dienblad klaar te maken.

Robert en Lucy waren ook in de keuken, ze hadden net een wandeling achter de rug. Robert had zijn jack al uitgetrokken.

'Kan ik je ergens mee helpen?'

'Nee. Dank je. Ik heb een afspraak met mijn aannemer.'

'Waarvoor?'

Bijna zei ik 'om iets aan te laten nemen', maar ik kon het nog tegenhouden voor het uit mijn mond rolde. 'Ik wil graag dat hij met de renovatie van de stal begint,' zei ik in plaats daarvan.

Ik had inmiddels het espressoapparaat aangezet, en plaatste een schaaltje suiker en de lepeltjes op het blad. Toen ik mijn aandacht weer op de espresso richtte, waren Robert en Lucy verdwenen.

Bij mijn terugkomst in de ontvangsthal, zag ik dat mijnheer Mailly al mompelend een van de haarden inspecteerde.

'*Quelque chose qui ne vas pas?*'

'*Non. Du tout. C'est superbe ce travail.*'

Wat een opluchting. Ik was bang geweest dat hij een scheurtje of iets dergelijks in de schoorsteenmantel had ontdekt. Een schoorsteenmantel waarvoor ik zevenduizend euro aan renovatiekosten had neergeteld.

We stonden bij het dressoir, dronken onze espresso op en keken naar Mailly's eerdere aanbevelingen voor de stal. Ik wilde vooral graag weten hoe hij in een privésuite veranderd kon worden. Door Roberts verblijf was ik het belang gaan inzien van een verblijf dat meer privacy bood aan een gast die langere tijd wilde blijven. De aannemer had ook plannen meegenomen voor een tuin. Hoewel ik er nu nog geen belangstelling voor had, kostte het niets om naar zijn enthousiaste verkooppraatje te luisteren. Aan het einde van zijn relaas haalde ik mijn schouders op en stelde voor een kijkje in de stal te nemen.

Toen we daar aankwamen, zag ik tot mijn verbazing dat Robert en Lucy ons stonden op te wachten.

'Ik dacht dat je was gaan wandelen.'

'Dat is ook zo.' Robert weigerde verder in te gaan op het onderwerp en wekte ook niet de indruk dat hij ieder moment door kon lopen, dus stelde ik hem aan mijnheer Mailly voor. Het was nog nooit nodig geweest om met de aannemer Engels te spreken, maar toen Robert hem bij het gesprek betrok, verraste Mailly me door de vloeiende manier waarop hij onze taal beheerste. Blijkbaar wilde Robert zich niet de kans laten ontnemen om een expert in het renoveren van historische panden een paar vragen voor zijn boek te stellen. Ik vond het natuurlijk niet erg om mijn contacten te delen, maar werd wel ongeduldig toen we na een half uur nog niets dichter bij het onderwerp van mijn plannen voor de stal waren gekomen.

'*Excusez-moi de vous déranger...*' onderbrak ik de mannen zo beleefd mogelijk en voerde mijnheer Mailly bij de arm mee naar binnen. Ik was eraan gewend om altijd in het Frans met de aannemer te converseren en ondanks Roberts aanwezigheid leek het me op de een of ander manier onnatuurlijk om onze zaken verder in het Engels af te handelen.

Mijnheer Mailly wilde het gebouw nog eens inspecteren. Het zou niet correct zijn om een Franse stal als een schuur te bestempelen. Het gebouw had altijd zeer verschillende doelen gediend. Deze stal dateerde niet uit dezelfde tijd als het kasteel, maar was aan het einde van de zeventiende eeuw gebouwd. Hij had dan ook de karakteristieke eigenschappen van die tijd: een stenen constructie, een nogal groot uitgevallen hal om de vervoersmiddelen te stallen, en een lange, brede hal met aan beide zijden paardenboxen. Elke box had een deur in de muur die naar buiten toe geopend kon worden. De vloer bestond uit keistenen, die eenvoudig met een scheut water schoon te krijgen waren. Het rook nog steeds muf door het stro en de uitwerpselen die door de eeuwen heen tussen de stenen vast waren gaan zitten.

Robert en Lucy hielden mijnheer Mailly en mij gezelschap tijdens onze ronde. Ik zag de aannemer diverse malen zijn wenkbrauwen fronsen wanneer hij op een houten deur klopte of omhoog keek en het licht door het dak heen zag schemeren. Ten slotte rondde hij zijn inspectie af en liepen we naar buiten om het verder door te praten.

'*Le problème est que c'est une écurie.*' Hij keek naar Robert terwijl hij dit zei en begon opnieuw, maar nu in het Engels. 'Het probleem zit 'm in het feit dat dit een stal is. Een stal met kieren tussen de stenen. Met gaten in het dak. Met deuren die niet goed sluiten. *Mais c'est peut-être*... maar misschien is verbouwen toch beter dan afbreken en weer opbouwen.'

Mijnheer Mailly en ik praatten een goed uur lang door over de uitvoerbaarheid van mijn plannen. En al die tijd weigerde Robert te vertrekken. Uiteindelijk negeerde ik hem en probeerde ik mijnheer Mailly ook zo ver te krijgen dat te doen door het gesprek in het Frans te voeren. Per slot van rekening had Robert helemaal geen belang bij de renovatie.

We spraken af dat mijnheer Mailly een architect zou aantrekken om een ontwerp te maken voor een splitsing van de stal in een garage en een woning. Hij dacht dat de balkenplafonds wel behouden konden worden, maar de vloertegels moesten worden weggehaald. Als de grond was schoongemaakt en opgehoogd, konden de vloertegels in een betonnen fundering worden teruggeplaatst. Hij waarschuwde dat de muren geïsoleerd moesten worden en er meer ramen in moesten komen – in ieder geval wel in het woongedeelte. Ik ging met alle voorstellen akkoord, maar wilde wel zo veel mogelijk deuren behouden.

Terug in het kasteel, vroeg de aannemer of hij nog even op de zolder van het kasteel kon kijken. Ik herinnerde me dat hij tijdens de renovatie bezorgd was geweest dat het dak misschien zou gaan lekken als het werk in de diverse hoeken rondom de torens niet goed was uitgevoerd. Omdat we de toegang tot de zolder boven mijn slaapkamer hadden afgesloten, hadden we besloten in Sévérines badkamer een deur te plaatsen die direct toegang gaf tot het gedeelte dat de aannemer de meeste zorgen had gebaard.

Terwijl we naar het kasteel terug liepen, schoot me te binnen dat Sévérine naar Rennes was gegaan om op de universiteit te werken. Ik pakte de loper en ging mijnheer Mailly voor, de hoofdtrap op. Het voelde niet goed om in haar kamer te komen zonder dat ze ervan wist, maar ik besloot dat ik het haar later die avond zou vertellen. We gingen er per slot van rekening niet heen uit nieuwsgierigheid.

Toen ik haar kamer binnen liep, had ik het gevoel een andere wereld te betreden. Ik had mijn kasteel ingericht met meubelstukken uit diverse perioden uit de Franse geschiedenis. Sévérine daarentegen had haar kamer zo ingericht dat hij naar mijn idee zo in Alix' tijd had gepast. Er hingen diverse oosterse kleden aan de muren, en voor de openhaard lag een dierenvel op de grond. Om haar bed hingen gordijnen in de kleur van bosbessenblauw. Op haar bed lag een bijpassende sprei. Het enige wat de illusie verstoorde, was haar studiehoek. Hij was gebarricadeerd door stapels boeken, waarvan de meeste op de legende van koning Arthur betrekking leken te hebben. Aan de muren hingen kaarten, plattegronden en schetsen in een aantal andere talen. Sommige gingen over edelstenen, andere leken te maken te hebben met vreemde alfabets. Er hing ook een kaart van het Forêt de Paimpont; een aantal plekken waren gemarkeerd met een gekleurd pinnetje. Ik was in de veronderstelling dat ze onderzoek naar Alix deed. Koning Arthur, als hij ooit echt heeft bestaan, was eeuwen daarvoor al gestorven. Hoewel ik enorm onder de indruk was van de grondigheid van haar onderzoek, besloot ik bij nader inzien toch niet te vertellen dat we in haar kamer waren geweest.

Mijnheer Mailly kroop een kwartiertje op de zolder rond en kwam toen tevreden over de staat van het dak weer naar beneden.

Om één uur in de middag nam hij afscheid. Mooi op tijd, nu konden Robert en ik gaan lunchen. Ik besloot het mezelf makkelijk te maken en *croque-monsieurs*, tosti's, en een gemengde salade met mosterddressing op tafel te zetten.

Na de laatste kladversie van Roberts manuscript besproken te hebben, vroeg hij me naar mijnheer Mailly. 'Hij leek me erg vakbekwaam.'

'Hij is de beste. Tenminste, in dit deel van Frankrijk wel.'

'Wat hebben jullie nu afgesproken?'

'Hij gaat een architect in de arm nemen voor een ontwerp voor een tweedeling van de stal; een deel wordt dan woning en het andere deel een garage.

'Praktisch.'

'Dat lijkt me ook. Als er weer iemand komt zoals jij, heeft hij of zij de hele ruimte voor zichzelf.'

'Heb ik je zo veel last bezorgd?'

'Nee! Ik denk gewoon dat jij – of iemand als jij – productiever kan werken als je een eigen ruimte hebt.'

Robert haalde zijn schouders op en pakte zijn *croque-monsieur.* 'Het viel me tijdens het gesprek met de aannemer op hoe goed jij het Frans beheerst.'

'Ik heb les gehad. En mijn oma was een Française.'

'Je wordt een ander persoon als je het spreekt. Je houding is anders, je toon is anders. Zelfs je lippen bewegen anders.'

'Hoe anders?'

'Met meer zelfvertrouwen. Meer zekerheid.'

'Het was een zakelijk gesprek. En de Fransen gebruiken hun spieren anders tijdens het praten. Als je oudere Franse vrouwen bekijkt, zie je veel rimpels tussen hun neus en mond. Amerikaanse vrouwen hebben meer rimpels om hun mondhoeken.' Het was me opgevallen dat ik de laatste tijd erg vaak met mijn observaties een bijdrage leverde aan Roberts toch al zeer uitgebreide algemene kennis.

We aten zwijgend verder tot Robert even later weer begon te praten. 'Misschien moet je een beheerderswoning van de stal laten maken.'

'Waarom? Ik ben erg op mijn kamer gesteld.'

'Niet voor jou. Voor een hotelbeheerder. Je kunt iemand aannemen om het hotel voor jou te runnen. Het zou je vrijheid geven. En ik weet zeker dat er meer gasten zouden komen.'

'Maar wat moet *ik* dan doen?'

'Wat je maar wilt.'

Op dat moment was mijn kasteel mijn leven. Ik kon me niet voorstellen wat ik zou doen als ik niet hoefde te koken en geen gasten hoefde te ontvangen, ook al zat ik dan niet altijd op hen te wachten. Sommige mensen dromen van een vrij leventje, maar ik niet. Het vooruitzicht van een agenda met blanco bladzijden, een leven met lange, lege dagen joeg me angst aan.

Om daaraan te ontsnappen was ik juist Parijs ontvlucht.

Het begin van het einde kwam de volgende woensdag. Het weer was onaangenaam. In het nieuws was gesproken over een ongewoon sterke wind die vanuit zee die avond voor een storm zou zorgen. Het was een van Sévérines dagen op de universiteit en toen ik die middag eraan dacht dat ze dat hele eind naar het kasteel terug moest rijden, begon ik me zorgen te maken. De weg van Rennes slingerde zich over het platteland, en hoewel het normaalgesproken geen gevaarlijke route was, kon het bij een sterke wind en striemende regen verraderlijk zijn om daar te rijden.

Het enige wat ik kon doen was haar bellen en zeggen dat ze in Rennes moest blijven, maar dan moest ik eerst haar nummer hebben.

Na vier verschillende, verre van behulpzame telefonistes aan de lijn gehad te hebben, werd ik eindelijk doorverbonden naar het schakelbord van de universiteit en daarvandaan naar de afdeling voor Keltische studies.

Toen ik naar Sévérine vroeg, viel er een lange stilte bij de vrouw aan de andere kant van de lijn.

Uiteindelijk verbond ze me door met het afdelingshoofd.

'*Monsieur Dubois à l'appareil. Je peux vous aider?*'

'*Bonjour, monsieur Dubois. Ici madame Farmer. Je cherche Sévérine Dupont.*' Mijnheer Dubois en ik hadden elkaar ontmoet toen ik de boeken en dagboeken van Alix aan de universiteit gegeven had. Hij was een hoffelijke wetenschapper van ongeveer zeventig jaar oud en was al minstens de helft van zijn leven met de faculteit verbonden.

'*Ça fait longtemps qu'on n'a pas parlé. Et vous cherchez madame Dupont. Pour quel raison?*'

Ik vertelde hem over de storm die op komst was en dat ik haar enkel wilde vertellen dat ze beter daar kon blijven.

'*Mais, elle ne travail plus ici depuis six mois.*'

Het klonk alsof hij had gezegd dat ze daar al minstens een half jaar niet meer werkte. Dat zou betekenen dat ze daar kort na haar komst op het kasteel voor het laatst had geweest.

'*Exactement, madame.*'

Toen het gesprek beëindigd was, voelde ik me erg verward. Sévérine was bezig geweest met het behalen van haar titel, maar haar gedrag was zo wispelturig geworden dat haar gevraagd was te vertrekken. Ongeveer zes maanden geleden. Maar als ze niet met het onderzoek bezig was, waarom woonde ze dan nog steeds bij mij? Aan haar kamer te zien was ze duidelijk nog ergens druk mee bezig. En volgens het verhaal van mijnheer Dubois dus niet met Alix.

Er waren nog talloze vragen die ik mijnheer Dubois had willen stellen, ware het niet dat ik het gesprek al had beëindigd.

Ik bleef nog lang zitten en voegde de feiten bijeen die ik over Sévérine had. Eigenlijk waren dat er maar een paar. Ik groef in mijn herinneringen om wat dingen naar boven te halen. Over het algemeen was ze een oprecht, eerlijk iemand. Behalve die keer dat ze over de boter loog. Normaalgesproken kon ik altijd van haar op aan. Behalve die week dat ik hier die conferentie had en zij halsoverkop vertrok. Ze leek transparant, met uitzondering van die keer dat ze me over haar vader had verteld en de avond na het huwelijksdiner, toen ze zich zo vreemd gedragen had. Ik kreeg nog steeds de rillingen als ik eraan dacht hoe het gevoeld had alsof ze met haar ogen dolken naar me gooide.

Dat bracht me bij de gedachte aan scherpe, puntige voorwerpen. Zoals scherpe messen en wat voor dingen dan ook waarmee in mijn badkamer in het cement was gekrast. En het lange voorwerp dat Sévérine achter haar rug verborgen had gehouden in de nacht van de eerste vorst. *Waar* was ze die nacht buiten naar op zoek geweest? Lucy had staan blaffen alsof er een indringer in het bos was geweest.

En nu ik er over nadacht, Lucy had Sévérine nooit gemogen.

Er klonk geluid op de trap en ik schoot overeind. Mijn ogen zochten de duisternis van het trapgat af en kwamen tot rust op een vertrouwd figuur. Lucy. En achter haar liep Robert.

Robert, die met Sévérine de nacht had doorgebracht. Robert, die me altijd in de gaten leek te houden. Robert, die het vermogen had om geruisloos naast me op te duiken. Wat had Robert precies met Sévérine te maken? Werkten ze samen aan een of ander... complot?

'Wat weet jij over Sévérine?'

Hij haalde zijn schouders op. 'Niet veel meer dan jij.'

'Waarom ben je naar het kasteel gekomen?'

'Om mijn boek te schrijven. Freddie, waar gaat dit over?'

'Wat is jouw relatie met Sévérine? Als je het me niet vertelt, bel ik de *gêndarmes.*' Ik legde een hand op de telefoon.

'Freddie, ik heb haar voor het eerst gezien op de dag dat ik hierheen kwam. Dat weet je. Wat is er aan de hand?'

Buiten rolde de donder en sloegen de takken tegen de ramen. Het voelde alsof ik in een slechte horrorfilm gevangen zat.

'Robert, ik vraag het je nog maar één keer. Wat is jouw relatie met Sévérine?'

'Niets anders dan pure interesse in de dagboeken.'

Ik wist zeker dat hij loog. 'Je houdt me de hele tijd in de gaten.'

'Natuurlijk kijk ik naar je. Ik vind je ongelooflijk aantrekkelijk.'

'Waarom heb ik dan op een ochtend Sévérine uit jouw kamer zien komen?'

Plotseling leek hij niet meer zo zelfverzekerd. 'Sévérine? Hoe heb... Freddie, ik garandeer je dat het niet was wat het leek. Echt waar! Kun je me vertellen wat er gaande is?'

Op dat moment flikkerden de lichten en gingen toen uit. De stroom was uitgevallen.

'Robert, als je één stap verzet, sta ik niet voor mezelf in en...'

'Ik zal niet dichterbij komen. Vertrouw me, Freddie.'

Lucy zuchtte in het donker. Ik voelde plotseling een steek van schuld, want ik wist dat het haar etenstijd was.

Het bliksemde, waardoor Roberts gezicht werd verlicht. Precies zoals hij had gezegd, was hij niet dichterbij gekomen. Hij had de laatste trede gevonden en was daarop gaan zitten. Er was niets monsterachtigs aan zijn gezicht. Er stond alleen maar duidelijk verwarring op te lezen.

Dus nam ik een besluit.

34

Ik besloot hem alles te vertellen wat ik wist. 'Sévérine is van de universiteit geschopt. Ongeveer zes maanden geleden.' Ik lette op Roberts gezicht terwijl ik praatte, en ik kon zien dat deze informatie hem verraste.

'Waarom?'

'Haar afdelingshoofd noemde het "bizar gedrag".'

'En dat heb je net ontdekt?'

'Vlak voor jij naar beneden kwam.'

'Heeft ze ooit met jou over haar werk op de universiteit gepraat? Heeft ze ronduit gelogen toen ze zei dat ze daar studente was?'

Dat zette me aan het denken. 'Op haar "universiteitsdagen", zoals vandaag, zei ik altijd "Goede rit naar de stad" of zoiets, maar ze heeft me nooit gecorrigeerd. Maar ik denk ook niet dat ze altijd tegen me gelogen heeft.'

'Wat was jouw arbeidsovereenkomst met haar?'

'Die stond los van haar studie. Ze kreeg kost en inwoning in ruil voor haar hulp als er gasten waren. We hebben niet eens een contract opgesteld. Denk je dat ze gevaarlijk is?'

'Dat denk ik niet. Misschien heeft het niets om het lijf, Freddie. Misschien schaamde ze zich gewoon te veel om het je te vertellen.'

'Maar waarom zou ze dan nog hier zijn?'

'Misschien heeft ze nog geen andere baan gevonden; het kan ook zijn dat ze geen geld heeft om te verhuizen.'

'Maar waar gaat ze dan heen op haar "universiteitsdagen"?'

'Dat weet ik niet.'

We staarden elkaar aan in het licht van de bliksem.

'Mag ik van deze tree opstaan? Ik krijg een ijskoude rug.'

'Natuurlijk. Sorry. Ik... ik wist gewoon niet wat ik ervan moest denken. En ik had jou en Sévérine samen gezien... ik zag haar uit jouw kamer komen.'

'Freddie, je hebt ons tijdens mijn hele verblijf alleen die ene nacht samen gezien. Hoeveel waarde wil je daaraan hechten? En ik verzeker je dat...' Hij wilde zijn handen op mijn armen leggen, maar toen las hij de waarschuwing in mijn ogen en liet ze vallen. 'Laat ook maar.' Hij strekte zijn armen, vouwde zijn handen achter zijn hoofd en zuchtte. Toen liet hij ze los, streek met een hand door zijn haar en sloeg ten slotte zijn armen over elkaar.

Die armen. Die armen die tot mijn verrassing zo sterk bleken te zijn. Sterk, maar gevaarlijk. Ik huiverde. Toen begon alles op zijn plaats te vallen.

'Robert, de avond van het feest. Sévérine was de enige die niet aan tafel zat. Zij moet degene zijn die in mijn kamer is geweest.'

'Dat kun je niet weten. Ze was de hele avond in de keuken. Iedereen had rond kunnen sluipen zonder dat zij het had gemerkt. Bovendien waren we verder allemaal in de eetzaal.'

'En tijdens de *Journées de Patrimoine*, was zij de enige op de tweede en derde verdieping. En zij was vast ook degene die de fruitkisten heeft verschoven.'

'Wat voor bewijzen heb je?'

'Die heb ik niet nodig, Robert. Ik weet het gewoon.' Ik twijfelde geen moment dat het Sévérine was. Ze was ergens naar op zoek. De vraag was alleen: waarnaar?

'Wat ga je doen?'

'Denk je dat ze gevaarlijk is?' Ik probeerde nog steeds wijs te worden uit de informatie van mijnheer Dubois, nog steeds mijn beeld van Sévérine bij te stellen.

Robert haalde zijn schouders op. 'Ik geloof wel dat ze oneerlijk is geweest, maar ik denk niet dat ze kwaad in de zin heeft.'

'Maar waar is ze naar op zoek?'

'Het moet iets zijn wat met Alix te maken heeft.'

'En als dat niet zo is?' Ik zou zijn gedachte hebben gedeeld, maar ik had haar kamer gezien. En afgezien van de inrichting had ik niets gezien wat er op duidde dat ze enige belangstelling voor Alix had.

'Wat denk jij dan?'

Ik wist het niet. Ik wist alleen dat Alix niet langer in beeld was.

Robert begon heen en weer te lopen. 'Laten we ons proberen te herinneren waar ze allemaal heeft gezocht.'

'Buiten. Binnen. In de keuken, mijn kamer... misschien zelfs wel in jouw kamer?'

'Dus kan het niet iets groots zijn wat ze zoekt, anders zou ze niet denken dat het in onze kamers te vinden was. Bijna alles is opgetrokken uit steen.'

'En bij de renovatie is het merendeel van de muren afgebroken en weer opnieuw opgebouwd.'

Roberts blik hechtte zich aan de mijne. 'Weet ze dat?'

Ik haalde mijn schouders op.

'Is er een ruimte, een plek – die niet gerenoveerd is?'

Ik wilde nee zeggen, maar toen schoot me iets te binnen. 'De zolder. Die heeft een nieuw dak gekregen en de bekabeling is door de vloer getrokken, maar meer ook niet.'

'Nog andere vertrekken?'

'Ze hebben ook niets met de kelder gedaan, behalve wat kabels langs het plafond geleid.'

Robert staarde even voor zich uit. 'Hoe zit het met de vloeren?'

'Elke vloer is gerenoveerd. Alle kamers zijn opgeknapt.'

'Maar de oorspronkelijke vloer?'

'Daar ben ik nooit aangekomen. Die is helemaal van steen.'

Hij sprong overeind, pakte mijn hand en voerde me in een hoog tempo mee naar mijn kamer. Hij opende de deur, liep naar het kleed en begon het op te rollen.

Ik bukte om hem te helpen.

'Waar is die steen?'

'Welke steen?' De hele kamer was van steen.

'De steen waarvan je zei dat je erover struikelde.'

Ik speurde de vloer langs maar kon hem niet zo aanwijzen. Door de storm was het schemerig geworden. En de steen had ook nooit echt ver boven de andere uitgestoken. Maar wel dermate dat het me was opgevallen dat hij niet even vlak als de andere lag.

'Welke?'

'Ik weet het niet. Geef me even.' Ik liep naar mijn bed, keerde me om en liep vervolgens in de richting van de badkamer. Maar ik voelde niets. Weer liep ik naar het bed, trok mijn schoenen uit en herhaalde het nog eens. Weer niets.

Robert was op de grond neergeknield, hield zijn hoofd ten hoogte van de vloer en zwaaide met een uitgestrekte arm heen en weer over de stenen voor hem. 'Probeer het nog eens.'

'Dat kan niet. Jij zit in de weg. En je maakt me nerveus.'

Hij stond op en sloeg zijn armen over elkaar.

Ik probeerde het nog een laatste keer. Maar precies op het punt waarop ik ervan was overtuigd dat ik het weer had gemist, voelde ik het. Ik durfde mijn voet niet op te lichten, uit angst de plek weer kwijt te raken. 'Hier is het.'

'Daar?'

'Precies onder mijn voet.'

Hij knielde naast me neer en legde een hand om mijn voet.

Ik boog me om een hand in zijn nek te leggen zodat ik in balans bleef.

'Niet bewegen.'

'Dat probeer ik ook.'

Hij schoof mijn voet naar achteren en legde zijn hand op de bewuste steen.

Ik richtte me op en keek er aandachtig naar.

Robert tastte de hoeken af. 'Ik heb iets scherps nodig. En een zaklantaarn.'

'Ik ben zo terug.' Ik rende naar de keuken en pakte een arsenaal aan scherpgepunte gebruiksvoorwerpen: messen, scharen, een ijspriem en een hakmes. Daarna pakte ik de zaklantaarn uit mijn bureaula, rende naar mijn kamer terug en legde het allemaal op de grond voor Robert neer.

Terwijl ik de zaklantaarn vasthield, haalde hij met de scharen en messen het vuil weg dat zich door de eeuwen heen tussen de stenen had verzameld. Met de ijspriem, gebruikt als een hefboom, haalde hij de steen omhoog. Met ingehouden adem keek ik toe hoe Robert hem met veel moeite loswrikte en er een holte in het zicht kwam. Op de bodem van die holte lag, dik onder het stof, een smalle staf.

Robert haalde de staf eruit en blies het stof eraf. Toen legde hij hem op de vloer naast de steen.

Hij draaide de steen om en boog dieper om de onderkant te kunnen bekijken. Hij was bekrast. Niet erg. Maar er was genoeg afgeschraapt om ruimte voor de staf te creëren.

Ik pakte de staf op. Hij woog bijna niets. Het was een vrij eenvoudig model; alleen de tekening en de cijfers die erop stonden waren specifiek. Verder was het voorwerp aan de bovenkant rondom met juwelen bezet. Net toen ik hem dichter bij de zaklantaarn hield, besefte ik dat Robert en ik niet langer alleen waren. 'Sévérine.'

Robert keerde zich om en krabbelde overeind.

Sévérine maakte zich los uit de deuropening en liep, gehuld in de duisternis, naar ons toe. Voor de holte in de vloer bleef ze staan. Geen moment hadden haar ogen de staf in mijn handen losgelaten.

Ik pakte hem steviger vast, liet mijn arm zakken en bracht hem dicht naar mijn lichaam.

'Die is van mij. Hier was ik naar op zoek. Dank je, Frédérique, dat je hem gevonden hebt.' Ze stak haar hand naar me uit.

Haar gedrag was zo dwingend, dat ik bijna automatisch mijn hand uitstak en haar de staf voorhield.

Robert greep mijn arm en trok me overeind. Toen ik stond, kwam hij naast me staan. 'Hij is van Freddie.'

'Nee, hij was van Alix en daarvoor nog van haar moeder. Als je hem mij geeft, leg ik hem bij al de andere kunstvoorwerpen die onderzocht worden.'

Ik deed een stap bij Robert vandaan. 'Bij de universiteit van Rennes?'

Ze knipperde niet eens met haar ogen. 'Natuurlijk.'

'Ik heb vanmiddag mijnheer Dubois gesproken. Hij heeft je gevraagd te vertrekken. Zes maanden geleden.'

'Zoals je ziet, stelt dat niets voor. Ik ben nog steeds met het onderzoek bezig en zie hier wat ik gevonden heb.' Ze glimlachte. 'Nu zullen ze me smeken om terug te komen.'

'Waarom heb je me niet verteld dat je er weg moest?'

'Soms hebben enkel de *thésardes* en *professeurs* toegang tot de dagboeken. Ik was de Alix-expert. Ze wilden iemand anders aan de dagboeken laten werken. Ik was kwaad. En waarom ik het jou niet heb verteld? Waarom moest je het weten? Ik moest hier blijven. Ik wist wat er in dit kasteel te vinden was. Ik hoefde er alleen maar naar te zoeken.'

'Maar ik heb je als een vriendin beschouwd.'

'Je beschouwde mij als jouw poort naar de wereld. Ik heb jou gebruikt en jij hebt mij gebruikt.'

Robert ging naast me staan, alsof hij steun wilde bieden.

'*Et vous, Robert*? Jij hebt het altijd alleen maar over Freddie, Freddie en nog eens Freddie. Freddie denkt dit en Freddie doet dat. Ik kan de naam Freddie niet meer horen. Ik zeg het nog maar één keer: geef die staf aan mij.'

'Nee, hij is niet van jou.'

'Ik moet hem hebben. Weet je wat erin zit? Een perkamentrol. Beschreven door Josef van Arimatea. Misschien staat de locatie van de graal erop. En als ik de graal kan vinden, maak ik naam. En als ik naam maak, kan niemand meer om mijn bestaan heen.'

Ik pakte Roberts hand vast en trok hem wat dichter naar me toe. 'Maar daarmee bereik je nog niet dat je vader van je houdt.'

'Wie heeft het hier over houden van? Ik wil zijn liefde niet. Ik wil dat hij trots op me is. Dat hij me respecteert. Ik wil dat hij naar me kijkt. Ik wil gewoon dat hij me ziet staan. Geef me de staf.'

'Dat kan ik niet doen.'

Ze deed een uitval naar de grond en pakte een van de messen op. 'Geef hier.'

Robert schoof me achter zijn rug. Ik rende naar de deur.

Sévérine zwaaide dreigend met het mes naar Robert.

'Dit wil je niet echt.'

Ze vloog op hem af.

Robert sprong opzij.

Sévérine verloor haar evenwicht en viel op de grond. Ze gooide het mes naar hem.

Het miste zijn doel en viel in de holte in de vloer.

Ze staarde naar de plek, begon toen te gillen en sloeg haar handen tegen haar ogen.

Robert knielde naast haar neer.

'Laat me met rust!'

Hij legde een hand op haar arm.

Ze draaide zich om, pakte een ander mes en stak hem in haar dij. 'Laat me met rust!'

Terwijl Robert het mes uit haar hand probeerde te wrikken, rende ik naar de zitkamer, pakte de telefoon en belde de alarmcentrale.

Tegen de tijd dat ik in de slaapkamer terug was, had Robert alle scherpe voorwerpen bijeengeraapt en op mijn bed gelegd. Ook had hij een van mijn sjaaltjes om Sévérines been gebonden.

Ze lag nog steeds op de grond, maar had haar benen naar haar borst opgetrokken en wiegde heen en weer terwijl ze in het niets staarde.

Ik knielde naast haar neer en legde een hand op haar rug. 'Sévérine? Wil je dat ik je vader bel?'

Haar blik bleef star; ze bleef ook wiegen maar knikte toch.

'Wie is hij? Waar woont hij?'

Ik moest het een paar keer vragen, maar uiteindelijk vertelde ze het ons. Ik koos het nummer van de telefooncentrale en liet me met haar vader doorverbinden. Toen hij aan de telefoon kwam, stelde ik me aan hem voor en vertelde toen dat Sévérine hem nodig had. Heel erg dringend.

'Sévérine? Welke Sévérine?'

'Uw dochter.'

'Ik heb geen dochter.' Hij hing al op voor ik kon antwoorden.

Ik kon enkel naar de telefoon staren, en vroeg me af wat voor soort ouder net kon doen of zijn kind niet bestond.

Toen ik mijn slaapkamer weer binnen liep, staakte Sévérine het wiegen. 'Hij komt zeker niet, Freddie?'

Ik schudde mijn hoofd.

'Hij zal nooit komen.'

Tegen de tijd dat de ambulance arriveerde, lag ze in een foetushouding op de grond ineengekruld en neuriede flarden van een melodie die ik herkende als een Frans kleuterliedje. Ze brachten haar ter observatie naar het regionale ziekenhuis.

Nadat Sévérine was opgehaald, nam Robert de leren staf mee naar beneden en legde hem midden op het keukeneiland. We pakten een stoel, gingen zitten en staarden ernaar. Het was een onschuldig voorwerp. Met een lengte van slechts zo'n dertig centimeter lang en een doorsnede van ongeveer vijf centimeter leek het een vrij onbelangrijk voorwerp. Het leer was wat dof van ouderdom geworden maar de amethisten glansden nog steeds. Op de staf stond een opvallende 'N' met een golvende lijn erboven geëtst.

Na een tijdje pakte ik de staf op, trok een la open en haalde er een botermesje uit. Voorzichtig probeerde ik een opening in het omhulsel te vinden. Vlak naast de bovenkant vond ik een gleuf, waardoor ik de staf kon openwrikken.

In de staf zat een perkamenten rol. Hij was niet zo groot. Misschien de maat van drie normale vellen naast elkaar.

Robert stond op van zijn stoel en kwam naast me staan.

De geschreven regels waren erg klein en stonden erg dicht op elkaar. Voor zover ik iets afwist van het alfabet van het Nabije Oosten, leken de letters door een gedisciplineerde hand gevormd. Ik bekeek de rol van alle kanten en voelde me bedrogen toen ik er niets wijzer van werd.

Robert streek met een vinger over een hoek. Het zag eruit als kalfsperkament. Hij rolde het op en schoof het terug in de staf.

De volgende dag reed ik naar Rennes en vertrouwde de staf toe aan de zorg van de Universiteit van Rennes II.

Een week later ontving ik een enthousiaste brief van mijnheer Dubois. In samenwerking met de universiteit van Nantes zou de rol worden geanalyseerd en vertaald. Hij beloofde me op de hoogte te houden van de uitkomsten en nodigde me uit om bij de eerstvolgende gelegenheid op bezoek te komen. Helemaal aan het einde van het gesprek vertelde hij me dat de rol negentienhonderd jaar oud was en beschreven was door ene Josef of Yosef van Arimatea.

Het bleek dat Alix waarschijnlijk Joods was. In ieder geval aan haar moeders kant. Begin veertiende eeuw beval een van de Franse koningen dat alle Joden uit het land verdreven moesten worden. Veel van degenen die in de buurt van Bretagne woonden, vertrokken naar Spanje of Italië; anderen trokken naar wat het Koninkrijk Provence werd genoemd. Sommigen behielden hun geloof, anderen lieten het los en probeerden weg te gaan of zich zo goed mogelijk te verenigen met de cultuur om hen heen. Diverse generaties later reisden sommigen zelfs terug naar het noordelijk deel van Frankrijk.

Het is mogelijk dat Alix' vader nooit van de afkomst van zijn eerste vrouw op de hoogte is geweest, maar ik vermoedde dat hij het wel geweten heeft. Waarom zou hij anders de rol aan zijn dochter hebben gegeven? De Joodse identiteit werd van moeder op dochter overgedragen. Misschien dat Alix' vader niet Joods is geweest, maar ze zou die identiteit toch van haar moeder hebben geërfd.

Als zou worden vastgesteld dat de rol in oud Hebreeuws was beschreven, hoe kwam de moeder van Alix er dan aan? Het is aannemelijk dat de voorouders van Alix' moeder van oorsprong uit het noordwesten van Frankrijk kwamen, het deel dat aan het oude Bretonse Koninkrijk grensde. Het is ook mogelijk dat de legende waar is: dat Josef van Arimatea na de dood van Christus van Israël naar Gallië is gevlucht.

Julius Caesar veroverde de regio in de eerste eeuw voor Christus en Gallië werd ingelijfd in het Romeinse Rijk. Als Josef naar Gallië is gevlucht, kan hij de graal hebben meegebracht. Als dat zo was, heeft hij er misschien over geschreven. Hij was een lid van het Sanhedrin, de Hoge Raad van de Joden. Om lid van het Sanhedrin te zijn, moet hij ook de Torah hebben bestudeerd en hoog opgeleid zijn geweest. Het staat dus buiten kijf dat hij goed kon schrijven.

Honderden jaren lang zijn in families erfstukken van de ene

op de andere generatie doorgegeven. Waarom zou de rol niet doorgegeven kunnen zijn? Waarom zou het niet zo kunnen zijn dat de rol door de familielegende van zo'n grote waarde werd dat men het beschouwde als een kostbaar stuk dat beschermd en veilig bewaard moest worden?

Sévérine moest de Hebreeuwse letters Y en A uit Alix' beschrijving van de staf, het omhulsel van de rol, hebben herkend. In het Hebreeuws staat iedere letter ook voor een nummer. De initialen van Josef van Arimatea, of Yosef van Arimatea, zouden Yod, Alef zijn geweest. De letters Yod en Alef staan bij elkaar opgeteld ook voor elf.

Elf staat symbool voor niet compleet.

Als de rol van Yosef van Arimatea was, zoals de initialen aangaven, waarom gebruikte hij dan twaalf amethisten terwijl zijn initialen op elf uitkwamen? Misschien omdat de aanwijzingen in de staf naar de completering zouden leiden. Naar de heilige graal. Naar een symbolische gemeenschap met Jezus.

Dat was waarschijnlijk ook Sévérines redenatie geweest.

Maar waarom was hij in mijn kamer verborgen?

De staf, de boeken en de dagboeken waren aan Agnès toevertrouwd. En Agnès was de kamenierster van Alix' moeder geweest. Het klinkt aannemelijk dat zij ook op hoogte is geweest van de waarde van de rol. Anders zou ze hem wel in de kist bij Alix' dagboeken en boeken hebben gestopt.

En als ze hem niet bij de boeken opborg, welke plek had ze dan nog over om hem te verstoppen? In haar kamer. Haar kamer zou, evenals de kamers van het andere personeel, op de bovenste verdieping van het kasteel zijn geweest. Precies waar mijn huidige kamer is gevestigd.

Robert hield vol dat hij nooit iets met Sévérine had gehad. Hij zei dat hij tijdens een gesprek met haar over de dagboeken, enorme hoofdpijn had gekregen en haar gevraagd had weg te gaan zodat hij kon gaan slapen.

Bij navraag bleek dat Sévérine hem had gedrogeerd, net genoeg dat hij in slaap viel – en bleef slapen. De zwart kanten lingerie was een list geweest voor het geval ik haar uit Roberts kamer had zien komen. Ze had berekend dat zijn kamer de kamer van Alix geweest moest zijn, en had hem onderzocht. Grondig genoeg om te weten dat de rol niet in zijn kamer was verborgen, dus besloot ze in mijn kamer te gaan zoeken.

En dan te bedenken dat ik die steen altijd als een vervelend iets had beschouwd.

Ik moest toegeven dat ik het mis had over Robert en Sévérine. En ook dat ik er helemaal naast zat wat Robert zelf betrof: hij leek werkelijk veranderd te zijn.

Bevat de rol het geheim van de graal? Ik besloot het aan de universiteit van Nantes of Rennes over te laten.

In de stilte die nog nasuisde van de explosie van de bom, ging Robert verder met zijn boek en sloeg ik weer aan het koken.

35

Een dag voor Toussaint

Vanmorgen stond ik erop dat Anne naar mijn kamer zou worden gebracht en dat Awen, nog steeds in mijn bed, haar op de hoogte bracht van het huwelijk dat voor haar geregeld is.

Hij zei dat hij dat niet kon.

Ik zei hem dat ik erbij zou blijven, maar dat hij het moest doen. Als hij iets voor Anne kon doen, was het haar de toestemming en de vrijheid geven om weg te gaan. Als ik niet zo veel van hem gehouden had, had ik er niet op gestaan. Maar dat doe ik wel.

Ik gaf Agnès opdracht Anne te laten halen.

Awen sprak door opeengeklemde tanden en durfde haar niet aan te kijken, maar ik wel.

Hij moest het doen. Hij kan zich niet in tweeën splitsen. En ik heb recht op hem.

Agnès glimlachte toen ze het hoorde.

Anne hoorde alles zwijgend aan.

Een dag na Toussaint

Ik heb mijn vader een brief gestuurd om hem over de komst van Anne in te lichten. Ze zal binnen twee weken vertrekken.

Twee dagen na Toussaint

Ik heb vannacht mijn heer een bezoek gebracht.

Ik klopte zachtjes op zijn deur, maar hij deed niet open.

Ik herinnerde me hoe Anne bij hem binnen was gegaan, dus noemde ik mijn naam.

Snel opende hij de deur voor mij.

Ik vroeg hem me te laten zien wat ik hem verschuldigd was.

Hij nodigde me uit in zijn bed.

En deze keer liet ik hem begaan toen hij mijn koordjes los begon te knopen.

Dag van Saint Malo

Awen heeft me tot zijn vrouw gemaakt. Hij komt zowel overdag als 's nachts naar me toe. Ik sta in vuur en vlam door de gloed van ons samenzijn. Ik heb genoeg geluk gevonden voor mijn hele leven.

We hebben het tot op vandaag, de dag nadat Anne is weggegaan, niet meer over haar vertrek gehad. Ik dacht net terug aan gisterochtend, toen Awen nog in mijn bed lag. Ik glimlachte bij de herinnering, hief mijn hoofd op van dit dagboek en merkte dat hij naar me zat te kijken. Ik leg mijn pen nu neer en ga naar hem toe.

Vier dagen voor Sainte Cécile

Ik vind dat ik zelfzuchtig ben geweest. Al die jaren heb ik mijn energie aan lezen en studeren besteed, terwijl ik er beter aan had gedaan om op mijn zaken te letten.

Ik ben een vrouw. Ik ben een echtgenote.

Ik heb mijn plichten verzaakt voor pleziertjes, en dat heeft zijn gevolgen gehad. Wat als ik al een paar jaar eerder Awens vrouw was geweest?

Dan zou Anne niet mijn plaats hebben ingenomen.

En wat moet ik zonder Anne? Ik weet niet hoe ik een kasteel moet beheren. Ik weet niet hoe ik een bediende moet aansturen. Dat heeft zij allemaal gedaan, maar ik liet haar dat ook doen. Ik was gestraft voor het verzaken van mijn plicht.

Ik heb het boek van mijn moeder bewaard; ik zie niet in welk kwaad het kan om het bij me te houden, maar van de rest van mijn boeken heb ik afstand gedaan, zelfs van de staf die van mijn moeder is geweest. Ik moet wel bekennen dat ik de bovenkant van de staf heb opengesneden, want ik had het idee dat hij hol van binnen was. In de staf zat een perkament dat beschreven was in een taal die ik nog nooit heb gezien. Ik vroeg me af wat mensen in die taal van dikke regels hebben opgeschreven, maar omdat ik geen onderwijzer heb, koester ik niet de hoop dat ik het ooit kan lezen.

Ik heb mijn dagboeken in mijn kist gedaan en wanneer ik straks klaar met schrijven ben, zal ik Agnès vragen om alles mee te nemen: de boeken en de dagboeken. Het maakt me niet uit waarheen.

Ik moet me bij het echte leven bepalen.

Avril

Avril et mai, de l'année,
font seuls la destinée.

April

Zien we april en mei van hun goede kant,
dan belooft dat een beste oogst op 't land.

36

Bij het verstrijken van de dagen verschoven de tragedie van Sévérines zenuwinzinking en de schok van haar bedrog van de voorgrond naar de achtergrond. Ik dacht erover na of ik iemand anders in haar plaats zou aannemen en daarna overwoog ik of ik een poosje rust zou nemen. Voor de eerste maal probeerde ik echt te bedenken wat ik zou doen als ik mijn kasteel niet had. Ik vond daar nog geen antwoord op, maar de vraag zelf joeg me in ieder geval geen schrik meer aan.

Nu mijn gedachten Robert niet meer naar Sévérines armen konden verdrijven, werden ze niet langer door een rood licht een halt toegeroepen. Ze laaiden op en botsten in mijn hoofd, zonder zich ergens door te laten remmen. Als hij niet van Sévérine was, was hij niet langer verboden terrein. Maar dat betekende nog niet dat hij van mij of iemand anders was.

Ik was als iemand die denkt een slok koolzuurvrij water te nemen maar in plaats daarvan een mond vol spuitwater binnen krijgt. En ook al geven de smaakpupillen de nieuwe informatie door, het duurt toch even voor het verschil daadwerkelijk tot het bewustzijn doordringt.

Robert was dus ongebonden. Hij was de persoon die hij had gezegd te zijn en niet de lomperd die ik had gedacht dat hij was. Maar wat maakte dat voor verschil in onze relatie? En wat voor verschil wilde ik dat het zou maken? Als ik Robert onder andere omstandigheden had ontmoet, als er geen actrices of fotomodellen waren geweest, geen Alix of Sévérine... dan zou hij niet de man zijn die hij was. En dan zou hij ook niet in mijn kasteel verblijven.

Hoe zeer ik ook geprobeerd had om wat afstand te bewaren, ik vond hem onweerstaanbaar aantrekkelijk. In alle opzichten. Wat kun je nu niet leuk vinden aan een man die vrijwillig zijn eigen kamer stofzuigt? En de mijne ook?

Op een middag kwam Lucy naar beneden om mij te zoeken. Ik nam aan dat ze dit deed omdat Robert tegen haar evenveel zei als tegen mij: bijna niets. Hij ging volledig op in het redigeren van zijn manuscript. Ik overwoog of ik haar zou vragen of Robert het ooit met haar over mij had gehad; of hij ernaar uitkeek om naar huis te gaan; of hij met de kraag van zijn overhemd speelde als hij bedacht wat hij verder moest schrijven; of hij al een besluit genomen had. Maar die vragen leken me te persoonlijk. Te vrijpostig. Het zou net zoiets zijn als aan de butler van de koningin vragen of ze tijdens het ontbijt haar cornflakes met een theelepel of een eetlepel eet. Dat waren het soort vragen waarop ik alleen de antwoorden wilde als ik ze zelf aan Robert kon vragen. Dus bespaarde ik Lucy de vernedering ze te moeten beantwoorden.

Uit Robert zelf werd ik ook niets wijs. Hij gedroeg zich tegenover mij precies zoals voorheen.

Hoe ik er ook naar gesnakt had om niet meer met Sévérine vergeleken te worden, ze had me er toch voor behoed dat ik door helemaal niemand meer gekend was. En ik was te lang niet gekend geweest. Als Robert vertrok, had ik niemand meer om me heen, was er niemand meer die mij kende.

Maar is dat niet zoals zo veel mensen hun leven leiden? Waarom zou ik ook maar iets anders moeten zijn? Welk recht had ik om meer te vragen dan ik al had? Ik was niet eerlijk tegenover Peter geweest toen hij nog leefde. Niet echt. Maar viel er iets te winnen door nu te proberen hem trouw te zijn? Vroegen de doden zulke offers van de levenden? Konden ze dat? Zou dat mijn schuldgevoel ook maar enigszins verminderen? Misschien was dat de reden waarom ik niet kon vragen wat ik wilde. Misschien dacht ik dat ik het verdiende dat er niemand van me hield.

Hield er iemand van mij?

Wat moest ik doen? Kon ik iets doen? Wat zou er gebeuren als ik helemaal niets deed?

Dan zou Robert vertrekken als hij klaar was. Hij zou een andere plek zoeken en een ander boek gaan schrijven. En nog een. En nog een.

Wat zou er gebeuren als ik wel iets deed?

Dan zou Robert als hij klaar was... ook een ander boek gaan schrijven, maar dan hier.

Dus als ik niets deed, zou Robert vertrekken en als ik wel iets deed, zou hij blijven. Wat was nu het beste gebruik van mijn trots?

Niets doen.

Wel iets doen.

In de dagen daarna werd ik constant heen en weer geslingerd. Wel iets doen. Niets doen. Ik was vergeten hoe ik me uit moest strekken naar de dingen die ik wilde, als ik dat überhaupt al ooit geweten had.

Als er iets zou gebeuren, moest Robert het initiatief daartoe nemen.

Maar wat wilde ik dan dat hij zou doen? Wat wilde ik dat hij zou doen wat nog niet door herinneringen aan zijn verleden was bezoedeld? Wat kon ik hem bieden wat ook maar iets anders was dan wat hij al had gekregen? Ik wist al hoe het was om een man te moeten delen met zijn baan. Ik wilde nu niet een man delen met zijn verleden.

Ik was niet op zoek naar liefde; ik was op zoek gezien te worden. Anderzijds, voor liefde was het noodzakelijk gezien te worden. En van Robert houden betekende hem zien, en bestaan we niet allemaal uit stukjes van de mensen met wie we een relatie hebben gehad? Hoe kon ik me naar boven worstelen met dat zware gewicht van al die losse contacten van hem? In de wetenschap dat er een verleden boven hem hing dat zich enkel wilde herhalen? Hoe kon liefde bloeien onder zo'n regenwolk? En hoe erg was het eigenlijk als ik nooit meer van iemand hield?

Ik probeerde mezelf zover te krijgen dat ik naar Roberts vertrek uitkeek. Probeerde mijn gedachten ertoe aan te zetten redenen te verzinnen om naar zijn vertrek uit te kijken. Maar ik kon er niet veel bedenken. En toen, op een middag, klonken zijn voetstappen op de trap. Ik hoorde hem al komen voor ik hem zag. Druk bezig met de bereiding van een *sauce béarnaise*, kon ik – en wilde ik – niet opkijken.

'Trek de champagne maar open. Het boek is af.'

Toen ik op kon kijken, zag ik dat hij er tevreden, ontspannen uitzag. Het leek of de last van het schrijven van hem was afgevallen.

'Het boek is af,' echode ik. Dat was het dan. Hij zou zijn spullen pakken. Hij zou vertrekken. Ik zou zijn kamer schoonmaken en hem volgend weekend aan iemand anders verhuren. 'Gefeliciteerd.'

'Dank je.'

'En wat bleek jouw Alix nu te zijn? Een spion of een onschuldig meisje?'

'Ze was onschuldig. En wat haar man betrof, besloot ze op te eisen waar ze recht op had.'

Van wat ik me van het verhaal van Alix herinnerde, klonk het steekhoudend wat Robert zei. Zij was degene die met Awen was getrouwd. En omdat Anne naaste familie van Awen was, zou de kerk toch nooit in een huwelijk hebben toegestemd. Alix had het recht en de macht om Anne weg te sturen. In een tijd waarin het huwelijk heilig was, was dat heel verstandig. 'Dus draaide het allemaal om rechten.' Zoals altijd.

Ik nam het steelpannetje van het vuur en zette hem op

het keukeneiland. Daarna trok ik de koelkast open en haalde de champagne tevoorschijn die ik voor dit moment had bewaard.

Robert pakte een stoel, ging zitten en liet zijn armen gekruist op het werkblad leunen. 'Rechten? Nee, helemaal niet. Het draaide om wat ze wilde. Haar rechten waren wat ze gebruikte om het te krijgen.'

Ik zette de fles op het aanrecht en pakte twee champagneglazen uit de kast. 'Wat ze wilde... Een vrouw uit de vijftiende eeuw in Frankrijk had het lef en de mogelijkheid te doen wat ze moest doen om te krijgen wat ze wilde. En hier sta ik, in de eenentwintigste eeuw in Frankrijk en...'

'En wat?' Hij stond ineens pal achter me. Terwijl ik mijn ogen sloot en de tranen de vrije loop gaf, draaide hij me om en drukte me tegen zijn borst. 'Wat wil jij?'

'Ik wil niet meer alleen zijn.'

'Ik ook niet.'

'Maar jij hebt actrices gehad, en modellen en... iedereen die je maar wilde.'

'Nee, dat heb ik niet. Ik wilde jou.' Hij sprak op een zachte, tedere toon tegen me en bedekte mijn handen met de zijne. 'Ik kan mijn verleden niet veranderen, Freddie. Ik heb veel relaties gehad. Dat geef ik toe. Maar de meeste waren gewoon een uitspatting. Meer niet.'

Meer niet! Mijn verstand protesteerde terwijl mijn hart in duizenden stukjes uiteen viel. Maar het was *wel* meer; het was *alles*. Ik maakte geen deel uit van die groep. Ik was nooit een van die mooie vrouwen geweest; ik ben nooit iemand geweest die alleen wat wilde om iets te laten gebeuren, of iets in mijn bezit te krijgen. Op zijn best heeft er iemand ooit, op een hoogtijdag, zijn hoofd op straat naar me omgedraaid. Ik had geen ervaring met vluchtige relaties. Ik had niet eens ervaring in zomaar iets gaan drinken met iemand. Robert had net zo goed diep in de jungle van Zuid-Amerika kunnen leven; zo ver lagen onze werelden uiteen.

'Maar ik wil jou helemaal.' Ik kon mezelf niet weerhouden dit te zeggen. *Niet slechts een deel.*

Hij hield me nog steeds vast bij mijn pols. Het enige wat ik wilde was me van hem losmaken, maar het leek wel of ik in een bankschroef zat gekneld. Zijn bruine ogen boorden zich in de mijne.

Toen kon ik het niet langer meer aan: de erkenning van wat, in zijn ogen, waarschijnlijk niet meer dan een verliefdheid was. De vernedering, de pijn. Ik verwenste Alix en de chaos die ze in mijn eenzaam bestaan had aangericht.

Hij wilde me niet loslaten, dus zakte ik, als een kind, ineen op de vloer. Een niet te stoppen tranenvloed trok sporen over mijn gezicht en hals.

Heel even verstevigde hij zijn greep, maar liet toen los. Hij had het gehad met mij.

Het liefst was ik door de vloer verzwolgen.

Maar in plaats van dat hij wegging, hurkte hij voor me neer, legde zacht zijn handen om mijn ellebogen en trok me naar zich toe.

Ik gaf mijn lichaam over aan zijn greep en klemde me als een drenkeling aan hem vast.

Robert sloeg zijn armen om me heen alsof hij bang was dat ik zou verdwijnen. Ik ademde de geur in van zijn zeep, terwijl hij zijn vingers door mijn haren vlocht. Hij pakte een handvol haar en trok zachtjes mijn hoofd achterover, waardoor hij met zijn mond bij mijn hals kon. Met zijn lippen volgde hij het spoor van mijn tranen en drukte er zachte, eerbiedige kussen op. Zijn lippen gingen naar mijn oor. 'Ik wil alleen maar jou.'

Trillend toen hij naar mijn hals terugging, durfde ik de vraag te stellen. 'En de anderen dan?'

Hij hief zijn hoofd. 'Ik wist niet dat er iemand zoals jij op me wachtte. En toen had ik God niet om me te helpen sterk te zijn. Ik wilde dat ik het verleden kon veranderen, maar dat kan ik niet. Als jij me kunt vergeven, zou ik graag de toekomst willen veranderen… te beginnen met het heden.'

'Maar…'

Hij nam mijn gezicht tussen zijn handen en keek me in de ogen. Er was geen enkel spoor van een lach rond zijn lippen. Ik had hem nog nooit zo serieus gezien. 'Ik houd van je.'

Hij had het gezegd. Hij hield van me. Ik wilde zo graag niet nadenken op dat moment. Ik wilde mezelf aan zijn voeten werpen. Maar de stem van mijn verstand liet zich niet het zwijgen opleggen. Mensen veranderen maar zelden. Zelfs met Gods hulp is het moeilijk te veranderen. Als Robert in het verleden de nacht met een vrouw had doorgebracht wanneer hij daar maar zin in had gehad, aan hoeveel andere impulsen zou hij dan nog toe gaan geven? Kon ik hem vertrouwen?

'Vertrouw me, Freddie.'

O, wat wilde ik dat graag.

'Freddie.' Hij verlangde een antwoord van me.

Wat kon ik doen? Wat kon ik zeggen? Mijn ogen zochten de zijne en lazen daar geen verborgen dingen in. Een blik in zijn ogen was als een duik in de diepten van zijn ziel.

Hoe kon ik hem vertrouwen?

Hoe vertrouwde Alix Awen? *Had* ze hem vertrouwd?

Robert stond op en trok me met zich mee overeind. Hij tilde me op en zette me op het aanrecht.

'Freddie?'

Onze hoofden bevonden zich op precies dezelfde hoogte. Het enige wat ik kon doen was hem aankijken.

Onze blikken haakten in elkaar.

Toen sloot ik mijn ogen, sloeg mijn armen om zijn hals en vond beschutting in zijn omhelzing. Op dat moment bedacht ik me, terwijl ik mezelf toestond de warmte van zijn liefde te aanvaarden, dat Alix zich er misschien nooit toe heeft kunnen zetten om Awen te vertrouwen. Maar het maakte niet uit; ze gaf hem vanuit haar verwonde hart wat ze kon. Ze gaf hem wat God haar had gegeven. Wat God mij had gegeven.

Ze gaf hem een tweede kans.

Van de auteur

Beste lezer,

Het rijk alleen is een van mijn lievelingsboeken. Het is het soort boek dat ik zelf uit zou kiezen om te lezen. Ik hoop dat u in deze roman de volgende dingen hebt herkend: mijn liefde voor Frankrijk, mijn liefde voor de Franse keuken en de Franse wijn, mijn liefde voor legenden. Mijn liefde voor mensen die niet perfect zijn, maar wel hun best doen; mijn liefde voor God, Die ieder van ons begrijpt, Die er nooit van uitgaat dat een van ons buiten Zijn bereik zou zijn en Die door de tijd en geschiedenis heen beweegt om Zichzelf aan ons te openbaren.

Het schrijven van deze roman begon met Alix. Hoe graag we ook zouden willen denken dat we in een andere eeuw dezelfde verlichte mensen zouden zijn geweest, onze moderne opvattingen over de wereld maakt ons ongeschikt voor de eeuwen die voor ons bestaan verstreken zijn. Toen Alix tegen me begon te praten, begon ik me af te vragen hoe het geweest moet zijn om op zo'n jonge leeftijd al te trouwen. Daarna stelde ik me voor wat het betekend moet hebben om een kindbruid te zijn en ik besloot dat ik haar dat echt niet aan kon doen. Ze was te onschuldig. Dus moest ik haar een echtgenoot geven die haar de tijd gaf om eerst verder op te groeien. En een echtgenoot die daar ook een reden voor had.

Daarna kwam Freddie. De eerste scène waarin ik haar voor me zag, was er een waarin ze met een zekere Robert in gesprek was. Er was iets dappers en treurigs en humeurigs aan haar. Ze was het type mens dat je zou willen omhelzen, als je maar zeker wist dat ze je niet weg zou duwen. Voor haar eerste huwelijk bracht ze offers op het gebied van haar geloof en dromen. Ze was vastbesloten om niet opnieuw dezelfde vergissingen te maken. Hoeveel van ons bevinden zich niet in hetzelfde schuitje? Hoeveel van ons hebben spijt van hun verleden? En voelen zich schuldig over die spijt?

En koning Arthur? Het idee om een verhaal over een verhaal te schrijven is voor een schrijver onweerstaanbaar. Vooral een verhaal dat de eeuwen heeft overleefd.

Wanneer ik aan dit boek denk, denk ik aan een wereld waar de mist zich om een oud kasteel heen slingert, waar de geur van koffie zich vermengt met de geur van muffe oude boeken onder een laagje stof, en waar het geluid van kletterende pannen zich vermengt met het geluid van voetstappen op een stenen trap.

Toen ik klaar was met dit boek, had ik vaak de wens terug te kunnen keren naar die kleine wereld die ik had geschapen. Een fantasie die alleen in mijn dromen bestaat. Ik ben zo blij dat mijn eigen kleine wereldje nu ook deel van uw wereld kan zijn. En ik hoop dat dit verhaal net zo in uw herinnering blijft hangen als het bij mij heeft gedaan.

Met vriendelijke groeten,

Siri L. Mitchell

PS. U bent van harte welkom een kijkje te nemen op mijn website www.sirimitchell.com waar meer informatie over de legenden van koning Arthur en het leven in de middeleeuwen is te vinden.

Bretagne

Alleen een heel klein kind zou het gewicht van de geschiedenis van Bretagne niet gewaarworden.

In het schemerdonker is het niet moeilijk je in te beelden dat je echo's hoort van geluiden die geen deel uitmaken van de huidige tijd. Of tussen de bomen schaduwen ziet flitsen, die niet van vogels zijn. Of de herinnering aan de vuren van eeuwen geleden ruikt, alsof een of andere lang vervlogen speurtocht blijvend is uitgezet.

Het is een historisch gebied.

Het is Brocéliande, het thuisland van het Bretonse volk. En daarvoor een thuis van de Franken, en daarvoor van de Galliërs, en daarvoor van de Kelten – en met hen de druïden – en daarvoor van een naamloos volk dat vervaagd is in de mist van de tijd, en alleen maar massieve, rechtopstaande stenen achtergelaten heeft als herinnering aan zijn bestaan. De legenden vertellen dat sommigen van hen nog steeds als schipbreukelingen door de bossen zwerven… uit de pas met de getijden van de tijd.

De legenden vertellen ook dat koning Arthur en zijn ridders deze bossen hebben doorzocht, op zoek naar de heilige graal. En nog steeds wordt er door sommigen op deze plek naar gezocht.

Wie de legenden goed doorziet, beseft dat de zoektocht naar de graal geen zoektocht naar een Avondmaalsbeker is. En zij die zich wel concentreren op een kelk, hebben de neiging af te dwalen, net als zij die het geluk najagen zonder het ooit te vinden. De zoektocht naar de graal is een zoektocht naar een mysterieuze verbintenis met God, een zoektocht naar heelheid. Het is onvermoeibaar zoeken naar een tweede kans om met Christus één te worden. En is dat alles welbeschouwd niet waar het in het christendom om draait?

Wetenswaardigheden over Bretagne

De Bretons waren de uitvinders van de crêpes, ofwel flensjes. De schrale grond van de binnenlandse regio's was enkel geschikt voor het telen van boekweit. Het graan van deze plant bevat geen gluten, waardoor boekweitmeel niet zo rijst als witte bloem. Door het boekweitmeel te mengen met eieren en melk, ontstond er een beslag voor dunne pannenkoeken. In plaats van brood als basisvoedsel te gebruiken, zoals in de overige gebieden van Frankrijk, overleefde het Bretonse volk op boekweitflensjes, ook bekend als *crêpes sarrasin* of *galettes*. Volgens de traditie worden ze alleen geserveerd met hartige vulling. De crêpes die van tarwebloem worden gemaakt, zoals de meeste mensen dat doen, worden in Frankrijk traditiegetrouw alleen met zoete vulling geserveerd.

De term Chateaubriand werd al door een schrijver gebezigd vóór het aan een runderbiefstuk werd toegekend. François-René, *vicomte de Chateaubriand*, werd geboren in St. Malo in Frankrijk. Hij verwierf voor het eerst publiciteit met zijn boek *Génie du christianisme.* Dit boek ontketende een postrevolutionaire opwekking in Frankrijk. Hij werd ook bekend door de exotische boeken die hij over Amerika schreef. Naar zijn begrip was het culinaire gerecht Chateaubriand een recept, geen stuk vlees. Het werd door zijn kok voor hem bereid. De geschiedenis geeft weinig prijs over de precieze details van het recept, maar in de versie die ik onder ogen kreeg, was het een stuk ossenhaas van de beste kwaliteit dat tussen twee biefstukken van een mindere kwaliteit werd geklemd en daarna werd bereid. Deze methode gaf de ossenhaas meer smaak.

Mont St. Michel is een gebied waarover verhit is gedisputeerd: zowel Normandië als Bretagne hebben er van oudsher aanspraak op gemaakt. Mont St. Michel is een monnikenklooster, een kerk, een fort en een gevangenis geweest. Het herbergt nog steeds een kleine groep monniken, en het kan zich erop beroemen dat het nooit veroverd is. Het eiland van Mont St. Michel wordt bij vloed door bijna een kilometer zee gescheiden van het vasteland. Tussen de getijden zit een verschil van ruim twaalf meter. Omdat er in 1880 tussen het eiland en het vasteland een verhoogde weg is aangelegd, komt bij springtij het water binnen met een snelheid van zo'n zestien kilometer per uur. Bij eb laat het water een steeds weer veranderende vlakte van drijfzand achter. In vroegere eeuwen konden de pelgrims alleen bij eb het eiland bereiken. Ze moesten daarvoor over het onbekende stuk drijfzand lopen. De pelgrims legden hun gevaarlijke onderneming in handen van God, wetend dat wanneer hun gebeden in genade en gunst ontvangen werden, zij ongedeerd het drijfzand over konden steken. Zo niet, dan waren ze gestraft voor hun zonden.

Bretagne telt nog duizenden megalieten, stenen monumenten. De meeste zijn drieduizend jaar ouder dan Stonehenge. Carnac, in Zuid-Bretagne, telt de meeste megalieten ter wereld. Daar vindt men niet alleen de restanten van een stenen cirkel, maar ook drieduizend staande stenen, *menhirs*, in een rij van een kilometer lengte achter elkaar gezet. Het gebied is niet vrij toegankelijk, maar men kan zich uitgebreid laten informeren in het bezoekerscentrum van Carnac. De woorden *menhir* en *dolmen*, die gebruikt worden om de omtrek van de megalieten aan te duiden, zijn afkomstig uit de Bretonse taal.

Bretons is de enige Keltische taal die nog op het vasteland van Europa gesproken wordt. Het maakt deel uit van de talengroep waartoe ook het Welsh en het Cornish behoren, en mogelijk ook de niet meer voorkomende talen Cumbric en Pictisch.

Tijdens de Romeinse bezetting van Bretagne en Gallië werden deze talen aangetast door Latijnse leenwoorden, waarvan er nog steeds achthonderd voorkomen in de moderne versies van het Bretons, Welsh en Cornish. Zo'n vijftigduizend mensen in Bretagne spreken nog steeds Bretons; voor de Tweede Wereldoorlog lag dit aantal rond de 1,3 miljoen. Het eerste woordenboek dat in 1464 in Frankrijk werd gepubliceerd, was drietalig: Bretons, Frans en Latijn.

Pierre Abélard, de ene helft van Abélard en Héloïse, een van de bekendste liefdeskoppels in de geschiedenis, werd geboren in Le Pallet, vlak bij Nantes. Als rondreizende student trok hij van school naar school en van leraar naar leraar tot hij op de school van de Notre Dame de Paris belandde. Daar bleef hij tot hij in een debat zijn leraar versloeg, wat voor hem reden was zelf een school te stichten. Al snel werd hem een leerstoel aangeboden aan zijn oude alma mater: Notre Dame de Paris. Daar werd hij verliefd op Héloïse, de nicht van de domheer. Zij stond zowel om haar intelligentie als om haar schoonheid bekend. Abélard kreeg het voor elkaar dat hij als haar privéleraar werd aangesteld en er ontstond een liefdesverhouding tussen hen die later legendarisch zou worden. De oom van Héloïse scheidde de geliefden toen hij hun verhouding ontdekte, maar Abélard bleef haar in het geheim bezoeken. Toen ze zwanger werd, nam hij haar mee naar Bretagne, waar ze het kind kon baren. Ze trouwden in het geheim, zodat Abélard in de kerk kon promoveren. Maar zoals de meeste geheimen, kwam ook deze uit en toen het nieuws bekend geworden was, kon Héloïse niet anders dan alles ontkennen. Vervolgens trok ze zich in een nonnenklooster terug. Ervan overtuigd dat Abélard zijn bruid probeerde te dumpen, heeft de oom hem laten castreren. Het paar deelt nu een graftombe op de Père Lachaise begraafplaats in Parijs.

Middeleeuwse Franse kalender

Januari

6 Les Rois Mages (Driekoningen)
14 Saint Hilaire
21 Saint Agnès
25 Bekering van Saint Paul

Februari

5 Sainte Agathe
6 Vastenavond (1459)
7 Aswoensdag (1459)
10 Sainte Scholastique
17 Vastenavond (1461)
18 Aswoensdag (1461)
22 La Chaire de Saint Pierre
24 Saint Matthias
26 Vastenavond (1460)
27 Aswoensdag (1460)
29 Schrikkeljaar (1460)

Maart

2 Vastenavond (1462)
3 Aswoensdag (1462)
12 Saint Grégoire le Grand
16 Saint Grégoire d'Arménie

17 Saint Patrice
21 Saint Benoît
23 Goede Vrijdag (1459)
25 Annonciation (1459) Pasen

April

3 Goede Vrijdag (1461)
5 Pasen (1461)
11 Goede Vrijdag (1460)
13 Pasen (1460)
16 Goede Vrijdag (1462)
18 Pasen (1462)
21 Saint Anselme
23 Saint Georges
25 Saint Marc

Mei

1 Saint Jacques en Saint Philippe
3 Hemelvaart (1459)
6 Saint Jean Martyr
13 Pinksteren (1459)
14 Hemelvaart (1461)
22 Hemelvaart (1460)
24 Pinksteren (1461)
27 Hemelvaart (1462)

Juni

1 Pinksteren (1460)
6 Pinksteren (1462)
11 Saint Barnabé

14 Saint Basile le Grand
24 Saint Jean-Baptiste
29 Saint Pierre
30 Saint Paul

Juli

22 Sainte Marie-Madeleine
25 Saint Jacques le Majeur
26 Sainte Anne

Augustus

4 Saint Dominique
10 Saint Laurent
12 Sainte Claire
13 Sainte Radegonde
15 Assomption
21 Sainte Bernard
24 Saint Barthélemy
28 Saint Augustin

September

14 Saint Etienne
21 Saint Matthieu
29 Saint Michel

Oktober

9 Saint Dynys
28 Saint Simon

November

1 Toussaint (Allerheiligen)
2 Jour des Morts (Allerzielen)
15 Saint Malo
22 Saint Cécile
24 Sainte Flora
30 Saint André

December

6 Saint Nicolas
11 Saint Damase, pape
13 Sainte Lucie
21 Saint Thomas, apôtre
25 Kerst
26 Saint Etienne
27 Saint Jean, apôtre
28 Les Saints Innocents
29 Saint Thomas Becket

Verklaring van Franse kooktermen

Apéritifs
Dranken die voor het diner worden geserveerd om de trek te vergroten. Doorgaans zijn dit zoete versterkte wijnen (Banyuls, Muscat, Frontignanc), likeuren (port, madera, Samon, Pineau), vermout, dranken op basis van wijn (martini, Byrrh, Campari), anijsdranken (Pastis, Ricard), whisky of alcoholische dranken als gin, wodka, aquavit en saki.

Armagnac
Een soort 'cognac' die in de Franse streek Gascogne wordt geproduceerd en tonen heeft van gedroogde en verse pruimen. De beste armagnacs komen uit het Bas-Armagnac district, dat onderin de Armagnacstreek ligt. In tegenstelling tot het dubbele distillatieproces dat voor cognac nodig is, worden de meeste armagnacs maar eenmaal gedistilleerd en daarna gerijpt in eikenhouten vaten. Ze worden onderscheiden door predikaten als VS, VSOP, en XO, waarmee de leeftijd van het jongste bestanddeel van de armagnac wordt aangegeven. Er zijn ook armagnacs die uit druiven van hetzelfde oogstjaar bestaan.

Baguettes
Het klassieke Franse brood. Een *baguette* is een knapperig, langwerpig gistbrood, bereid uit tarwebloem, water, zout en gist.

Béchamel sauce
De klassieke witte saus. Bereid uit boter, bloem, melk en gekruid met nootmuskaat, zout en peper.

Blanquette de veau
Een ragout van kalfsvlees, prei, worteltjes en uien. De saus wordt gebonden met eidooiers, room en citroensap. Traditiegetrouw wordt hij geserveerd met witte rijst of gestoomde aardappelen, en een Saint-Joseph wijn.

Boeuf bourguignon
Een ragout van stukjes rundvlees, uien, worteltjes, spek, champignons, tomatenpuree, een fles rode Bourgondische wijn, en op smaak gebracht met een *bouquet garni* en knoflook.

Bouquet garni
Samengebonden takjes peterselie, tijm en een laurierblad. Het wordt gebruikt om een gerecht op smaak te brengen. Er kan ook salie, selderie of rozemarijn aan worden toegevoegd. Dit *bouquet* van kruiden wordt altijd verwijderd voor het gerecht wordt geserveerd.

Braisé de boeuf
Gestoofd rundvlees, bereid met uien, witte wijn, citroen, knoflook en dobbelsteentjes spek, en op smaak gebracht met peterselie, tijm en een laurierblad. Stoven is een kooktechniek waarin ietwat taaie, vrij goedkope stukjes vlees met weinig vocht in een gesloten pan worden gestoomd.

Brioche
Zoet desembrood, bereid met boter en eieren, dat in verschillende vormen kan worden gebakken. Het deeg moet drie keer rijzen voor het gebakken kan worden.

Bruschetta
Een klein Italiaans voorgerecht, dat bestaat uit een dikke snee brood, op traditionele wijze gegrild en ingewreven met knof-

look. Het wordt geserveerd met olijfolie en zout. Vaak is het gegarneerd met bijvoorbeeld tomaten, tuinkruiden of kaas.

Bûche de Noël
Een ware Franse kersttraditie. Deze taart is meestal gemaakt van een dunne opgerolde cake, geglazuurd met chocolade, vanille of mokkacrème, zodat het eruit ziet als een boomstam. De taart wordt versierd met schuimpaddenstoelen en hulstblaadjes van amandelspijs.

Carte Noir
Een populair merk Franse koffie die in een supermarkt kan worden gekocht.

Cassoulet
Een voedzame stoofpot uit het zuidwesten van Frankrijk. Deze ragout met witte bonen en vlees wordt in drie variaties opgediend: *Castelnaudary*, met varkensvlees (ham en worst); *Carcassonne*, met schapenvlees en patrijs; *Toulouse*, met varkensvlees, schapenvlees en worst uit Toulouse.

Cidre
Sterke appelcider. Het is gegist zonder de toevoeging van suiker of gist. Wordt vaak geïdentificeerd met de Bretonse en Normandische keuken en Franse regio's.

Civet de sanglier
Een ragout gemaakt van everzwijn, dat men in rode wijn heeft laten sudderen. Een *civet* wordt altijd afgemaakt met de toevoeging van bloed van het dier dat wordt gekookt (of in geval van nood wat varkensbloed), om de saus te binden.

Confiture
Jam of confituur die gemaakt wordt van gekookt fruit, met suiker als het conserverende middel. In Frankrijk zijn de potten vaak voorzien van het opschrift 'extra confiture'. In dat geval bevat de jam minstens vijfenveertig procent fruit. Normaalgesproken moet een jam minimaal vijfendertig procent fruit bevatten.

Confiture de figues et marrons
Jam van vijgen en kastanjes.

Coquilles St. Jacques
Sint-jakobsschelpen. Bij traditionele bereidingswijze wordt het vlees met sjalotjes en champignons in een béchamelsaus in de schelp geserveerd en gegarneerd met aardappelpuree, die op de rand van de schelp is gespoten.

Cordon Bleu
Le Cordon Bleu, opgericht in 1895, biedt zowel een culinaire opleiding aan, als scholing op verschillende vlakken van gastvrijheid en een masteropleiding in gastronomie. De uitdrukking *Cordon Bleu* komt van de ridderorde *L' Ordre du Saint-Esprit*, Orde van de Heilige Geest, die in 1578 is gesticht. De leden van de orde droegen een penning op een blauw lintje en hun spectaculaire feesten werden legendarisch. Met de uitdrukking *Cordon Bleu* werd toen een voortreffelijke kok aangeduid. *Le Grand Diplôme Le Cordon Bleu* kan in negen maanden van intensieve studie worden behaald.

Cornichons
Deze kleine augurkjes in kruidenazijn zijn een klassiek bijgerecht bij koud en gekookt vlees, patés en terrines en zijn ook een belangrijk ingrediënt van heel veel sauzen.

Crème anglaise
Vanillesaus gemaakt van melk, vanillepeulen, eidooiers en suiker. De saus wordt altijd koud geserveerd en wordt gebruikt als ingrediënt in tal van nagerechten, als basis voor roomijs, en voor garnering van taarten en andere zoetigheden.

Crème caramels
Custardpudding die in een vorm of schaal met een laagje karamel in de oven wordt verwarmd.

Crêpes
Deze flensjes van Bretonse oorsprong worden gemaakt van bloem, melk en zout of suiker, afhankelijk of ze voor een zoete of hartige maaltijd worden gebruikt. De op traditionele wijze bereide crêpes, *galettes sarrasin* of *crêpes noires,* worden gemaakt van boekweitmeel en als hartige maaltijd genuttigd. Crêpes van tarwebloem worden gebruikt voor nagerechten. In het algemeen worden in Frankrijk de crêpes vrij simpel geserveerd. Als lunch of diner gevuld met ham, kaas, ei en/of champignons. Als nagerecht met suiker, chocola, fruit, jam of chocolade-hazelnootpasta.

Crêpes suzettes
Deze dessertcrêpes worden gemaakt van beslag waaraan sinaasappellikeur is toegevoegd. Ze worden geserveerd met boter waaraan sinaasappellikeur, stukjes sinaasappelschil en curaçao is toegevoegd, en worden soms gegarneerd met stukjes sinaasappel en siroop die van sinaasappelschillen is gemaakt. De crêpes mogen *nooit* worden geflambeerd tijdens het opdienen.

Croissants
Hoewel croissants altijd met Frankrijk worden geassocieerd, komen deze halvemaanvormige schilferachtige botergebak-

jes oorspronkelijk uit Wenen. De lekkerste croissants komen meestal van de banketbakker bij een *pâtisserie,* in tegenstelling tot een gewone bakker bij een *boulangerie.* De meeste mensen geven de voorkeur aan een naturel croissant, maar de lekkernij kan ook worden geserveerd met jam. Soms wordt er in een croissant ham en/of kaas gebakken. Ook worden ze wel als nagerecht geglazuurd opgediend.

Croque-em-bouche
Een kegelvormig nagerecht. De *croque-em-bouche* wordt gecreeerd door kleine roomsoesjes met een karamellaagje op elkaar te stapelen, samen met geglazuurd fruit, gesuikerde amandelen, of suikerbloemen, en wordt daarna omsponnen met karamel.

Croque-monsieur
Een tosti met ham en gruyèrekaas. Wanneer er een gebakken ei op wordt gelegd, heet het een *croque-madame.*

Digestifs
Alcoholische drankjes die aan het einde van een maaltijd worden geserveerd – doorgaans is dat een likeur, cognac, armagnac of calvados.

Endives gratinée
Witlofstronkjes omhuld met ham en gegratineerd in een béchamelsaus.

Espresso
De Fransen drinken enorm veel espresso. Sterker nog, wanneer je in Frankrijk *un café*, een koffie, bestelt, krijg je automatisch al een espresso.

Filet mignon de porc
Varkenshaas. Wordt op verschillende wijzen geserveerd: aan een stuk, gevuld, of in schijfjes. Wordt ook wel, gesneden in de vorm van dobbelsteentjes, voor shish kebab gebruikt.

Filets de pintade aux cèpes et aux girolles
Parelhoenfilets met eekhoorntjesbrood en cantharellen.

Fines herbes
Een mix van versgehakte peterselie, kervel, dragon en bieslook.

Flamiche aux poireaux
Een hartige taart met ei en prei, uit de regio Picardie in Noord-Frankrijk.

Foie gras
De lever van een gans of eend die dwangmatig wordt vetgemest. Deze dieren krijgen normaalgesproken twee of drie weken met de hand graan toegediend, als nabootsing van de natuurlijke neiging van deze waterdieren om zich helemaal vol te eten voor ze aan hun trektocht beginnen en daarvoor vet in hun lever opslaan. *Foie gras* wordt geassocieerd met de keuken van Zuidwest-Frankrijk, maar het wordt ook geproduceerd in de Elzas en Bretagne.

Fruits verger
Boomgaardfruit: peren, appels, pruimen, enz.

Galette des rois
Dit 'driekoningenbrood' wordt volgens traditie geserveerd op Driekoningen om het bezoek van de koningen aan het kindje Jezus te vieren. Het brood heeft een korstdeeg en wordt ge-

vuld met amandelspijs. Ook wordt er een boon of klein keramisch cadeautje in meegebakken. Degene die de boon of het presentje in zijn stukje brood aantreft, is koning of koningin en moet zijn koningin of koning kiezen. Bij het driekoningenbrood worden meestal papieren kronen meegeleverd.

Gâteau au chocolat
Chocoladegebak met de structuur van een mousse en de sterke smaak van een truffel.

Gâteau aux trois chocolates
Chocoladegebak bereid met witte, pure en melkchocolade.

Gelée
Gelei dat gebruikt wordt als een aspic in hartige gerechten of als een dessert met als hoofdbestanddeel fruit, wijn of likeur.

Gnocchi
Een gegratineerd gerecht dat warm wordt opgediend. In Frankrijk wordt de *gnocchi à la parisienne* van oudsher bereid van soezendeeg. Gnocchi kan ook worden gemaakt van bloem en Parmezaanse kaas of van aardappels en room.

Gougère bourguignonne
Een brood dat gemaakt is van soezendeeg en geraspte gruyèrekaas. Het heeft de vorm van bolletjes of een krans en wordt geserveerd als een voorgerecht.

Gratin
Een kookmethode waarbij geraspte kaas, witte saus, of broodkruim als bovenlaag van een ovengerecht wordt aangebracht en door de warmte van de oven voor een bruin krokant korstje zorgt.

Gratin dauphinois
Met witte saus en geraspte kaas gegratineerde aardappelschijfjes.

Gruyère
Een kaas die gemaakt is van hete melk en in een groot rad is gevormd. Zowel qua smaak als qua uiterlijk lijkt hij op Zwitserse kaas.

Haricots verts
Rechte groene boontjes, iets dunner dan sperziebonen. Ze worden ook wel Franse boontjes genoemd.

Île flottante
Drijvend eiland; een nagerecht van schuimgebak dat in een plas van *crème anglaise* 'drijft'.

Jambon au cidre
Ham die in appelcider wordt gekookt.

Joue de lotte
Zeeduivel (vis).

Limoncello
Italiaanse citroenlikeur. De lekkerste limoncello komt van de Amalfikust en het eiland Capri.

Magret de canard
Malse eendenborstfilet. Het vlees wordt bereid als een biefstuk en half doorbakken geserveerd.

Maury wine
Een zoete wijn, versterkt door de toevoeging van brandewijn,

en gemaakt van de Grenache Noire druiven uit het Maury wijngebied in de Cotes-du-Roussilon-Villages van Zuid-Frankrijk. De wijn heeft tonen van rood fruit, cacao en koffie. Ze wordt ook gedronken als een aperitief.

Mille feuille
Een gerecht dat bestaat uit korstgebak met een vulling. Wanneer het als een nagerecht wordt geserveerd, kiest men voor een zoete vulling zoals gele room of pudding en wordt de bovenkant bepoederd met suiker of overgoten met glazuur. De moderne varianten van *Mille feuille* hebben een hartige vulling. Zie ook het recept elders in dit boek.

Mont d'Or (of *Vacherin du Haut Doubs)*
Deze dessertkaas heeft het AOP-keurmerk (Appellation d'Origine Protégée, voorheen AOC - Appellation d'Origine Côntrolée), wat inhoudt dat de overheid de productieplaats, de bereidingswijze en de kwaliteit van de kaas controleert. Mont d'Or ligt vlak bij de Zwitserse grens en deze winterkaas wordt daar al twee eeuwen lang gemaakt. De kaas wordt omwikkeld met een reep dennenhout en rijpt vervolgens drie weken op planken van sparrenhout. Tijdens de rijping wordt de kaas regelmatig gekeerd en ingewreven met een doek die in de pekel is gedrenkt. De kaas wordt verkocht in een houten doosje.

Moules marinaire
Mosselen die in een marinade van witte wijn, boter, tijm, laurierblad, ui en peterselie zijn gekookt.

Mousse de potiron au gingembre
Pompoen-gembermousse.

Navarin d'agneau
Een ragout van schapenvlees of lamsvlees met aardappelen en groenten. Deze ragout wordt van oudsher met lentegroenten bereid en wordt op smaak gebracht met witte wijn, knoflook, nootmuskaat en een *bouquet garni*.

Oeufs en gelée
Gehalveerde hardgekookte eieren, bedekt met een maderagelei, ham en een variatie aan gehakte groenten.

Pains au chocolat
Croissantachtige broodjes van roomboterbladerdeeg waarin stukjes pure chocolade zijn meegebakken.

Paté
Een vleesproduct dat in een aardewerken schaal wordt gebakken, in plakken wordt gesneden en koud wordt geserveerd. Denk bijvoorbeeld aan *paté de campagne*; of een paté die uitgesmeerd kan worden, zoals *foie gras*.

Het woord paté wordt in Frankrijk ook gebruikt voor pastei, een vleesproduct (varkensvlees, kalfsvlees, gevogelte, wild en/of een mengeling daarvan) dat in deeg wordt gewikkeld en gebakken. Een pastei kan worden dichtgevouwen, maar dat is niet noodzakelijk, en wordt zowel warm als koud geserveerd.

Paté de lapin aux noisettes
Een paté van konijn met hazelnoten, op smaak gebracht met port, worst, kippenlevers, uien, kervel, tijm en laurierblad.

Pintade aux figues sèches
Parelhoen met gedroogde vijgen. Parelhoen kan ook worden gebruikt als vervanger van fazant of patrijs.

Poulet rôti
Gegrilde kip die meestal aan een roosterspit wordt bereid.

Profiteroles
Deze kleine soesjes worden als voorgerecht meestal opgediend met een hartige vulling, en als nagerecht met een vulling van gele room, slagroom of jam. Het meest gebruikelijk is een vulling van vanille-ijs en een garnering van warme chocoladesaus.

Ragoût
Een gerecht waarbij twee kooktechnieken worden gecombineerd: aanbraden en sudderen. Eerst wordt het voedsel aangebraden en daarna suddert het zachtjes verder in een geurige vloeistof. Vaak wordt er bloem toegevoegd om de ragout te binden.

Ratatouille
Een ragout van groenten die van origine uit Nice in Zuid-Frankrijk komen, zoals ui, courgette, tomaat, paprika en aubergine, en op smaak gebracht met knoflook, olijfolie, laurierblad en tijm. Ratatouille wordt vaak als bijgerecht bij een vleesgerecht geserveerd en kan zowel warm als koud worden gegeten.

Rillettes
Een smeerbaar product van varkens- of ganzenvlees dat in zijn eigen vet is gekookt. Het kan als voorgerecht worden opgediend, maar ook op toastjes worden gebruikt. *Rillettes* uit de omgeving van Tours zijn donkerder en fijner van structuur dan die uit Le Mans of Sarthe in Zuid-Frankrijk. Het stempel *qualité supérieure* op de pot duidt aan dat het betreffende product minder vet bevat dan een *rillette traditionnelle.*

Roquefort
Een blauwe schimmelkaas, die als eerste in Frankrijk het AOP keurmerk heeft gekregen. Roquefort wordt minstens drie maanden, maar meestal vier tot negen maanden, gerijpt in de Mont Combalou grotten in Roquefort-sur-Soulzon.

Salade composé
Een salade die doorgaans als voorgerecht wordt geserveerd. De salade wordt kunstig op de borden opgemaakt, waarbij meestal een grote variatie aan ingrediënten wordt gebruikt, zoals vlees, lever, schelpdieren, ganzenlever, sla, aardappelen, appels, champignons enz.

Sauce béarnaise
Een saus, bereid met eidooiers, boter en citroen en op smaak gebracht met sjalotjes, dragon, kervel, tijm, laurierblad, witte wijnazijn en witte wijn. De saus hoort vlak voor het serveren te worden bereid en moet even dik zijn als mayonaise.

Saumur-champigny
Een wijn uit het Anjou-Saumur gebied in de Loire. Deze soepele, rode wijn met tonen van rode bessen wordt geproduceerd in een van de negen dorpen in het Saumur-Champigny district. Voor de wijn wordt een mengeling van de druivensoorten Cabernet Franc en Cabernet Sauvignon gebruikt. De wijn met dit opschrift moet minstens een jaar oud zijn en past uitstekend bij een eendengerecht.

Sauternes
Een zoete, witte wijn uit de dorpen Sauternes, Barsac, Bommes, Fargues of Preignac in Bordeaux. De beste Sauternes-wijnen komen uit Sauternes en Barsac. Voor de productie wordt een mengeling van de witte druivensoorten Sémillon en Sauvig-

non gebruikt. Door de druiven pas in het najaar te oogsten, is er al een rottingsproces op gang gekomen. Daardoor hebben de druiven al veel vocht verloren, wat een toename van het suikergehalte heeft bewerkt. Als gevolg van die suikerconcentratie kan het gistingsproces een jaar duren, waarna de wijn minstens twee jaar in een fust met rust gelaten wordt.

Sorbets
Een bevroren nagerecht dat gemaakt is van suikersiroop en gepureerd fruit of vruchtensap, wijn of alcohol. In sommige recepten wordt ook meringue genoemd, als hulpmiddel om de sorbet wat meer volume te geven.

Sorbet des agrumes
Een sorbet van citrusvruchten, zoals sinaasappels, grapefruits, mandarijnen, clementines, citroenen, kumquats, satsuma's en tangelo's.

Tagliatelle (Fettucine)
Een pasta van eierdeeg, dat in lange, smalle repen is gesneden. Door spinazie aan het deeg toe te voegen, wordt de pasta groen.

Terrine
Van oudsher een paté die bereid is met varkensvlees, gevogelte of wild en in dikke plakken wordt gesneden. Tegenwoordig wordt de naam *terrine* ook gebruikt voor een pastei van vis, schaaldieren of groenten, die meestal met gelatine is gebonden.

Tourte bourguignon
Een vleespastei, gemaakt van rundvlees, uien, wortelen, spek, champignons en tomatenpuree en op smaak gebracht met een *bouquet garni*, knoflook en rode bourgognewijn.

Veal marsala
Kalfsvlees dat gekookt is in Marsala dessertwijn uit Sicilië en op smaak is gebracht met salie.

Recepten

De recepten die hierna volgen, zijn door mijn vriendin Kerrie Hecker speciaal voor de lezers van dit boek gemaakt. Ik leerde Kerrie kennen toen ik in Parijs woonde. Terwijl ik op kantoor werkte, had zij vijf keer het genoegen lessen aan *Le Cordon Bleu* in Parijs te volgen. In maart 2000 slaagde ze met lof voor de examens *Cuisine* en *Patisserie*. De afgelopen zeven jaar heeft ze vanuit haar eigen huis kookles gegeven.

Geroosterde paprika's met geitenkaas

Voorgerecht

Voor acht porties:
4 grote rode paprika's (groene paprika's zijn niet geschikt)
9 theelepels extra vergine olijfolie
2 teentjes knoflook
400 gram zachte geitenkaas (in ronde vorm, om er plakjes van te snijden). Meestal wordt de Crottin de Chavignol gebruikt.
versgemalen zwarte peper, zout
1 klein bosje basilicumblaadjes, vers gesneden, gewassen en gedroogd
4 theelepels balsamicoazijn (optioneel)
wat pijnboompitten (optioneel)

Bereiding:

1. Verwarm de oven voor op 180 graden.
2. Was de paprika's, halveer ze, ook de stengels, en probeer aan iedere helft een stukje van de stengel te bewaren. Dit is niet noodzakelijk, maar het helpt om de paprika's tijdens het grillen hun vorm te laten behouden. Verwijder de zaadlijsten en vliezen. Besprenkel een ondiepe ovenschaal met 1 theelepel olie. Zorg ervoor dat de schaal dermate groot is dat de paprikahelften niet over of op elkaar liggen. Leg de helften met de open zijde naar boven in de ovenschaal.
3. Pel de knoflookteentjes, snijd ze in dunne plakjes en verdeel deze gelijkmatig over de paprika's.
4. Besprenkel iedere helft met een theelepel olijfolie en bestrooi het geheel met zout en peper.
5. Schuif het rooster van de oven in de bovenste richel en zet de ovenschaal in het midden. Laat de paprika's 50 tot 60 minuten in de oven staan. De paprika's mogen natuurlijk niet verbranden, maar moeten wel mooi geroosterd worden en een pittige smaak en kleur krijgen. Haal de schaal na de verstreken tijd weer uit de oven en leg in het midden van elke paprika 50 gram geitenkaas. Plaats de schaal weer in de oven tot de kaas warm is en lichtjes bubbelt.
6. Leg voor iedere gast een of twee halve paprika's op een bord, e.e.a. afhankelijk van de afmeting van de helften en de trek van de eters. Zorg ervoor dat er genoeg kookvocht over de helften wordt gegoten, zodat alle gasten wat van de warme olie en de geroosterde knoflookplakjes krijgen. Besprenkel voor het opdienen iedere paprikahelft met een halve theelepel balsamicoazijn en bestrooi het geheel met de basilicumblaadjes en pijnboompitten. Serveer het gerecht warm of op kamertemperatuur. Tip: geef er Focaccia brood bij om het heerlijke kookvocht mee op te deppen.

Gegrilde zalm met asperges, balsamicoazijn en Parmezaanse kaas

Hoofdgerecht

Voor 4 personen:
4 zalmfilets van 50 gram per stuk
20 lange groene asperges (gemiddelde dikte)
3 theelepels ongezouten boter
1 theelepel olijfolie
3 theelepels balsamicoazijn
1 theelepel citroensap
1 punt Parmezaanse kaas

Bereiding:
1. Spoel de zalmfilets af met koud water. Dep ze droog met keukenpapier. Leg de zalmfilet plat over de hand zodat aan iedere kant van de hand een stuk uitsteekt. Controleer de filet op graten door met uw vinger langs de structuur van de zalm te strijken. Wanneer u nog graten aantreft, verwijder ze dan in de richting waarin ze eruit steken. Dep de plekjes droog met keukenpapier. Gril de filets op een gril of in de oven (ongeveer 15 minuten bij 200 graden) tot ze niet langer rauw zijn. Houd de zalmfilets warm.
2. Was en droog de asperges zorgvuldig. Duw elke asperge vanaf de bovenkant naar het begin van de stengel tot hij breekt. Hierdoor breekt de asperge net boven het houterige stukje aan de onderkant af. Snijd voor een mooiere presentatie de asperge recht af bij het punt waarop hij brak en snijd ze vervolgens allemaal op dezelfde lengte. Verwarm 2 theelepels ongezouten boter plus 1 theelepel olijfolie in een sauteerpan. Sauteer de asperges ongeveer 10 minuten op middelmatige vlam tot ze lichtjes bruinen. Draai het vuur laag en bespren-

kel de asperges met 1 theelepel balsamicoazijn. Verwarm het geheel nog een minuut. Haal de pan van het vuur en leg de asperges in een vuurbestendige schaal. Bedek de schaal met aluminiumfolie om de asperges warm te houden.

3. Verhit in dezelfde pan waarin de asperges zijn gesauteerd, ongeveer 30 seconden de overige 2 theelepels balsamicoazijn. Haal de pan van het vuur, voeg de theelepel citroensap en de laatste theelepel ongezouten boter toe. Roer in de pan tot het een geheel geworden is.
4. Leg op elk bord 4 asperges naast elkaar en leg dan de 5^e^ asperge er diagonaal overheen. Rasp daar Parmezaanse kaas overheen. Leg ten slotte op elk bord een zalmfilet en besprenkel elke filet met ¼ van het balsamicomengsel.

Mille feuille aux Mascarpone avec fruits et Coulis

Laagjes mascarpone met fruit en vruchtensiroop

Nagerecht

Voor 4 personen:
1 beker mascarpone
1 of 2 theelepels poedersuiker
150 gram bosbessen, aardbeien, frambozen, zwarte bessen (of welk klein fruit dan ook) maar niet bevroren
12 dunne koekjes, gekocht of zelfgebakken, zoals amandelkoekjes. Zorg dat ze allemaal dezelfde afmeting hebben.

Frambozenpuree
125 gram verse of bevroren frambozen (of ander fruit)
Poedersuiker

Bereiding:

1. Vermeng de mascarpone met de poedersuiker. Voeg net zo veel poedersuiker toe tot u het geheel zoet genoeg vindt. Was en droog het fruit en voeg dit aan de mascarpone toe. Wanneer u dit lang van tevoren doet, zorg er dan voor dat u voldoende ruimte in de koelkast hebt, want de kaas wordt erg snel zacht. Gebruik geen bevroren fruit, want anders verkleurt de mascarpone door het vocht dat bij het ontdooien van het fruit vrij komt.
2. Schep op elk bord een kloddertje mascarpone (zorg dat er wat fruit bij zit) en leg er een koekje bovenop. Door de mascarpone ligt het koekje wat stabiel. Leg 1/8 deel van de overgebleven mascarpone bovenop het koekje, strijk dit glad met de achterkant van een lepel en leg er nog een koekje bovenop. Herhaal dit nogmaals, waardoor er twee lagen mascarpone tussen drie koekjes ontstaan.
3. Bereid de frambozenpuree door de ontdooide frambozen te zeven. Let erop dat er geen pitjes door de zeef schieten. Strooi naar eigen smaak poedersuiker over de puree, maar voorkom klontjes. Wanneer u vers fruit gebruikt, kunt u het fruit pureren in een keukenmachine en dan poedersuiker toevoegen.
4. Schep een lepel frambozenpuree om de koekjes heen. Strooi wat poedersuiker over de bovenkant en dien het nagerecht op. Een vers blaadje pepermunt geeft het geheel een extra leuk tintje.

Woord van dank

Ik bedank mijn literair agent, Beth Jusino, die in dit manuscript geloofde, en mijn redacteuren, Rachelle Gardner, die mijn blik scherper maakte, en Darla Lightower, die mijn zinnen polijstte. Ook bedank ik Emily Locke, mijn eerste lezer, die steeds gedeelten van dit manuscript gelezen heeft terwijl ze eigenlijk had moeten studeren. Verder bedank ik Mick Silva voor zijn enthousiasme toen alle deuren gesloten leken te zijn, en mijn collega-schrijvers – Lisa Crayton, Ginger Garrett en Sue Lang.